U0120608

国家出版基金项目
NATIONAL PUBLICATION FOUNDATION

"十三五"国家重点图书出版规划项目

中国兵学通史

秦汉卷

黄朴民　主编

黄朴民　著

CTS｜岳麓书社
·长沙·

图书在版编目（CIP）数据

中国兵学通史.秦汉卷/黄朴民著;黄朴民主编.—长沙:岳麓书社,2022.1(2023.4 重印)

ISBN 978-7-5538-1573-2

Ⅰ.①中… Ⅱ.①黄… Ⅲ.①军事思想史—中国—秦汉时代 Ⅳ.①E092.2

中国版本图书馆 CIP 数据核字(2021)第 222891 号

ZHONGGUO BINGXUE TONGSHI · QIN-HAN JUAN

中国兵学通史·秦汉卷

主　　编:黄朴民

作　　者:黄朴民

项目统筹:李业鹏

责任编辑:李业鹏　潘素雅

责任校对:舒　舍

书籍设计:萧睿子

岳麓书社出版发行

地址:湖南省长沙市爱民路47号

邮编:410006

版次:2023 年 4 月第 1 版

印次:2023 年 4 月第 2 次印刷

开本:640mm×960mm　1/16

印张:22.5

字数:324 千字

书号:ISBN 978-7-5538-1573-2

定价:150.00 元

承印:长沙超峰印刷有限公司

如有印装质量问题,请与本社印务部联系

电话:0731-88884129

《中国兵学通史》编委会

总　序

一、军事历史与兵学思想的地位和价值

孔子说"有文事者必有武备，有武事者必有文备"（《史记·孔子世家》），这充分揭示了一个基本事实，即军事始终是社会生活中的重要组成部分，与之相适应，就是军事历史与兵学思想理应成为历史学研究的主要对象之一。强化军事历史与兵学思想研究，对于推动整个历史研究，深化人们对历史现象的全面认识和历史发展规律的深刻把握，实具有不可替代的意义。

必须重视对军事历史与兵学思想的研究，这是由军事在社会生活与历史演进中具有决定性意义这一性质所决定的。就中国范围而言，军事往往是历史演进的最直观表现形态。国家的分裂与统一，新旧王朝的交替，政治势力之间的斗争倾轧，下层民众的反抗起义，中华民族内部的融汇，等等，绝大多数都是通过战争这个途径来实现的。战争是社会生活的焦点，是历史演进的外在表现形式。

更为重要的是，在中国历史上，军事渗透于社会生活的各个领域、各个层面，成为历史嬗变的指针。具体地说，最先进的生产力往往发源于军事领域，军事技术的进步在科技上呈现引导性的意义。换言之，最先进的工艺技术首先应用于军事方面，最优良的资源优先配置于军事领域，最突出的科技效率首先反映于军事实践。这种情况早在先秦时期便已出现，所谓"美金以铸剑戟，试诸狗马；恶金以铸锄夷斤劚，试诸壤土"（《国语·齐

语》),"来天下之良工"(《管子·小问》),"聚天下之精材,论百工之锐器"(《管子·七法》),等等,都表明军事技术发展程度乃是整个社会生产力最高发展水平的一个标尺。秦汉以降,军事技术的这种标尺地位仍没有丝毫改变,战船制作水平的提高,筑城工艺技术的进步,火药、火器的使用,钢铁先进武器装备的铸造,等等,都是该历史时期先进生产力的集中体现,都毫无例外地起着带动其他生产领域工艺技术水平提高的重要作用。

军事在历史演进中的中心地位同样也体现在政治领域。"国之大事,在祀与戎"(《左传·成公十三年》),这是一条被经常引用的史料,可谓耳熟能详。对一个国家来说,有两件核心的大事:第一是祭祀,借沟通天人之形式,表明政权的合法性和神圣性;第二就是战争,保卫自己的国家,开疆拓土,在激烈而残酷的竞争中生存下去。我们认为,这八个字是了解中国古代历史真相及其特色的一把钥匙,因为它简明扼要地道出了古代社会生活的两个根本要义。以祭祀为中心的巫觋系统与以作战为主体的政事系统,各司其职,相辅相成。这与世界上绝大多数民族和国家政治起源的情况相类似,从氏族社会晚期的军事民主制时代开始,权力机构的运作,是按两个系统的分工负责来具体实施的,这在西谚中被形象地概括为:将上帝的交给上帝,将恺撒的交给恺撒。当然,随着中国历史的演进,"祀"渐渐地更多成为仪式上的象征,而"戎",即以军事为中心的政务,则打破平衡,成为国家事务的最大主体,在国家政治生活中逐步走向相对中心的位置,所谓"兵者,国之大事,死生之地,存亡之道,不可不察也"(《孙子兵法·计篇》),反映的就是这个客观现实。

这种情况可谓贯穿于整个中国古代的历史。历史上中央集权的强化,各种制度建设的完善和重大改革举措的推行,往往以军事为主体内容。所谓的中央集权,首先是对军权的集中,这从先秦时期的虎符发兵制到宋太祖"杯酒释兵权",到朱元璋以五军都督府代替大都督府,清代设置军机处等制度和行政措施可以看得十分清楚。国家法律制度与规章，也往往是在军队中首先推行，然后逐渐向社会推广。如军功爵制滥觞于春秋时期赵简子的铁地誓师辞：“克敌者，上大夫受县，下大夫受郡，士田十万，庶人工商遂，人臣隶圉免。”（《左传·哀公二年》）战国时期普遍流行的“什伍连坐法”、秦国的“二十等爵制”等，后来逐渐由单纯的军中制度演变为控制与管理整个社会的奖惩制度。从这个意义上说，军队是国家制度建设的先行者，军事在国家政治发展中起着引导作用。至于中国历史上的重大改革，也几乎无一例外以军事为改革的主要内容，如商鞅变法中“尚首功”的措施、大力推进的“耕战”政策，汉武帝“非常之事”中发展骑兵的战略方针，王安石变法中“保甲法”“将兵法”等强兵措施，张居正改革中强军与整饬边防的举措，均是具体的例证。而战国时期赵武灵王的“胡服骑射”，则更是完全以军事为中心带动社会政治全面改革与创新的运动。

在思想文化领域，军事同样占有重要地位。先秦时期，儒学其实并未享有后世那种崇高地位。当时，社会上真正崇拜的是赳赳武夫，所以《诗经·兔罝》中说“赳赳武夫，公侯干城”，赳赳武夫是国家的栋梁。现在国学中讲的经史子集图书分类法是隋唐以后出现的，在《汉书·艺文志》中，图书分为“六略”：“六艺”“诸子”“诗赋”“兵书”“术数”“方技”。其中，“兵书”是独立的一类，与“六艺”“诸子”等是并驾齐驱的。

就世界范围而言，军事历史与军事思想作为历史学的重要组成部分也是毋庸置疑的。西方早期的历史著作，如希罗多德的《历史》、修昔底德的《伯罗奔尼撒战争史》、恺撒的《高卢战记》、色诺芬的《长征记》、韦格蒂乌斯的《兵法简述》，大都是军事史著作，其中多有相关战争艺术的记载。这一传统长期得以延续，使得在当今欧美国家的历史学界，军事史仍然是人们研究的热点问题之一。有关战争、战略、军队编制、作战技术、武器装备、军事地理、军事人物、军事思想等各个方面的研究都比较成熟，并取得了丰硕的成果，杰弗里·帕克主编的《剑桥战争史》就是这方面的代表之一。与此相对应，军事历史以及军事理论的研究在历史学界甚至整个学术界都拥有较高的地位，产生了较大的影响。

总之，无论东方还是西方，军事历史与军事思想文化都是历史文化中的重要内容，不懂军事就无法全面地了解古今中外的历史。数千年的中西文明史，在某种意义上是一部军事活动史，一部军事思想文化发展史，抽掉了军事内容，就谈不上有完整意义的世界历史。

在整个军事史的研究体系中，军事思想史也即"兵学史"的研究占有核心的地位，具有指导性的意义。英国历史学家柯林武德指出："一切历史都是思想史。"① 其言信然！我们认为，思想史是历史学研究的主要内容与主体对象，思想史的考察，是历史研究的主要方法。林德宏教授曾专门讨论了思想史在历史学研究中的关键作用：历史研究的顺序，是从直观的历史文物开始，展开对历史活动（以历史事件为中心）的认识，再进入对历史思想的探讨（叩问思想背景，寻觅思想动机，从事思想反思）。很显然，我们只有进入思想史这个层次，才可能对人类历史有完整而本质的理解与把握。②

总之，各个领域深层次的历史都是思想史，思想史研究是历史学研究的最终归宿。这一点，在军事史研究中也没有例外，兵学思想的研究，是整个军事史研究的主干与重心。换言之，在中国源远流长的军事史中，兵学思想无疑是其灵魂与核心之所在，它在很大程度上规范了整个军事的面貌，是丰富多姿、异彩纷呈的军事文化现象的精神浓缩和哲学升华，是具体军事问题的高度

① ［英］柯林武德著，何兆武、张文杰、陈新译：《历史的观念》（增补版），北京大学出版社，2010年，第212页。
② 参见林德宏：《思想史与思想家》，《杰出人物与中国思想史》，江苏教育出版社，2000年。

抽象，也是军事发展规律的普遍揭示。所以，兵学思想研究理应成为军事史研究的重点，也应该成为整个学术思想文化发展史认知中的重要一维。

二、中国历代兵学的内涵与主题

军事思想，用比较规范与传统的概念来表述，就是兵学。所谓中国古代兵学，指的是中国历史上探讨战争基本问题，阐述战争指导原则与一般方法，总结国防与军队建设普遍规律及其主要手段的思想学说。它萌芽于夏商周时期，在春秋战国时期形成独立的学术理论体系，充实提高于秦汉三国两晋南北朝至隋唐五代时期，丰富发展于两宋以迄明清时期，直至晚清让位于近代军事学。

先秦时期是中国军事思想发展的第一个高峰，其间分为四个阶段。第一个阶段是萌芽、初步发展期，包括甲骨文、金文、古代典籍如《尚书》《诗经》《周易》中的军事思想，代表作是古本《司马法》。它们体现了"军礼"的基本精神，提倡"以礼为固，以仁为胜"（《司马法·天子之义》），主张"九伐之法"（《周礼·夏官》），"不鼓不成列"（《左传·僖公二十二年》），"不杀黄口，不获二毛"（《淮南子·氾论训》），提倡"逐奔不过百步，纵绥不过三舍"（《司马法·仁本》），"战不逐奔，诛不填服"（《春秋穀梁传·隐公五年》），强调"军旅以舒为主，舒则民力足。虽交兵致刃，徒不趋，车不驰"（《司马法·天子之义》），贵"偏战"而贱"诈战"，"结日定地，各居一面，鸣鼓而战，不相诈"（《春秋公羊传注疏·桓公十年》何休注），出兵打仗还有很多其他的限制，"不加丧，不因凶"（《司马法·仁本》）等，凡此种种，不一而足。

第二个阶段是春秋后期，以《孙子兵法》为标志。春秋后期，战争发生重大改变。第一，战争性质由争霸变为兼并，战争更加残酷，如孟子讲的"争地以战，杀人盈野；争城以战，杀人盈城"（《孟子·离娄上》）。第二，军队成分发生改变，原来当兵的都是受过良好礼乐教育的贵族，此时是普通老百姓。第三，战争区域扩大了，由原来的黄河中下游大平原，扩大到南方的丘陵、沼泽、湖泊地区。第四，更重要的是武器装备变了，原来是原始社会就开始用的弓箭，此时有了弩机，准确率提高，射程加大。武器装备变化带来了整个作战样式、军队编制体制、军事理念和理论的变革。战争的变化带来军事的革命性变化。西周至春秋前期，军队行进比较缓慢，如《尚书·牧誓》所言："不愆于六步、七步，乃止齐焉""不愆于四伐、五伐、六伐、七伐，乃止齐焉"。而春秋后期成书的《孙子兵法》则强调"兵之情主速，乘人之不及，由不虞之道，攻其所不戒也"（《孙子兵法·九地篇》），兵贵神速。原来讲礼貌和规则，"不以阻隘""不鼓不成列"（《左传·僖公二十二年》），现在则"兵以诈立，以利动，以分合为变"（《孙子兵法·军争篇》），军队打仗靠诡诈、欺骗而取胜。毫无疑问，《孙子兵法》的诞生，是中国兵学文化史上的一次具有根本意义的变革与飞跃。后人评曰："孙武之书十三篇，众家之说备矣。奇正、虚实、强弱、众寡、饥饱、劳逸、彼己、主客之情状，与夫山泽、水陆之阵，战守、攻围之法，无不尽也。微妙深密，千变万化而不可穷。用兵，从之者胜，违之者败，虽有智巧，必取则焉。可谓善之善者矣。"（戴溪《将鉴论断·孙武》）可谓恰如其分，洵非虚言！

第三个阶段是春秋后期到战国后期，是《孙子兵法》的延续、演变阶段。当时的兵书浩如烟海，有代表性的包括《尉缭子》《吴子》《孙膑兵法》及今本《司马法》，这些兵书立足于战国时期"争地以战，杀人盈野；争城以战，杀人盈城"（《孟子·离娄上》）的现实，沿着《孙子兵法》所开辟的道路前进，对自上古至战国的军事历史进行梳理与总结，对军事活动的一般规律加以揭示，大大深化了人们有关军队建设与治理要领的认识，从而使对战争指导原则与作战指挥艺术的理解与运用进入了崭新的阶段。

第四个阶段是总结、综合阶段，出现了《六韬》。《六韬》托名姜太公，但实际上至少是战国后期成书的，甚至有可能是秦汉时期的著作。它篇幅很大，有六十篇，内容庞杂，不光讲军事问题，还有先秦诸子的政治理念。《六韬》包括"兵权谋""兵形势""兵阴阳""兵技巧"，体现了综合性，这与当时整个社会的思想趋于综合是相一致的。

从秦汉一直到隋唐五代是中国军事思想发展的过渡期，这个时期的兵书不多，但是大量的战争实践丰富了军事理论。比如之前是东西线作战，没有南北问题，不会出现"南船北马"的考虑。此外，军事思想更多地体现在对策上，如韩信的《汉中对》，诸葛亮的《隆中对》，羊祜的《平吴疏》，以及杜预和王濬的平吴思想，西汉张良与东汉邓禹、来歙等人的献计献策，高颎与贺若弼为隋文帝提出的军事建议等。这些对策是真正的精华，军事学的实用性大大提高了。除军事家外，政治家、思想家也普遍在关注军事问题。比如晁错的《言兵事疏》，王符《潜夫论》中的《边议》《劝将》《救边》《实边》诸篇，都是论兵的名篇佳作。

这一时期军事思想的发展有两个主要标志，一是兵学主题的转换，一是战略向战役、战斗层次的转换。兵学主题的转换在《黄石公三略》中有鲜明的体现。首先，《黄石公三略》是大一统兵学，这一主题与先秦兵学不一样。先秦兵学讲的是夺天下、取天下的问题，而《黄石公三略》讲的是安天下、治天下的问题。秦汉时期虽然也有战争，但总体上和平发展是主流，所以这时的兵学更多是为了维护安全，而不是讲攻城略地的问题。其次，这一时期的兵学主题由作战变为治军，所以《黄石公三略》很少涉及作战指挥的具体内容，都是强调如何治理军队，尤其是如何处理好君主和将帅的关系问题，这既可以说是兵学，也可以说是政治学。三国两晋南北朝到隋唐五代时期有丰富的战争实践，所以到《唐太宗李卫公问对》，就把原来《孙子兵法》中很抽象的东西，用真实的战例来印证，把孙子的原则具体化、细节化了，"分别奇正，指画攻守，变易主客，于兵家微意时有所得"（《四库全书总目·兵家类》）。所以，秦汉至隋唐五代的中国军事思想虽然是比较平稳地发展，但还是有其鲜明的特色。

宋元时期是中国军事思想发展的第三个大的阶段。元代军事思想主要体现在蒙古骑兵的军事实践中，具有鲜明的北方民族特色，但形诸文字的兵学论著很少。而宋代兵学则形成了中国传统兵学的一个高峰。宋代比较优待知识分子，但是，宋代实际上又处于"积弱"的状态，没有强大的军事实力，于是，在一定程度上只能靠军事谋略来加以必要的弥补。宋代的军事理论繁荣集中体现在以下几个方面。首先，宋代武学兴起，系统并规范地培养专业的军事人才，并使这一制度成为定制。其次，宋代颁定"武经七书"，成为武学的官方教科书。中国自古治国安邦文武并用，文是指儒家经典"十三经"或"四书五经"，武就是"武经七书"。更重要的是，宋代兵书分门别类，更加专业化。《孙子兵法》包括治军、作战、战略、军事观念等，是综合性的兵书。而宋代兵书有专门研究军事制度的，如《历代兵制》；有讨论守城问题的，如《守城录》；有大型的兵学类书，如曾公亮等人编撰的《武经总要》；有具体讨论各种战法战术的，如《百战奇法》；有对军事历史人物、事件进行评论的，如《何博士备论》等。宋代虽然兵书著述繁富，但在"崇文抑武"治国方略以及文人论兵思潮之下，兵学儒学化倾向严重，创新性不足，在总结火器初兴条件下新的战术战法、指导战争实践方面未能发挥应有作用，兵学在文献繁荣的表象之下已经蕴含着衰落的危机。

明清时期，中国军事思想发展进入守成阶段。这是中国古代兵学的终点，也是迈向新生的起点，有其显著特色。

就明代而言，当时的兵书数量众多，如《阵纪》《兵垒》《投笔肤谈》等。有些兵书在兵学文化上也不乏建树，表现为重视具体的军队战术要领总结，如戚继光的《纪效新书》和《练兵实纪》。又如，明代出现倭寇，遇到海防这一新问题，于是出现了海防兵书，如郑若曾的《筹海图编》。明代还引进了西洋火器，如佛郎机、红衣大炮等，火器的广泛运用催生了孙承宗的《车营叩答合编》。孙承宗关于新型战法的讨论，显然受到了传统兵学的深刻影响，即便是讨论车战的奇正，也未能在总体上跳出传统范式。但他也试图结合装备发展情况对车战的战法进行探讨，以求更好地发挥火器的威力，这一点显得难能可贵，传统兵学就此迎来转型良机。但令人遗憾的是，封建王朝的更替随即打断了这一转型进程。

清代兵书亦不少，但对兵学贡献最大的却不是兵书，而是有军事实践的曾国藩、胡林翼、左宗棠等人，他们提出了相对完整的治军和练兵思想，如"训有二，训打仗之法，训作人之道"①，"练有二端，一曰练技艺，二曰练阵法"②，在作战方法上创造了水陆相依、围城打援等经过实战检验的有效战法。但从根本上讲，曾国藩等人对兵学的主要贡献仍是在传统兵学框架之内，并未对兵学产生结构性的改变，而仅做了传统兵学思维的实践性转化等工作。所以总体上看，兵学在西方军事理论被引入到中国之前并无体系上的重大突破，亦未扭转步步沦落的局面。总之，明清军事思想有其一定的创新内容，但从根本上讲，并没有重大的突破，乃是中国古代兵学的终点。

19 世纪 60 年代以后，西方军事理论被大规模介绍到中国，传统兵学中的原生缺陷逐步被补足，中国军事学发生重大变革，传统的兵学逐步让位于近代军事学。如以军事教育取代传统的选将，装备保障与建设也逐步形成理论，兵学的内涵发生了较大变化。同时，伴随西方军事理论一同被引入的科学主义精神，推动

①　《曾国藩全集·批牍》，岳麓书社，1994 年，第 246 页。
②　《曾国藩全集·诗文》，岳麓书社，1986 年，第 438 页。

了兵学逐步从以经验主义为基础向以科学主义为基础的转变。其中，跳出传统兵学以"范畴"为核心与载体的术语体系，借鉴和应用西方近代军事学，使军事术语得以规范地使用，可谓是兵学趋向专业化和科学化的重要特征之一。这个进程使得传统兵学逐渐开始转型，并最终以军事学的面貌出现在历史舞台之上。但是，如果从深层次考察，这种转型还是保留有传统兵学的明显烙印，带有中国文化的鲜明特征。如，被人们视为按近代军事学体系编撰而就的《训练操法详晰图说》一书，依然不乏"训必师古，练必因时""自古节制之师，存乎训练。训以固其心，练以精其技……权其轻重，训为最要"之类的言辞，与王守仁、戚继光、曾国藩、胡林翼等人的主张一脉相承，无本质上的区别。

综上所述，中国历代兵学的发展脉络清晰，逻辑结构完整，思想内容丰富，表现形式多样，在各个时代都有所丰富和发展，但其核心的内容与基本的原则没有本质上的变化。茅元仪说"后《孙子》者，不能遗《孙子》"（《武备志·兵诀评》），意谓后世的兵书不能绕开《孙子兵法》另起炉灶。作为中国古代兵学的最高成就，《孙子兵法》是难以超越的。茅元仪所说的，正是这个道理。

我们认为，中国古代兵学主要包括历史上丰富的军事实践活动所反映的战争观念、治军原则、战略原理、作战指导等内容，其主要文字载体是以《孙子兵法》为代表的卷帙浩繁、内容丰富、种类众多、哲理深刻的兵书。其他文献典籍中的论兵之作也是其重要的文字载体，这包括《尚书》《周易》《诗经》《周礼》等儒家经典中的有关军事内容，《墨子》《孟子》《老子》《管子》《吕氏春秋》《淮南子》等所载先秦两汉诸子的论兵文辞，正史、政书等典籍中的言兵之作，唐、宋、元、明、清诸多文集中的有关军事论述，它们和专门的兵书著作共同构筑起中国古代兵学思想这座巍峨瑰丽的文化殿堂。

毫无疑问，中国古代兵学的主要载体是卷帙浩繁的兵书典籍。民国时期陆达节编有《历代兵书目录》，著录兵书 1304 部，6831 卷。据许保林《中国兵书知见录》《中国兵书通览》的统计，乃为 3380 部，23503 卷（959 部不知卷数，未计在内）。而按刘申宁《中国兵书总目》的说法，则更多达 4221 种。《汉书·艺文志·兵书略》曾对西汉以前的兵学流派做过系统的区分，将先秦两汉兵学划分为兵权谋家、兵形势家、兵阴阳家和兵技巧家四个大类。在四大类中，兵权谋家是最主要的一派，其基本特征是："权谋者，以正守国，以奇用兵，先计而后战，兼形势，包阴阳，用技巧者也。"显而易见，这是一个兼容各派之长的综合性学派，其关注的重点是战略问题。中国古代最重要的兵书，如《孙子兵法》《吴子》《六韬》《孙膑兵法》大都归入这一派。兵形势家也是比较重要的兵学流派，其特征是"雷动风举，后发而先至，离合背乡，变化无常，以轻疾制敌者也"，主要探讨军事行动的运动性与战术运用的灵活性、变化性。兵阴阳家，其特征是"顺时而发，推刑德，随斗击，因五胜，假鬼神而为助者也"，即注意天时、地理与战争胜负关系的研究。兵技巧家，其基本特征是"习手足，便器械，积机关，以立攻守之胜者也"，这表明该派所注重的是武器装备和作战技术、军事训练等。秦汉以降，中国兵学思想生生不息，代有发展，但其基本内容与学术特色基本没有逾越上述四大类的范围。

中国古代兵学内容丰富，博大精深，大体而言，它的基本内容是：在战争观上主张文事武备并重，提倡慎战善战，强调义兵必胜，有备无患，坚持以战止战，即以正义战争制止和消灭非正义战争，追求和平，反对穷兵黩武。从这样的战争观念出发，反映在国防建设上，古代兵家普遍主张奖励耕战，富国强兵，居安思危，文武并用。在治军思想方面，兵家提倡"令文齐武"，礼法互补。为此，历代兵家多主张以治为胜，制必先定，兵权贵一，教戒素行，器艺并重，赏罚分明，恩威兼施，励士练锐，精兵良器，将帅贤明，智勇双全，上下同欲，三军齐心。在后勤保障上，提倡积财聚力，足食强兵，取用于国，因粮于敌。在兵役思想上，坚持兵民结合，因势改制等。战略思想和作战指导理论是中国古代兵学思想的主体和精华，它的核心精神是先计后战，全胜为上，灵活用兵，因敌制胜。一些有关的命题或范畴，诸如知彼知己、因势定策、尽敌为上、伐谋伐交、兵不厌诈、出奇制胜、避实击虚、各个击破、造势任势、示形动敌、专我分敌、出其不意、攻其无备、善择战机、兵贵神速、先机制敌、后发制人、巧用地形、攻守皆宜等，都是围绕着"致人而不致于人"，即夺取战争主动权这一根本宗旨提出和展开的。

总之，以兵书为主要载体的中国古代兵学，内容丰富，哲理深刻，体大思精，可谓璀璨夺目，异彩纷呈，乃是中国传统文化的重要组成部分，无愧为一笔弥足珍贵的优秀文化遗产。

三、中国历代兵学研究中遭遇的"瓶颈"

与儒家、道家、释家乃至于墨家、法家等诸子学术的研究相比，有关兵学的研究，显然处于相对滞后的状态。成果为数不多姑且不论，在有限的研究成果中，质量上乘、体系严整、见解独到之作亦属凤毛麟角，更多的是词条的扩大与组合，可又缺少词条的科学与准确，犹如什锦拼盘，看不出兵学发展的脉络与规律，见不到兵学典籍所蕴含的时代特征与文化精神。这主要表现为：第一，兵学历史的研究被边缘化，长期不能进入历史学研究的主流，即陈寅恪先生所说的"预流"。与政治史、经济史、思想史、文化史、社会史等学科相比，军事史完全是一个敲边鼓的角色，研究成果数量单薄，质量恐怕也不尽如人意。第二，在有限的研究领域中，军事史不同分支的研究状况也不一样，发展很不平衡。相对而言，兵制的研究稍为成熟，如蓝永蔚《春秋时期的步兵》、谷霁光《府兵制度考释》、雷海宗《中国文化与中国的兵》等，均是学术价值重大、学术影响深远的著述。然而对于战争、军事技术、作战方式、兵要地理、兵学理论的研究，却显得远远不够。第三，战争史作为军事史的主体，研究思路与方法严重缺乏创意。研究者对许多战争的考察与评析，仅仅局限于宏观勾勒的层面，满足于战略的抽象概括，只讲到进步或落后这一性质层面的东西，很少能进入战术的解析层次，未能围绕战法这个核心展开研究。因此，得出的结论往往不够深入，不同的战争分析到最后，看上去似乎都大同小异。第四，学术研究的视野与角度不够开阔，对问题的认识与理解不够全面与辩证。如在充分肯定传统国家安全观为和平防御的同时，对历史上曾经大量存在的穷兵黩武现象缺乏足够的关注，仅看到"苟能制侵陵，岂在多杀伤"的一面，而忽略中国传统军事文化中还存在着"边庭流血成海水，武皇开边意未已"的另一种事实。

当然，兵学历史的研究不尽如人意的主要原因，还是在于兵学学科的自身性质。所谓"巧妇难为无米之炊"，就是这个道理。

在《汉书·艺文志》中，"兵书"虽然自成一类，但兵家并没有被列入"诸子"的范围，兵学著作没有被当作理论意识形态的著述来看待，它的性质实际上与"术数""方技"相近。换言之，《汉书·艺文志》"六略"，前三"略"，"六艺""诸子""诗赋"属于同一性质，可归入"道"的层面；而后三"略"，"兵书""术数""方技"又是一个性质近似的大类，属于"术"的层面。"道"的层面，为"形而上"；"术"的层面，为"形而下"。"形而下"者，用今天的话来说，是讲求功能性的。它不尚抽象，不为玄虚，讲求实用，讲求效益，于思想而言，相对苍白，于学术而言，相对单薄。除了极个别的兵书，如《孙子兵法》之类外，绝大部分的兵学著作，都鲜有理论含量，缺乏思想的深度，因此，在学术思想的总结上，似乎很少有值得关注的兴奋点存在，而为人们所忽略。

这一点，不但古代如此，当今几乎也一样。目前流行的各种哲学史、思想史著作较少设立讨论兵学思想的专门章节，个别的著作即便设置，也往往篇幅有限，具体阐释未能充分展开，令人稍感遗憾。由此可见，中国兵学思想的研究，从学科性质上考察就有相当的难度，而要从工具技术性的学科中发掘"形而上"的抽象性质的思想与理论，则多少会令人感到失望。

此外，与儒家因应道家、释家的挑战，不断更新其机理，不断升华其形态的情况大不相同的是，兵学长期以来所面对的战争形态基本相似，战争的技术手段没有发生本质性的飞跃，大致是冷兵器时代的作战样式占主导。宋元以后尤其是明清时代出现火器，作战样式初步进入冷热兵器并用时期，但即便是在明清时代，冷兵器作战仍然占据着战场上的中心位置。这样的物质条件与军事背景，在很大程度上制约了兵学思想的更新与升华。即使有所变化与发展，也仅仅体现在战术手段的层面，如明代火器的使用，使战车重新受到关注，于是就产生了诸如《车营叩答合编》之类的兵书；同样是因为火器登上历史舞台，战争进入冷热兵器并用时期，就有了顺应这种变化而出现的《火攻挈要》等兵书和相应的冷热兵器并用的作战指导原则。但是需要指出的是，这种局部的、个别的、枝节性的发展变化，并没有实现兵学思想的本质性改变、革命性跨越。从这个意义上说，茅元仪《武备志·兵诀评》所称的"前《孙子》者，《孙子》不遗；后《孙子》者，不能遗《孙子》"，的确是准确地揭示了《孙子兵法》作为兵学最高经典的不可超越性，但同时也隐晦地说明了兵学思想的相对凝固性、守成性、内敛性。

没有研究对象的改变，就无法激发出更新的需求，而没有更新的需求，思想形态、学术体系就难以注入新的生机，就会处于自我封闭、不求进取的窘态。在这种情况下，我们今天要从学科发展的视野来考察兵学理论的递嬗，显然会遇到极大的障碍，而要总结、揭示这种演进的基本规律与主要特征，更是困难重重，充满挑战了。例如，某些大型军事类辞书，在各断代军事思想的词条中，也常常是横向地不断重复诸如战争观上区分了"义战"

与"非义战"的性质，作战指导上强调了"避实击虚""因敌制胜"之类的表述。先秦词条这么讲，秦汉词条这么讲，到了明清的词条，还是这么讲，千篇一律，缺乏发展性和创新性。应该说，这一局面的形成，不是偶然的，而是其研究对象本身停滞不前、自我封闭所导致的。

如果说，以上的归纳总结是兵学思想发展存在的明显的"先天不足"的制约，那么我们还应该更清醒地注意到，这种归纳与总结，还有一个"后天失调"的重大缺陷。

从先秦时期"赳赳武夫，公侯干城"，到汉武帝时代，朝廷"彬彬多文学之士"，汉元帝"柔仁好儒""纯任德教"，中国古代社会的风尚悄然发生了某种变化，阳刚之气似乎有所消退，军人的地位逐渐降低，普通士兵更成了一群可以随时"驱而往，驱而来"的"群羊"（参见《孙子兵法·九地篇》），社会风气一改而成为"好铁不打钉，好男不当兵"。五代以降，兵士脸上刺字的现象时有发生，明代"军户"身份世袭，社会地位低下，就是这方面的例证。这样的群体，在文化知识的学习与掌握上自然属于"弱势群体"，他们文化程度不高，知识积贮贫乏，阅读能力有限，学习动力缺乏。如果兵书的理论性、抽象性太强，那么就会不适合他们阅读与领悟。所以，大部分的兵书只能走浅显、通俗的道路，以实用、普及为鹄的。由此可知，兵学受众群体的文化素质和精神需求上的特殊性，在很大程度上制约了兵学思想的精致化、哲理化提升。

这一点，从后世经典的注疏水平即可看出，与儒家、道家乃至法家经典相比，兵书注疏滞后、浅薄，实不可以道里计。兵家的著述在注疏方面，绝对无法出现诸如郑玄之于《诗经》、何休之于《公羊传》、杜预之于《左传》、王弼之于《老子》、郭象之于《庄子》这样具有高度学术性，注入了创新性思维与开拓性理论的著作，有的往往是像施子美《施氏七书讲义》、刘寅《武经七书直解》、朱墉《武经七书汇解》这样的通俗型注疏，仅仅立足于文字的疏通，章句的串讲而已。即便偶尔有曹操、杜牧、梅尧臣、张预等人注《孙子》聊备一格，但是他们的学术贡献与价值，依旧无法与郑玄、王弼等人的成就相媲美。而这种整体性的滞后与粗疏，自然严重影响到兵学思想的变革与升华，使兵学思想的呈现形态失去了值得人们激发热情、全力投入研究的兴奋点与推动力，往往只能在缺乏高度的平台之上做机械性的重复，这显然会导致兵学思想整体研究的严重滞后。

兵学思想史研究的"后天失调"，还表现在这一领域的研究者长期以来在专业素质构成上一直存在着种种局限，并不能很好地适应兵学思想发展史研究的特殊要求。从本质上讲，军事史是历史与军事两大学科彼此渗透、有机结合而形成的交叉学科。这一属性，决定了兵学思想史其实也是军事史与思想史的综合与贯通，这一学术特性，对研究者提出了特殊的要求，即他们最好能具备历史与军事两方面的专业素养。但是由于种种原因，这样的复合型队伍自古至今似乎并未能真正建立起来。熟谙军事者，历史知识、哲学思辨往往相对单薄，这不免导致其研究难以上升到理论思维的高度；而通习历史者，又往往缺乏军旅活动的实践经验，这当然会造成其所研究的结论多属门外谈兵，不着边际。如《礼书通故》一类典籍中有关"偏"的考据，就近乎盲人摸象，花费大量精力考证一"偏"的战车数量，提出莫衷一是的"九乘说""十八乘说""二十七乘说""八十一乘说"等说法，除了徒增纷扰之外，实在看不出能真正解决什么问题。

正是因为兵学思想史的研究，让军事学界、历史学界两大界别的人士都不无困惑、深感棘手，所以一般的人都不愿意身陷这个泥淖。宋代著名兵学思想家、经典兵书《何博士备论》的作者何去非，尽管兵学造诣精深，又身为武学教授（后称武学博士），但自上任之日起就不安心本职工作，曾转求苏轼上书朝廷，请求"换文资"，即希望把他由武官改为文官。何去非的选择，就是这方面非常有代表性的例子。这种研究队伍的凋零没落、薪火难传，恰恰证明了兵学思想发展史研究确实存在着难以摆脱的困境，直至今天仍是亟待突破的"瓶颈"。

除上述困难之外，兵学研究所面临的挑战还包括以下两个因素：一是军事史研究范围与内涵的界定不够清晰。目前的学术界，经常把军事制度的研究混入政治制度研究之中（如商鞅变法中的军功爵制、王安石变法中的保甲法等等），把军事技术的研究归入科技史的研究范畴，把军事法规的研究并入法制史的研究架构，结果是有意无意地放弃了很多本应该是军事史研究的问题，只把目光对准兵役制度、军事谋略，导致内容过于空泛。这也制约了军事史研究的发展。二是受制于文献载体有关军事史内容记载上的固有不足。古代文献中有关军事史战术层面的内容十分单薄，这与西方军事史著作有很大差异。西方的军事史著作对战术层面的内容记载相当详尽，如在记述汉尼拔指挥的著名的坎尼之战时，曾详细描绘了双方怎样排兵布阵，步兵、骑兵如何配置，谁为主攻、谁作牵制，战斗的具体经过又是怎样。反之，我们的史书记述，则侧重于战争酝酿阶段的纵横捭阖、逐谋斗智，而真正描述战争过程的往往就简单的几个字，"大破之""大败之"，一笔带过。我们既不知道是怎么胜的，也不知道是怎么败的，这就为我们从战术层面深化兵学历史的研究带来了重重障碍。

四、我们如何实现兵学研究的"突破"

危机也意味着转机，困境也意味着坦途。我们认为，中国兵学历史的研究固然存在着种种问题，但是，在大家的共同努力下，它的发展和繁荣也并非没有希望。换言之，使它走出困境的转机同样是可以争取和把握的，关键是我们如何寻找到赢得转机的途径与方法。

其一，寻求转机与实现突破，要求我们对兵学历史的研究予以主观上的更大重视，应该明确形成这样的一个基本共识：一个民族、一个国家、一支军队如果不尊重自己的悠久军事文化传统，不善于从以往的军事历史中借鉴得失，获得启迪，那么就难以拥有与理解完整的历史，就没有资格侈谈什么军事理论创新，也不能建立真正有价值的战略学、战术学、军制学，遑论在世界大变局中确立自己的地位，施展自己的影响。一句话，不珍惜传统，肯定不会有光明的未来；漠视历史，迟早会受到历史的惩罚。基于这样的共识，中国兵学历史的研究必将获得动力，因为研究者的责任感与成就之间实际上存在着共生的关系。更重要的是，我们应该通过对中国兵学发展历史的考察与总结，从中积极地汲取经验。众所周知，以史为鉴，可以知兴替。中国历代战争的战略决策、战略指导与作战指挥，以及建军、治军、用将、训练、治边等方面的经验教训，至今仍有给人以启迪和借鉴之处。兵学历史的研究，固然是学术性的探索与诠释，但是，研究者也应始终立足于当代，注重历史与现实的贯通，致力于从丰厚的历史文化资源中寻求有益的启示。我们认为：一部兵学发展史，其实就是一部军事变革史，更是一部军队发展、国防建设的启示录。我们虽然不能从历史博物馆里取出古人的"剑"同未来的敌人作战，但我们可以熔化古人的"剑"铸造新的"武器"。

其二，寻求转机与实现突破，要求我们在思维模式、研究范围、研究方法等方面进行扎实的工作，开辟新的道路，提升新的境界。这包括：对兵学历史学科的内涵和外延要有一个科学而清楚的界定，确立起兵学历史研究的主体性，树立问题意识、自觉意识，使兵学历史研究的独立性得以完全体现；对兵学历史研究人员专业素质提出更高的要求，彻底改变长期以来军事与历史"两张皮"，懂历史的不太熟悉军事，谙军事的在历史学基本训练方面偏弱的情况；尽量调整兵学历史研究领域内各个分支研究不平衡的局面，在继续加强兵制史、兵书著作研究的同时，积极开展以往相对薄弱的军事技术、作战方式、阵法战术、兵要地理等分支学科的研究，使整个兵学历史的研究能够得到均衡协调的发展，各个分支方向既独立推进，又互为补充、互为促进。其中，尤为重要的是调整与改善兵学史研究的基本范式，必须积极尝试研究角度的重新选择，转换习以为常的研究范式，改变陈陈相因的研究逻辑。具体地说，就是实现研究重心的转移，从以研究军事人物思想、兵书典籍理论为主导，变为以研究战法与思想共生互动为宗旨。这个共生互动的关系，可以用一个相对稳定的逻辑结构来描述，即武器装备的改进与发展，引发作战方式、战略战术的变革，同时也促成了军队编制体制的调整和变化，而这些变化，最终又推动了兵学理论的创新、军事思想的升华。而兵学思想的发展，同样要反作用于作战指导领域，使得战法的确立与变革能够在理论的指导下，更趋合理，更趋成熟，以适应军事斗争的需要，为达成一定的战略目标创造积极有利的条件。

在围绕"武器装备—作战方式—兵学理论"这一主线与结构展开叙述的同时，尤其要注意对兵学思想发展史上阶段性特点的概括与揭示。区分不同时期兵学思想的鲜明特征，探索产生这些特征背后的深层次政治、经济、社会、文化原因，观察和说明该时期兵学思想较之于前，传承了什么，又增益了什么，对于其后兵学思想的发展起到了哪些作用，产生了何种影响。换言之，我们今天对历代兵学思想的研究，其成功与否，就是看能不能跳出通常的兵学思想总结上的时代性格模糊、阶段性特点笼统的局限，而真正把握了兵学思想与文化的历史演进趋势和个性风貌。

其三，寻求转机与实现突破，要求我们在从事兵学历史研究过程中，在充分运用历史方法的同时，尽可能借助于军事的范畴、概念与方法，注重从军事的角度考察问题、解决问题。应该说，这正是兵学历史研究讲求科学性、学术性的必然要求。面对军事制度上的疑难问题，我们完全可以参考现代军制的原理与方法来协助解决，例如，释读先秦军队编制体制中"偏"的问题就是如此。我们知道"偏"是先秦时期车战的战车编组形式，但是一偏到底有几乘战车，文献记载说法各异，有"九乘说""十八乘说""二十七乘说""八十一乘说"种种，可谓各有道理，莫衷一是。另外，像先秦军队既有"军、师、旅、卒、两、伍"六级编制，又有"三十人乘制""七十五人乘制"，彼此关系又是怎样？如果花大力气去求证，结果很难如愿，但我们若了解现代军队编制特点的话，那么也许能掌握解决问题的钥匙，即理解军队编制上平时管理和战时配属是两种方式，一支军队可以有平时隶属体制、战时合成编制、临时战斗编组等多种编制。先秦军队就平时隶属体制而言，可以有六级；就战时合成编制而言，即为"乘"；就临时战斗编组而言，又可以有"九乘""二十七乘"等不同的大小"偏"形式。这就是一个参照现代军队编制以深化军事史研究的重要例子。

再如，我们以往研究"韩信破赵"时部署的背水阵，一般只关注到军心士气问题，即韩信之所以部署背水阵，乃是为了激发士兵的战斗意志，置之死地而后生。这几乎是两千多年来人们的一致看法，韩信自己也是如此表白的。但是，我们如要从军事学的角度来分析，那么背水阵其实包含着十分丰富的战术作战要领。首先是变换主客。韩信设置背水阵的主要目的在于引诱赵军前来攻击，如此，本来是处于攻击地位的韩信军队反而变成了防御一方，而在军队作战中，防御和进攻所需的兵力相差是很大的，这叫作"客倍主人半"（《孙膑兵法·客主人分》）。韩信通过背水阵的设置，改变了双方的攻守地位，弥补了自己兵力的不足，在一次进攻性战役中，打了一场漂亮的防守作战，最终取得了胜利。这个主客变置的关键因素，再加上布列圆阵、兵分奇正、置之死地而后生等战术要领，背水阵达到了预期的目标。这个例子可谓极其生动而有力地证明了兵学历史研究离不开军事学要素与方法。总之，兵学历史研究过程中许多学术上的疑难问题，若能借助军事学的原理与方法，解决起来并非不可能。如用现代军事中的"战略预备队"概念诠释《握奇经》中"四为正，四为奇，余奇为握奇"的"余奇"含义，就能使人豁然开朗。又如，拿方阵战术的基本要领来观照"勇者不得独进，怯者不得独退""不愆于六步、七步，乃止齐焉"等兵学指导原则的意义之所在，同样也是恰到好处。

其四，寻求转机与实现突破，我们还需要拓宽视野，以世界军事发展进程为参照，来考察中国兵学历史的演进规律、文化内涵与时代精神。英国军事学家富勒在其代表作《装甲战》一书中曾经这么说过："世界上没有绝对新的东西。我曾说过，学员只要研究一下历史，就可看出，战争的许多阶段将再次采用基本相同的作战形式。只需进行一些研究和思考，就会认识到，过去所采用的所有战略和战术，自觉或不自觉地都是根据军事原则制定的。……无论军队是由徒步步兵、骑兵，还是由机械化步兵组成，节约兵力、集中、突然性、安全、进攻、机动和协调等原则总是适用的。总之，摩托化和机械化只是改变了战争的条件，即改变了将军使用的工具，而不是他的军事原则，这一点是显而易见的。"这是从时间的角度说明军事学基本原则的永恒性、稳定性。其实，从空间的视角考察，这种同一性、常态化又何尝不是如此！中西方军事著作在语言体例、逻辑概念梳理、形象描述等方面固然存在着很大的差异，是两类军事文明的产物。但是，《淮南子·氾论训》言："百川异源而皆归于海，百家殊业而皆务于治。"万变不离其宗，中西方军事学的核心问题，如重视将帅、灵活多变、集中兵力、以攻为主、重视精神因素及士气的振奋等，完全可以说是旨趣一致、异曲同工的，这种一致与相似，远远胜过所谓的"差异"与"对立"。我们应该充分看到中西方军事学的这种同一性，从而更好地认识中西方军事思想文化中那些超越时空的价值，并从中获得有益的启迪。这一点，乃是我们在研究中国兵学历史时，必须予以充分留意与高度关注的。换言之，我们今天的兵学研究，既要立足本土，同时又要面向世界，从世界军事文明递嬗的视域把握中国兵学的精髓，揭示中国兵学的特色，认知中国兵学的价值。

总之，兵学历史的研究只要真正回归历史、回归军事，那么就可以超越过去僵化的模式与平庸的论调，把握住新的发展契机。

鉴于以上基本认识，我们这个兵学历史研究的小团队，不揣谫陋，砥砺而行，和衷共济，经过数年的积极努力，撰写了这套300余万言、7卷本的《中国兵学通史》，就中国兵学历史发展的时代背景、基本内涵、演变轨迹、主要特征、表现形式、重要地位与文化影响等加以全景式的回顾、梳理与总结。在此基础上，我们重点考察与揭示中国历史上的代表性兵学著作、诸子论兵之作、重大战争中所反映的兵学基本原则、四部典籍所蕴含的兵学思想要义及其对中国兵学文化发展的卓越贡献，并对影响与制约中国历史上兵学发展的基本要素，如武器技术装备、军队体制编制、作战样式与战法、军种兵种构成与变化、军事训练与军事法规等，进行必要而细致的考察与剖析。总之，我们的初衷，是要梳理中国古代兵学产生、发展及演变的历史轨迹，总结中国古代兵学的主要成就，揭示中国古代兵学的基本特征，阐释中国古代兵学的文化价值。

受水平所限，本书难免存在着一些值得商榷与改进之处，衷心欢迎诸位专家和广大读者不吝批评指正，以匡不逮，无任感谢。

是为序。

黄朴民

2021 年 10 月 26 日于中国人民大学国学院

目 录

绪 论

　　秦汉时期包括了秦（前221—前206）、西汉（前206—25，含新莽、玄汉）和东汉（25—220）三个历史阶段，前后共计441年。它是中国古代历史上专制主义中央集权制度全面确立并获得高度发展的时期，标志着古代中国的"帝国时代"正式拉开了帷幕。而在中国古代兵学的发展历史上，这一时期同样具有特殊的地位，其前承先秦兵学的成就，下启魏晋南北朝乃至隋唐五代兵学的方向，从而成为中国古代兵学嬗变演进中一个不可逾越的阶段，给中国兵学文化打上"大一统"、绝对专制"帝国时代"的深深烙印。

　　秦汉时期，社会生产力随着封建生产关系的完全建立得到继续发展，铁制农具被广泛使用，冶金技术和手工业均有了长足的进步。这就有力地促进了武器装备的改进。当时的主要兵器，如刀、剑、矛、戟等，已普遍由钢铁制作而成。一些不太适应当时作战需要的兵器，如戈、殳、钺等则逐渐被淘汰，其中有少数（如斧、钺）通常只被用作体现军权的一种象征。弓、弩等射远兵器的性能得到进一步改良，射程更远，命中率提高，杀伤力增强。至于甲、胄、盾等防护性兵器，也较之先秦时期有了长足的进步，无论是材质，还是制作工艺，都有了比较明显的改善与提高，从而能够更好地适应实战的需求。① 近现代英国军事学家富勒指出："新式武器的投入使用不能不引起条件的变化，而条件的每次变化又都会要求军事原则应用的变更。"② 这个一般原理，同样也可以用来观照与印证秦汉时期的兵学发展历史。

与专制主义中央集权不断得以强化与巩固的大趋势相一致，秦汉王朝建立了全国性统一的军队，并将它牢牢地置于独裁性皇权的绝对控制之下。协助皇帝负责处理全国军政事务的官吏，秦和西汉初期为太尉，汉武帝时改称大司马，东汉时期又重新改为太尉。他们完全秉承皇帝个人的意志管理军队，只有带兵的权力而没有调兵的权力。发兵权、统兵权、指挥权开始三分，互不统属，互相牵制，并初步实行了监军制度。③ 春秋时期那种个人所有的"私属"武装力量，到这时已经完全销声匿迹，难觅踪影了。

秦汉时期的军队一般可分为京师兵、地方兵和边防兵三个基本系统。京师兵即中央军，主要由郎官、卫士和守卫京师的屯兵组成，是当时军队的主体。地方兵分置于郡县，由郡尉、县尉协助郡守、县令统率，平时维护地方治安，战时则由中央统一调遣。西汉初期，诸侯王国拥有军队，吴、楚七国之乱后，中央专制集权明显强化，朝廷明确作出规定，"诸侯王不得复治国，天子为置吏"④，从而将王国的官吏包括军事长官（中尉）的任命权全部收归朝廷，随后又规定诸侯王国不得修缮武备，不准练兵，使王国军队被完全纳入郡县兵的体系之中。东汉时期"罢郡国兵"，取消了地方兵系统。边防

---

① 有关这一时期"武器装备"的相关研究，可参见霍印章：《秦代军事史》，军事科学院主编：《中国军事通史》第四卷，军事科学出版社，1998 年，第 65—70 页；陈梧桐等：《西汉军事史》，军事科学院主编：《中国军事通史》第五卷，军事科学出版社，1998 年，第 100—105 页；黄今言等：《东汉军事史》，军事科学院主编：《中国军事通史》第六卷，军事科学出版社，1998 年，第 192—212 页。

② ［英］富勒著，周德等译：《装甲战》，解放军出版社，2006 年，第 113 页。

③ 参见霍印章：《秦代军事史》，第 60—61 页。

④ 班固撰，颜师古注：《汉书》卷十九上《百官公卿表上》，中华书局，1962 年。

军主要负责边地戍守，由边郡郡守统领。东汉后期，边兵制度遭到破坏，又以设置营、坞的办法，屯兵备御。①

秦汉时期，步（材官）、骑（骑士）、车（轻车）、舟（楼船）等几大兵种的构成日趋合理和成熟。汉武帝之前，兵种建设实行车、步、骑并重的做法，具体地说，在秦代与西汉早期，骑兵的功能尚不十分显著，在军队作战中，它主要是配合车兵与步兵作战，即《六韬》所说的"军之羽翼"而已。但是，汉文帝、汉景帝在位期间，这种情况渐渐起了变化，当时的骑兵已有了一定规模的发展，随着社会经济的恢复和渐趋繁荣，尤其是马政建设的推进，汉武帝为了适应全面反击匈奴的迫切需要，更加积极地发展骑兵部队，从而使骑兵一跃而成为军队的最主要兵种。车兵的地位进一步下降，战车通常只发挥屏障性的防御功能，其地位基本上为骑兵所取代。舟兵（水军）在当时也有所发展，由于造船业的渐趋发达，秦汉两代都十分注重舟师即水军的建设，初步建成了比较完整的水军体系，它通称"楼船"，往往用于南方水泽江河湖泊地带的作战。步兵依旧是重要兵种，遍置于全国的各个郡县，在整个军队的数量上占绝对多数。②

秦朝的兵役制度基本上沿袭战国时的郡县普遍征兵制，西汉时期也主要实行征兵制，成年男子一生中按规定都要承担不同期限的兵役和劳役。秦汉时期还经常谪发罪犯或奴隶为兵，称为"谪戍"。募兵制在西汉时只小范围推行，到了东汉，由于豪强地主势力对人口控制的加强，郡县征兵制趋于衰微，难以为继，募兵制被广泛推广，遂成为当时兵役制度的主要形态。进入东汉末年，地方州郡的主事者利用镇压黄巾起义的机会，广为募兵，培植私人武装势力，从而酿成了群雄并起、征战无已的割据局面。③

---

① 参见徐勇、张焯等：《简明中国军制史》，黑龙江人民出版社，1991 年，第 98 页。
② 参见陈梧桐等：《西汉军事史》，第 9 页。
③ 参见黄今言等：《东汉军事史》，第 167—169 页。

　　秦汉时期战争频繁，其中统一战争、民族战争依旧占据着战争的主流。当时比较著名的战事有秦末农民战争、楚汉战争、平定吴楚七国之乱战争、汉与匈奴的战争、刘秀统一全国战争、东汉中后期汉羌战争、黄巾起义战争、汉末军阀混战等等。这中间，值得特别重视的是以汉匈战争为代表的民族战争，它是中原农耕文明与北方草原游牧文明两大文明圈互相冲突并逐渐趋于融合在军事上的体现。中原王朝在战争中的胜利进一步确定了中华农耕文明的本质属性，扩大了中华文明的辐射圈，拓展了疆域，维护了统一。另外，还值得我们充分加以注意的是，当时战争的战略作战轴心开始有了转变，两汉以降，强大的北方游牧民族匈奴的崛起对中原农耕民族的生存构成新的重大威胁，这种冲突与威胁通过持续不断的汉匈战争而暂时告以终结。从此之后，中国上古以来的东西较量遂逐渐让位于南北冲突，中国政治与军事的战略轴心也随之发生根本的转折，即变东西抗衡为南北角逐了！

　　在这一时期以前的战争，其战略作战的轴线一般为东西方向，其具体战役行动均环绕这一主轴线而展开。比如，公元前 230 年开始的秦统一六国的战争，就是从西部发动，首先灭韩、并魏，完成了东渡黄河的战略展开；然后左翼朝东北方向平赵、灭燕，右翼则指向东南方的楚国；而最后的进攻方向则是一直向东，指向位于胶东半岛的齐国，从而达成了翦灭群雄、统一全国的终极战略目的。

　　公元前 206 年开始的楚汉战争，刘邦首先从巴蜀、汉中进入关中地区，夺得形胜之利，然后出函谷关，兵锋东指，直逼江淮地区的彭城（今江苏徐州），沿河南荥阳一线与楚军进行东西方向的对峙；同时左翼韩信所部东渡黄河，攻魏、破赵、下燕、灭齐，沿东北方向实行战略出击；右翼则以秦岭山脉为依托，沿东南方向出武关，直拊楚军的左侧背；而最后与楚军的决战则仍然是在河南、山东之间的东西轴线上发生的。①

---

① 参见蓝永蔚、黄朴民等：《五千年的征战：中国军事史》，华东师范大学出版社，2001 年，第 89—90 页。

　　但是，也就是在秦汉时期，这种情况在悄悄发生重大的变化。战争战略作战的轴线不再完全是东西方向，而是逐渐变为了南北方向，并且大多为自北向南的进攻；作战地区也不再仅仅集中于黄河中、下游流域，而是同时开始聚焦于淮河、汉水和长江中、下游地带了。这一变化最初开始于汉武帝统治时期，但其转型的完成应该是在三国两晋南北朝时期。其战略作战方向，基本上变成了自北向南的进兵或自南向北的攻击。从这个角度考察，我们可以发现，战争行动中战略作战轴线的转移，的确在中国兵学发展史上具有里程碑式的意义。

　　另外，秦汉时期还诞生了新的战争种类，即农民起义战争。其中最为著名的，有秦末陈胜、吴广农民起义战争，西汉末年绿林、赤眉农民战争，东汉末年黄巾军大起义，等等。它们在一定程度上沉重打击了暴政，有助于协调国家内部的复杂阶级关系，但同时，从历史唯物主义的立场、观点、方法考察，我们必须指出：这一类战争也带来了相当严重的社会经济破坏等后果。

　　秦汉时期的作战艺术也有了新的提高，其中比较显著的标志是野战阵法有了一定的改进，春秋后期在"三军阵"基础上形成的"五军阵"的运用更趋成熟。垓下之战中，韩信就是针对项羽骑兵机动性强、攻击凌厉，而以坚固的"五军阵"彻底击败骁勇善战、不可一世的项羽大军；井陉之战中，韩信立足兵法原则又超越兵法教条，突破传统的"右倍山陵，前左水泽"的樊篱，"投之亡地然后存，陷之死地然后生"，深入险地，背水布阵，大破敌手，翦灭赵国；漠北汉匈双方的战略大决战中，卫青攻打匈奴单于主力时以"武刚车"衔接为营，"先为不可胜，以待敌之可胜""立于不败之地，而不失敌之败也"①，运用车、步、骑协同作战大破敌手；河西之役中，霍去病"不以法为守，而以法为用"，不拘泥于常法，越远迂回，长途奔袭，出击匈奴，大获全胜，均反映出卓越、高超的作

①　中国人民解放军军事科学院战争理论研究部《孙子》注释小组：《孙子兵法新注·形篇》，中华书局，1977 年。

战指挥水平。与阵法进步相联系，当时军队的机动性也明显增强，日行军速度有高达160里者，这是过去日行军为一舍（30里）的速度所无法比拟的。同时，像包围、伏击、奇袭、正面攻击、侧翼突击等野战战法，山地战、河川战、丘陵战、丛林战、荒漠战、夜战、火攻、水战等特殊条件下的战法，在当时已应有尽有，其指挥艺术也有了新的进步。① 而战争实践的锤炼，使得这一时期名将辈出，涌现了王翦、王贲、蒙恬、项羽、韩信、彭越、英布、周亚夫、霍去病、卫青、李广、赵充国、刘秀、耿弇、邓禹、寇恂、马援、窦宪、皇甫嵩等一大批叱咤风云、骁勇善战的军事统帅和优秀将领。

秦汉时期的兵学思想与先秦时期兵学兴盛局面相比，略显沉寂。当时的兵学思想主要集中于《吕氏春秋》《淮南子》等典籍的有关"论兵"章节和兵书《黄石公三略》之中，同时也在韩信《汉中对》、张良《下邑对》《荥阳对》、晁错《言兵事疏》、赵充国《屯田制羌疏》、侯应《备塞论》、王符《潜夫论》以及桓宽《盐铁论》等相关篇章中得到反映。虽然这一时期成型与流传的兵学著作数量有限，但是仍在兵学理论上取得了重大的成就，突出表现为：一是对先秦至两汉的兵书战策进行了系统而全面的整理和分类；二是适应儒学独尊和学术兼容的社会思潮，强化了兵学文化综合融汇的趋势，出现了初步的兵儒兼容与合流的倾向；三是受"大一统"政治环境的制约，兵学理论的主题发生变换，由"争天下""取天下"逐渐地转变为"治天下""安天下"，秦汉时期的作战指导理论研究与学理阐释相对弱化，而更注重于治军理论的探讨与阐发，尤其是关注如何妥善处理君主与将帅之间的关系问题；四是时代感强烈，立足现实，注重实用，讲求效益，成为这一时期兵学文化的显著特色，兵学多具有可操作的性能，如兵种合理配置、军事专业性操练、屯田、边防思想的阐述受到不少军事家与思想家特殊的重视和深入的

---

① 参见蓝永蔚、黄朴民等：《五千年的征战：中国军事史》，第62页。

讨论。① 概括地说，秦汉兵学文化其中一个显著的特征，就是这一时期的兵学家在他们具体的军事活动中创造发明甚多，但对其丰富内涵进行理性总结与抽象提炼相对较为单薄，换言之，秦汉时期的兵学理论呈现出实践性突出而理论精细化滞后的显著特点。

英国著名军事学家富勒曾经这么说过："世界上没有绝对新的东西。我曾说过，学员只要研究一下历史，就可看出，战争的许多阶段将再次采用基本相同的作战形式。只需进行一些研究和思考，就会认识到，过去所采用的所有战略和战术，自觉或不自觉地都是根据军事原则制定的。……无论军队是由徒步步兵、骑兵，还是由机械化步兵组成，节约兵力、集中、突然性、安全、进攻、机动和协调等原则总是适用的。总之，摩托化和机械化只是改变了战争的条件，即改变了将军使用的工具，而不是他的军事原则，这一点是显而易见的。"② 这是从时间的角度说明军事学基本原则的永恒性、稳定性。秦汉时期的兵学，虽然在不少方面已不同于先秦兵学，但是，"同归而殊涂，一致而百虑"，"百川异源而皆归于海，百家殊业而皆务于治"③。万变不离其宗，两个时期的兵学所关注的基本核心问题，如重视将帅、灵活多变、集中兵力、以攻为主、重视精神因素及士气的振奋等等，可以说是旨趣一致、异曲同工，从本质上说，是一脉相承、互相贯通的。这种一致性与相似性，毫无疑问，是要远远胜过所谓的"差异性""特殊性"的。我们应该充分地看到秦汉兵学与先秦兵学两者之间的传承性与同一性，看到它们之间的血脉相连，从而更好地认识秦汉兵学中那些超越时空的价值，并从中汲取有益的启迪。

---

① 参见黄朴民：《两汉兵学的发展及其特色》，《光明日报》2002 年 11 月 19 日。

② ［英］富勒著，周德等译：《装甲战》，第 15 页。

③ 刘文典撰，冯逸、乔华点校：《淮南鸿烈集解》卷十三《氾论训》，中华书局，1989 年。

第一章 "大一统"理念与秦汉兵学的发展

在古代中国，代表最高政治理想和最大政治秩序的就是所谓的"大一统"理念。这一文化特征使得"大一统"思想在推动秦汉兵学发展过程中，发挥无可替代的力量，施展无所不在的影响。这里，我们就对"大一统"理念做些具体的阐释，并以秦汉文化与历史为对象，初步考察其在促进兵学发展过程中的潜在作用。

第一节 "大一统"理念：秦汉兵学 建构的文化基石

早在先秦时期，中华民族随着内部凝聚力的不断增强，已经初步形成了"大一统"的观念。《诗经·小雅·北山》中的"溥天之下，莫非王土；率土之滨，莫非王臣"① 就表达了这种思想倾向。经儒、墨、法等先秦诸子学派的倡导和弘扬，"大一统"的观念更加深入人心。到战国末年，终于在统一条件基本具备的基础上，秦国通过战争这一暴力手段，横扫六合，翦灭六国，使这种政治理想变成现实，建立了多民族的统一的中央集权国家。秦汉以降，历史上虽然统一与分裂交相更替，但总的来说，统一是主流，是不可逆转的总趋势，割据分裂是暂时的历史现象，而且总是遭到人们的谴责

---

① 郑玄笺，孔颖达疏：《毛诗正义》卷十三《北山》，阮元校刻：《十三经注疏》，艺文印书馆，2001年。

和历史的唾弃。即使是在分裂割据的年代里，追求统一也始终是各族统治者和民众的共同政治理念和奋斗目标。例如，魏晋南北朝时期，天下分崩，群雄并立，但各个政权的统治者，大都以统一为己任而以炎黄之后自居①。又如清统治者也将其入主中原，底定天下看作是"成丕业以垂休万祀者"② 之盛举。而当时的知识阶层，更是突出地流露了盼望统一的心态。如产生于南北朝时期的《水经注》《昭明文选》《文心雕龙》《十六国春秋》《齐民要术》《颜氏家训》等著作的编撰范围，都不以当时某一小朝廷的统治区域为界，而以"大一统"国家为准，就明显反映了当时人们要求统一的深切愿望。由此可见，"大一统"观念在中国历史上源远流长、根深蒂固。在中国历史上，虽然国家在政治上多次分裂，但中华文化不分裂，人们头脑中的"大一统"理念不分裂，人心不分裂，因此国家终归于统一。这种民族认同心理是柔顺的，然而又是坚强的、不可战胜的。中国古代绝大多数战略学家的思维与行为方式都自觉不自觉地受到这一原则的支配，并将这一原则作为争取和维护国家统一的重要的思想武器，而国家统一则是任何一个封建王朝崛起的基本政治前提，秦汉时期兵学的基本内涵之形成、演进嬗变之轨迹、时代特征之体现，应该说，无不与这种文化精神和历史基因密切相连。

一、"大一统"的蕴意

"大一统"的本义是以"一统"为"大"。"大"在这里是"推崇"或"尊尚"的意思；"一统"，即以"一""统"之，所谓"总持其本，以统万物"③。换言之，"大一统"就是高度推崇和颂扬国家的统一、民族的融合，也即对"一统"所持的基本立场和态度。后来也有人将"大一统"的"大"理解为形容词，认为"大一统"

---

① 十六国时期，出身于匈奴族的前赵末代皇帝刘曜，即自称夏后氏后裔。
② 蒋良骐：《东华录》卷四，顺治元年四月，中华书局，1980 年。
③ 黎翔凤：《管子校注》卷十四《五行》尹知章注，中华书局，2004 年。

就是"大的统一""高度的统一",即描绘、形容统一的程度或规模。① 东汉公羊学大师何休在解释《传》"何言乎王正月?大一统也"时说:"统者,始也。总系之辞。夫王者始受命改制,布政施教于天下,自公侯至于庶人,自山川至于草木昆虫,莫不一一系于正月,故云政教之始。"② 此处何休所说的"大一统"指的就是统一的规模与程度,是上述"大一统"的第二层含义。这已经和原义稍有不同,词组由原来的动宾结构变成了偏正结构。但因后一种理解比较合乎现代汉语语法,所以普遍为今人所接受。其实两者的意思并无根本的区别。

"大一统"所包含的具体内涵随着历史的演进而不断有所丰富发展。论者指出:一般而言,其地理概念是指国土统一,所谓"天无二日,土无二王"③;其政治概念,乃是指全国上下高度一致,听命于最高统治者,即所谓"天下若一","夙夜匪解,以事一人"④;其时间概念是指长久统一,千秋万代,江山永固,即所谓"至尊休德,传之亡穷,而施之罔极"⑤;其文化概念是指文化习俗六合攸同,仁义德泽流布宇内,即所谓"《春秋》所以大一统者,六合同风,九州共贯也"⑥,"中国者,聪明睿知之所居也,万物财用之所聚也,贤圣之所教也,仁义之所施也,《诗》《书》礼乐之所用也,异敏技艺之所试也,远方之所观赴也,蛮夷之所义行也"⑦。到了宋代欧阳修、朱熹等人那里,又将"正统"说纳入"大一统"的理论体系之中,这在欧阳修《正统论》中有明显的反映:"《传》曰:'君子大

---

① 参见于汝波:《儒家大一统思想简议》,《齐鲁学刊》1995年第1期。
② 何休注,徐彦疏:《春秋公羊传注疏》卷一《隐公元年》,阮元校刻:《十三经注疏》,艺文印书馆,2001年。
③ 郑玄注,孔颖达疏:《礼记正义》卷十八《曾子问》,阮元校刻:《十三经注疏》,艺文印书馆,2001年。
④ 《毛诗正义》卷十八《烝民》。
⑤ 《汉书》卷五十六《董仲舒传》。
⑥ 《汉书》卷七十二《王贡两龚鲍传》。
⑦ 刘向集录,范祥雍笺证,范邦瑾协校:《战国策笺证》卷十九《赵二》,上海古籍出版社,2006年。

居正。'又曰：'王者，大一统。'正者，所以正天下之不正也；统者，所以合天下之不一也。由不正与不一，然后正统之论作。"① 刘友益的《资治通鉴纲目书法凡例》亦云："凡天下混一为正统，正统者，大书纪年。继世虽土地分裂，犹大书之。其非一统，则分注细书之。虽一统而君非正系或女主，亦分注书之。"② 很显然，这是强调"大一统"必须以"正统"或"有德"者为中心，从而设法弥补早期"大一统"说之不足，③ 使"大一统"理论更好地适应社会政治的现实，满足实施统一战略的需要。

二、"大一统"观念的缘起

"大一统"的思想产生于先秦时期，早在殷周时期，这一观念即已萌芽，渐渐地为人们所认同：

　　　　邦畿千里，维民所止，肇域彼四海。④

　　　　维禹之绩，四方攸同。⑤

　　　　以陟禹之迹，方行天下。⑥

---

① 欧阳修：《正统论上》，《欧阳修全集·居士集》卷十六，北京市中国书店，1986 年。

② 朱熹撰，尹起莘发明，刘友益书法：《御批资治通鉴纲目》卷首《刘友益书法凡例·正统例》，《景印摛藻堂四库全书荟要·史部》第八十册，世界书局，1985 年。

③ 参见杨向奎：《大一统与儒家思想·序言》，北京出版社，2016 年，第 1—4 页；于汝波：《儒家大一统思想简议》，《齐鲁学刊》1995 年第 1 期。

④ 《毛诗正义》卷二十《玄鸟》。

⑤ 《毛诗正义》卷十六《文王有声》。

⑥ 孔安国传，孔颖达疏：《尚书正义》卷十七《立政》，阮元校刻：《十三经注疏》，艺文印书馆，2001 年。

用于天下，越王显。①

到了春秋战国，这一思想遂进入基本定型的阶段。在当时，西周礼乐文明遭到根本性的冲击，早期初始形态的"大一统"格局趋于瓦解，天下缺乏合法一统的政治秩序，导致诸侯争霸称雄，混战绵延。所谓"礼乐征伐自诸侯出""自大夫出"，"陪臣执国命"等等，即为此现实之形象写照。人们饱受这一政治无序所造成的苦难，渴望重新实现政治上的统一，建立起合理合法的政治秩序。于是出现了《尚书·禹贡》《左传》所称道的"九州"说，虚拟所谓的黄帝"大一统"。《史记·五帝本纪》云："东至于海，登丸山，及岱宗。西至于空桐，登鸡头。南至于江，登熊、湘。北逐荤粥，合符釜山，而邑于涿鹿之阿。……官名皆以云命，为云师。置左右大监，监于万国。万国和，而鬼神山川封禅与为多焉。获宝鼎，迎日推策。"② 想象所谓的夏代"大一统"："芒芒禹迹，画为九州"③，"东渐于海，西被于流沙，朔南暨声教，讫于四海"④。在"大一统"思想确立过程中，先秦诸子曾发挥过突出的作用，在其学说中普遍反映了这个社会基本要求。虽然诸子各家在统一的方式和内容上存在歧见，但天下必须"定于一"则是他们的共识。如法家积极主张"事在四方，要在中央。圣人执要，四方来效"⑤；墨家竭力提倡"尚同"，"天子唯能一同天下之义，是以天下治也"⑥；道家虽然追慕小国寡民式的理想社会，但同时也不乏企求一统的愿望，故倡言

---

① 《尚书正义》卷十五《召诰》。

② 司马迁：《史记》卷一《五帝本纪》，中华书局，1982 年。

③ 杜预注，孔颖达疏：《春秋左传正义》卷二十九《襄公四年》，阮元校刻：《十三经注疏》，艺文印书馆，2001 年。

④ 《尚书正义》卷六《禹贡》。

⑤ 王先慎：《韩非子集解》卷二《扬权》，中华书局，1998 年。

⑥ 孙诒让：《墨子间诂》卷三《尚同上》，中华书局，2001 年。

"圣人抱一，为天下式"①。正因具备这样的思想基础，才有后来的秦统一与汉统一，才有秦始皇的"车同轨，书同文，行同伦"②之举。

当然，真正在"大一统"理论构建中作出特殊贡献的，应首推儒家。儒家思想较之于其他诸子思想，在整体上占有较大的优势，其突出的优点是《孔丛子·儒服》中所说的"包众美，兼六艺，动静不失中道"③。因此在"大一统"思想的构建中，儒家也起到了独特而不可替代的作用。在儒家看来，其他诸子各家所提倡的"大一统"尽管政治目标正确，但是其实行的方式或途径却是错误的，并不能真正实现。按儒家的理解，"大一统"的政治秩序不能像法家所鼓吹的那样统于暴力，不能像道家所主张的那样统于抽象不可捉摸的"道"，也不能像墨家所提倡的那样统于纯粹的人格化的"天"，而必须一统于"仁义礼乐""王道教化"，即孟子所说的"不嗜杀人者能一之"④。

孔子是儒家"大一统"思想的奠基者。面对当时社会"礼崩乐坏"的局面，他一再强调"礼乐征伐自天子出"，抨击"礼乐征伐自诸侯出""自大夫出"。他褒扬管仲，着眼点也落在管仲能辅佐齐桓公尊王攘夷，维护华夏名义上的统一这一点上："管仲相桓公，霸诸侯，一匡天下，民到于今受其赐。微管仲，吾其被发左衽矣"，"桓公九合诸侯，不以兵车，管仲之力也，如其仁，如其仁"⑤。为

---

① 王弼注，楼宇烈校释：《老子道德经注校释》上篇《二十二章》，中华书局，2008年。按：老子所说的"一"，诸家解释多有不同。张舜徽《老子疏证》据帛书甲、乙本改正为"是以圣人执一，以为天下牧"。可见"执一"之义与韩非"执要"意思相近，今从张说。（参见张舜徽：《老子疏证》，《周秦道论发微》，中华书局，1982年，第182页）

② 《礼记正义》卷五十三《中庸》。

③ 傅亚庶：《孔丛子校释》卷四《儒服》，中华书局，2011年。

④ 赵岐注，孙奭疏：《孟子注疏》卷一下《梁惠王上》，阮元校刻：《十三经注疏》，艺文印书馆，2001年。

⑤ 何晏注，邢昺疏：《论语注疏》卷十四《宪问》，阮元校刻：《十三经注疏》，艺文印书馆，2001年。

此,他提倡"克己复礼",反对"犯上作乱",主张重建一统的社会政治秩序,并将这一"大一统"理念作为微言大义隐寓于自己所整理修订的《春秋》一书之中,遂成为儒家乃至整个古代"大一统"思想的不祧之祖。

孔子身后,儒分为八,"有子张之儒,有子思之儒,有颜氏之儒,有孟氏之儒,有漆雕氏之儒,有仲良氏之儒,有孙氏之儒,有乐正氏之儒",他们在某些问题上存有歧见,不尽一致,即《韩非子·显学》所说的:"取舍相反不同。"① 但对于"大一统"的理念,他们却是一致认同的。如孟子与荀子,一个大声疾呼"(天下)定于一"②,另一个也明确指出"四海之内若一家,故近者不隐其能,远者不疾其劳,无幽间隐僻之国,莫不趋使而安乐之"③。在他们和其他儒家人物的努力倡导下,"大一统"的思想观念更加深入人心,成为人们普遍的精神寄托和政治信仰。

三、《公羊》学的"大一统"观

在"大一统"思想形成过程中,《春秋公羊》曾起过重大的作用。一般的看法是:《公羊》学产生于战国时代,当时中国正处于诸侯割据称雄走向全国统一的前夜。《公羊》学作为儒家中接近法家的一派,在思想体系上与荀子相一致,也突出地反映社会发展的这一趋势,体现新兴阶级的基本要求,强调"大一统",建立起相对集权的"大一统"国家。《公羊传》隐公元年,"元年者何?君之始年也……王者孰谓?谓文王也。曷为先言王而后言正月?王正月也。何言乎王正月?大一统也"④ 就是这种思想的集中反映。然而由于《公羊》属于儒家系统,因此它不能不带有一定的守旧性与复古性,即其并不要求这新的一统建立在新的基础之上,而是主张在旧基础

① 《韩非子集解》卷十九《显学》。
② 《孟子注疏》卷一下《梁惠王上》。
③ 王先谦:《荀子集解》卷五《王制篇》,中华书局,1988 年。
④ 《春秋公羊传注疏》卷一《隐公元年》。

上建立新的一统。于是《公羊》的"大一统"，其实质便成了天下统一于周的"大一统"。《公羊传·文公十三年》云："然则周公之鲁乎？曰：不之鲁也。封鲁公以为周公主。然则周公曷为不之鲁？欲天下之一乎周也。"① 尽管《公羊》的"大一统"思想还存在着这样那样的问题，然而它的本质属性是进步的，是为中国统一事业的发展而呐喊的思想理论，尤其是它所主张的"王者无外"的"大一统"理想境界，为儒家的"一统"观增添了新的内涵，使之发展到新的水平。从这个意义上讲，《公羊》的"大一统"理论是对先秦诸子"一统"观的总结和升华，是儒家对日趋成熟的中华文化、政治的一大贡献，并对秦汉以降中国历史的演变、各个王朝的崛起具有不可低估的意义。

秦汉大一统帝国的形成，使"大一统"的理念转化成了客观的政治实际。尤其当汉王朝提出"罢黜百家，独尊儒术"的国策之后，更使儒家的"大一统"思想在政治操作的层面上获得了切实推行的基础。保证社会政治趋于稳定，促成王朝统治走向强盛的现实需要，促进了"大一统"思想的丰富和深化，这就使《公羊传》作为儒家思想的主流占据汉代思想界的统治地位。在当时，《公羊》学是儒家"大一统"理论的主要载体，它使这一理论更加系统化、精细化，成为适合当时封建统治需要的最高政治思想纲领。

汉代儒者继承先秦儒家"大一统"思想，重视揭示《春秋》中有关"大一统"的微言大义，乃是十分普遍的现象。董仲舒在其"天人三策"中称："《春秋》大一统者，天地之常经，古今之通谊也。"②《汉书》"王吉传"曰："《春秋》所以大一统者，六合同风，九州共贯也。"③ 所反映的都是这一现象。然而汉代《公羊》学对"大一统"思想的贡献，主要不在于对它作形式上的肯定或推崇，而是对其内涵进行了实质性的丰富，从哲理的层次上对其进行了抽象

---

① 《春秋公羊传注疏》卷十四《文公十三年》。
② 《汉书》卷五十六《董仲舒传》。
③ 《汉书》卷七十二《王贡两龚鲍传》。

和升华。关于这一问题，蒋庆在其《公羊学引论》一书中曾有比较深刻的阐述："大一统"思想的形上含义是以元统天，立元正始，所谓"一统"，就是要统于元，以元为宇宙万物和历史政治的本体基始；而"大一统"思想的形下含义则是尊王、建立"一统"的王道政治，巩固合理而温和的中央集权体制①。可见汉代儒者正是从阐发"大一统"思想的形上含义与形下含义角度切入，使孔子所创立的"大一统"观系统化、哲理化和实践化的。如董仲舒就在其著名的"天人三策"和《春秋繁露》中集中阐述和发挥了"以元统天""立元正始"以及"尊王大义"：

> 是以《春秋》变一谓之元，元犹原也，其义以随天地终始也……故元者为万物之本，而人之元在焉。安在乎？乃在乎天地之前。②

> 《春秋》何贵乎元而言之？元者，始也，言本正也。③

这样，就从哲学的高度，也即宇宙生成论的角度论证了"大一统"思想的神圣性与合理性。东汉何休在《春秋公羊传解诂》中同样把"以元统天""立元正始"作为自己宣传、弘扬"大一统"主张的逻辑起点和根本宗旨："一国之始，政莫大于正始。故《春秋》以元之气，正天之端；以天之端，正王之政；以王之政，正诸侯之即位；以诸侯之即位，正竟内之治。……五者同日并见，相须成体，乃天人之大本，万物之所系，不可不察也。"④

综上所述，"大一统"是中国古代人们的普遍心理认同，其思想

---

① 参见蒋庆《公羊学引论：儒家的政治智慧与历史信仰》，福建教育出版社，2014年，第225—238页。
② 苏舆撰，钟哲点校：《春秋繁露义证》卷五《重政》，中华书局，1992年。
③ 《春秋繁露义证》卷四《王道》。
④ 《春秋公羊传注疏》卷十四《隐公元年》。

存在于先秦诸子的学说体系之中，而以儒家的阐述最为系统而深刻。儒家的"大一统"理论创始人是孔子，他所修订整理的《春秋》则是其"大一统"思想的主要载体之一。在发挥和完善孔子"大一统"思想方面，《公羊》家起到了重要的作用。他们通过传解《春秋》，极大地丰富了"大一统"思想的内容，使之在哲学的层次上得到提炼和升华，从而成为一个完整的思想体系，并成为人心思定，推动历代兵学文化进步的理论武器。

第二节　"大一统"原则规范下的秦汉政治与文化

一、学术文化的统一

"秦皇扫六合，虎视何雄哉！挥剑决浮云，诸侯尽西来。"[1] 秦汉大一统帝国的先后诞生，使"大一统"理念转化成了客观的政治实践。尤其是当汉王朝提出"罢黜百家，独尊儒术"的国策之后，更使儒家的"大一统"思想在政治操作的层面上获得了切实推行的基础。现实的需要，促进了"大一统"思想随着时代的演进而不断丰富深化。换言之，秦汉以降中国各个历史时期的一切政治文化现象，都笼罩于"大一统"的时代精神下，在人们的思想意识深处，"大一统"始终为"天地之常经"："《春秋》大一统者，天地之常经，古今之通谊也。"[2] 而这一切，恰恰是封建王朝崛起的无形文化思想资源和内在动力。

这首先是学术文化的统一。思想专制，文化统一，早在先秦时期即已成为众多思想家的共同主张，只有从这个意义上考察，才能说秦代"以法为教""以吏为师"的推行和汉代"罢黜百家，独尊

---

[1] 李白：《古风》之三，《李太白集》卷二，岳麓书社，1989 年。
[2] 《汉书》卷五十六《董仲舒传》。

儒术"的发生，并不是偶然的历史文化现象。

在除道家之外的诸子百家都推崇"大一统"的思想文化氛围引导、影响下，秦汉时期的学术文化自然合乎逻辑地走上了整齐划一的道路。而且与先秦时期不同的是，这种统一思想的努力能够借助于国家政权机器的力量，卓有成效地落实在政治实践的层面，呈现出操作上的可行性与具体化。

秦汉时期的中央统治者，为了有效地维系"大一统"，都对统治思想进行了选择，用以规范、整齐全国上下的思想。这在秦代是"以法为教""以吏为师"："史官非秦记皆烧之。非博士官所职，天下敢有藏《诗》《书》、百家语者，悉诣守、尉杂烧之。有敢偶语《诗》《书》者弃市。以古非今者族。吏见知不举者与同罪。令下三十日不烧，黥为城旦。所不去者，医药卜筮种树之书。若欲有学法令，以吏为师。"① 在西汉初年是尊崇黄老之学："其治要用黄老术"②；"文帝本修黄、老之言，不甚好儒术，其治尚清净无为"③；"及至孝景，不任儒者，而窦太后又好黄老之术"④。自汉武帝起，是"罢黜百家，独尊儒术"，"所举贤良，或治申、商、韩非、苏秦、张仪之言，乱国政，请皆罢"⑤，"诸不在六艺之科孔子之术者，皆绝其道，勿使并进。邪辟之说灭息，然后统纪可一而法度可明，民知所从矣"⑥，"绌黄老、刑名百家之言，延文学儒者数百人"⑦。所谓"汉家自有制度，本以霸王道杂之"⑧。这种思想上的整齐统一直接影响着历史文化的发展，在一定程度上可以说是规范着历史文

---

① 《史记》卷六《秦始皇本纪》。
② 《史记》卷五十四《曹相国世家》。
③ 应劭撰，王利器校注：《风俗通义校注》卷二《正失·孝文帝》，中华书局，1981 年。
④ 《史记》卷一百二十一《儒林列传》。
⑤ 《汉书》卷六《武帝纪》。
⑥ 《汉书》卷五十六《董仲舒传》。
⑦ 《史记》卷一百二十一《儒林列传》。
⑧ 《汉书》卷九《元帝纪》。

化发展的方向。

二、制度文化的统一

秦汉时代"大一统"精神的弘扬与践行，其次反映为制度文化上的统一。这在秦代，是实行"车同轨，书同文"，统一度量衡，统一货币，统一地方行政机制乃至统一一般的社会风尚习俗等举措："分天下以为三十六郡，郡置守、尉、监。更名民曰'黔首'。……一法度衡石丈尺。车同轨。书同文字"；"普天之下，抟心揖志。器械一量，同书文字。日月所照，舟舆所载。皆终其命，莫不得意。……六合之内，皇帝之土。西涉流沙，南尽北户。东有东海，北过大夏。人迹所至，无不臣者"①。因此，司马迁对秦始皇的历史功绩还是作出了实事求是的评价："明法度，定律令，皆以始皇起。"②两汉时期也是制定和实施统一的赋税徭役制度、统一的军事制度、统一的法律制度、统一的中央与地方行政体制、统一的选官任官制度、统一的学校教育制度的时代。这方面的努力，自刘邦创建西汉王朝时即已开始："于是汉兴，萧何次律令，韩信申军法，张苍为章程，叔孙通定礼仪，则文学彬彬稍进，《诗》《书》往往间出矣。"③经过数十年的整合、发展，这种制度文化上的统一，在汉武帝时期基本达到了高度成熟的形态，即如汉武帝在"泰山刻石文"中所描绘的国家"大一统"的理想图画："四守之内，莫不为郡县，四夷八蛮，咸来贡职，与天无极，人民蕃息，天禄永得。"④两汉以降，这种制度文化上的统一，始终为当道者所汲汲追求的根本目标。

三、虚拟历史为"大一统"张目

秦汉时期"大一统"时代精神对当时政治文化的规范与指导，

---

① 《史记》卷六《秦始皇本纪》。
② 《史记》卷八十七《李斯列传》。
③ 《史记》卷一百三十《太史公自序》。
④ 《风俗通义校注》卷二《正失·封泰山禅梁父》。

还集中表现为人们虚拟历史,为现实社会政治文化的"大一统"张目。众所周知,黄帝时代是中华文明的发轫阶段,在当时并不存在"大一统"的理想与事实。然而,人们为了论证"大一统"的合理性,不惜塑造编排历史,以造成一种"大一统"政治局面由来已久,古已有之的印象。如司马迁在《五帝本纪》中形容黄帝往来无常处,东至于海,西至于空桐,南至于江,北逐荤粥,"合符釜山,而邑于涿鹿之阿。迁徙往来无常处,以师兵为营卫。官名皆以云命,为云师。置左右大监,监于万国。万国和,而鬼神山川封禅与为多焉。获宝鼎,迎日推策,举风后、力牧、常先、大鸿以治民。顺天地之纪,幽明之占,死生之说,存亡之难"。声称帝颛顼的天下"北至于幽陵,南至于交阯,西至于流沙,东至于蟠木,动静之物,大小之神,日月所照,莫不砥属",而"帝喾溉执中而遍天下,日月所照,风雨所至,莫不从服",等等。[1] 这些虽属于虚拟的历史,但也从一个侧面透露出"大一统"观念的感化挹注,深入人心。

四、秦汉民族观念所体现的"大一统"理想

秦汉时期"大一统"时代精神的弘扬,也反映为民族观念上对"大一统"理想的不懈追求。这在司马相如、何休等人的言论中均有集中的体现:"是以六合之内,八方之外,浸淫衍溢,怀生之物有不浸润于泽者,贤君耻之。今封疆之内,冠带之伦,咸获嘉祉,靡有阙遗矣。……遐迩一体,中外褆福,不亦康乎?夫拯民于沈溺,奉至尊之休德,反衰世之陵夷,继周氏之绝业,天子之急务也。"[2] "至所见之世,著治大平,夷狄进至于爵,天下远近小大若一,用心尤深而详。故崇仁义,讥二名。"[3] 即主张四夷与诸夏地位平等,彼此和睦相处,互助互补,民族关系上天下为一家。这是极其卓越的古代民族思想,也是中国历代民族文化观念的主流,它奠定了中国

---

① 《史记》卷一《五帝本纪》。

② 《汉书》卷五十七下《司马相如传》。

③ 《春秋公羊传注疏》卷十四《隐公元年》。

历史上民族逐渐融合，国家高度统一的理论前提，遂有司马迁论断匈奴为"夏后氏之苗裔"，"中国"与"荆蛮""句吴"系兄弟之卓识："余读《春秋》古文，乃知中国之虞与荆蛮、句吴，兄弟也。"① 它成为中国历史进步的重要标志之一。

五、秦汉各类文化创造活动中的"大一统"情结

同时值得关注的是秦汉时期各类文化创造活动对"大一统"精神的讴歌与弘扬。以汉代为例，如当时以铺陈写物为基本特征的大赋，在司马相如、东方朔、王褒、扬雄等人的手中，以恢宏的气势，丰富的词汇，华美绚丽的文采，反映了疆域辽阔、经济繁荣、物产丰足、都市繁华、宫室壮美、统一强盛的大汉王朝的声威，美化皇帝的功业，歌颂国势的昌盛兴旺，从而热情地宣扬了"大一统"的时代主题，在文学创作中突出地体现了帝国的文化精神。又如司马迁撰著《史记》，其初衷也是为了弘扬振奋"大一统"的时代精神。这一点在其《太史公自序》一文中有充分的反映："汉兴以来，至明天子，获符瑞，封禅，改正朔，易服色，受命于穆清，泽流罔极，海外殊俗，重译款塞，请来献见者，不可胜道。臣下百官力诵圣德，犹不能宣尽其意。且士贤能而不用，有国者之耻；主上明圣而德不布闻，有司之过也。且余尝掌其官，废明圣盛德不载，灭功臣世家贤大夫之业不述，堕先人所言，罪莫大焉。"② 可见司马迁所谓"究天人之际，通古今之变，成一家之言"，实际上就是为了载"明圣盛德"，对"大一统"政治局面进行热情的讴歌。

由此可见，"大一统"价值观长期以来深入人心，这使得统一成为人们所普遍认同的理想政治秩序，而为了追求和维系统一，制定和实施一定的治国与用兵方略及其相关措施，也是势所必然，理有固宜了。这种内在逻辑说明，中国古代各种治国方略、兵学观念的提出和贯彻，绝非无源之水、无本之木，它深深植根于"大一统"

---

① 《史记》卷三十一《吴太伯世家》。
② 《史记》卷一百三十《太史公自序》。

理念的沃壤之中，是文化传统作用于各种治国与用兵方略选择的必有之义。换言之，中国历代治国方略与兵学观念之所以如此绚丽多彩、各擅胜场，成为王朝统治初期政治安定、人心归附、实力提升、战争制胜与国家崛起的强大杠杆，完全在于有"大一统"思想文化氛围作支持，而秦汉时期绝大多数的战争活动，其基本宗旨也是为了造就"一统"（如楚汉战争、东汉王朝统一战争）或维护"一统"（如平定吴楚七国之乱、汉武帝反击匈奴之战）。秦汉时期的兵学理论，其论述的重心同样不外乎追求和维系这种政治与文化上的高度统一。

第三节　"大一统"与秦汉历史文化地位的再评价

长期以来，学者对秦汉文化在中国文化发展史上的地位的评估普遍偏低。不少人对这一时期的事功多能充分肯定，甚至高度推崇，但是对当时的文化却颇多微词，不以为意。在他们看来，秦汉文化的主体——哲学思想，不外乎粗俗的神学天命论和平庸的自然天道观，充斥着阴阳灾异、谶纬迷信，是对生机勃勃、绚丽多彩的先秦思想的反动，也远不及魏晋玄学、宋明理学的精致、深刻和博大。无论是秦王朝推行的"以法为教"的做法，还是西汉中叶起贯彻的"独尊儒术"措施，说到底，都是大一统封建专制政权对思想文化的钳制与窒息，从而在本质上决定了秦汉文化无法获得充分发展的空间。在文学上，是"铺采摘文"、不歌而颂的"大赋"成为主流，丧失了文学独有的艺术感染力与美学功能；在学术领域，则是寻章摘句、泥古宗圣的"经学"成为主体，皓首穷经，鹦鹉学舌，哪有多少学术创造。如此去看秦汉文化，自然就不可能评价太高，而秦始皇、董仲舒、刘向乃至光武帝刘秀诸人在秦汉文化发展史上也就只能扮演不太光彩的角色。如北宋苏辙曾言："西汉自孝武之后崇尚儒术，至于哀平，百余年间，士之以儒生进用，功业志气可纪于世者不过三四。"① 但笔者认为，如上评估秦汉文化的历史成就及地位显然是失之偏颇的。从态度上讲，不公允；从事实上讲，不准确；从客体上讲，也不全面。

首先，将哲学思想、经学模式等同于整个秦汉文化，这本身就存在着以偏概全的问题。哲学思想、学术主题固然是文化的重要构成要素，但它绝对不能等同于文化的全部。文化从总体上讲，可以划分为物质文化、制度文化和观念文化三大层次，哲学思想、学术主题不过是观念文化中的一部分。它与其他观念文化，乃至制度文化、物质文化固然有内在的联系，但彼此之间毕竟不能简单地画等号。从这个意义上说，我们考察秦汉文化，固然要注意对当时的哲学思想、学术主题（如经学模式）的总结与评价，但尤为重要的应是对秦汉文化总体形态进行系统、完整的把握和揭示。如就制度文化而言，秦汉时期高度集权的"大一统"的政治体制基本形成，并且经历了多次社会动荡的历史考验而日趋完备，这本身就是秦汉文化中极其辉煌的成就。又如就物质文化而言，秦汉时期以农耕经济和畜牧经济为主，包括渔业、林业、矿业及其他多种经营结构的经济形态走向成熟。借助交通和商业的发展，各经济区互通互补，共同创造经济繁荣，共同抵御灾变威胁，使物质文明取得了空前的成就，这同样是秦汉文化发展中的亮丽风景。再如就观念文化而言，秦汉时期除哲学、政治伦理学等获得长足发展外，史学、文学、艺术、兵学等文化领域也呈现出崭新的面貌，构筑起秦汉文化的璀璨殿堂。如就兵学而言，秦汉就呈示出与先秦的显著差别，打上了独特鲜明的时代烙印，展示了独领风骚的崭新气象，这包括传世兵书的全面整理、兵学流派的科学分类、兵学特征的深刻揭示，等等。毫无疑义，秦汉文化具有极宽泛的范围，在广度上是无可比拟的，有的文化现象在历史上是独特的、鲜明的（如谶纬、画像砖等），有的文化现象则是在整个历史长河中独领风骚的（如史学、兵学），人

① 苏辙：《私试进士策问二十八首》，《栾城集》卷二十，上海古籍出版社，2009 年。

们所津津乐道的秦汉气象,正是对秦汉时期文化取得整体发展、全面繁荣的贴切概括。因此,单纯以哲学思想、学术主题(经学)为指标评估秦汉文化,在研究客体的涵括上并不全面。

其次,有关秦汉文化的成就、价值及其历史地位的通行观点,衡之于具体史实,多有抵牾,不乏臆度不实之处。例如,关于秦汉时期的文学成就,论者大多持鄙薄否定的态度,认为大赋为汉代文学的代表,其堆砌辞藻,铺陈事物,在政治上服务于专制君主好大喜功、穷奢极欲的价值取向,缺乏文学欣赏价值和艺术美感力量,固不足论。然而,这样的判断很难成立。因为,其一,如此看待大赋的功能与特点不公允(以下将另作辨析);其二,大赋只是当时文学体裁的一种,并不能囊括整个秦汉文学。事实上,汉代文学是中国文学史上一个承前启后的重要发展阶段,它蕴含了中国多种文学体裁的萌芽,所谓"文章各体,至东汉而大备"①。宏丽的辞赋、朴实的汉诗及史传文学的空前发展,奠定了中国古典文学的根柢。因此,就基本史实而言,学术界有关秦汉文化的不少论断和评价,并不能切中肯綮,与本相相去甚远。

再次,即使是那些表面上存在种种局限,以致常为人们所诟病的秦汉文化现象,如"铺采摛文"的汉大赋,笼罩浓厚阴阳灾异色彩,甚至荒诞不经的哲学政治观念等,如果透过表象,我们也能发现其理性的光芒,可以肯定其存在的合理价值。例如,两汉哲学政治思想充斥着阴阳灾异、妖妄荒诞的成分固然是事实,但其出发点却是现实而具体的,不乏现实主义的精神。黑格尔认为:"他(亚里士多德)一般地将灵魂区分出理性的和非理性的两方面。……但是理性、智慧这些东西还不构成美德,只有在理性的和非理性的双方的统一中,美德才存在。当热情(意象)和理性发生关系并服从理

---

① 刘师培:《论汉魏之际文学变迁》,《中国中古文学史讲义》,上海古籍出版社,2006年,第17页。

性的命令而行动时，我们就称此行为为美德。"① 汉儒的阴阳灾异理论，作为神学目的论毫无疑问是非理性的，但是包藏在其深处的政治意图，诸如提倡巩固中央集权统治，主张以民为本，借助"天意"告诫统治者节制约束自己的行为之类，却是现实的、理性的。前者（表象）是服从后者（本质）的"命令"的，所以应该说这也是"理性和非理性双方的统一"。我们过去在评价阴阳灾异光圈下的汉代政治伦理观时，往往离开问题的本质，片面地强调和斥责其"非理性"的一面，而忘记了从"理性和非理性双方的统一"这一角度去剖析、去讨论，因而得出偏颇的结论就不足为奇了。

又如对以司马相如赋为代表的汉大赋，人们习惯于指责它叙述铺排的烦冗堆砌，尤其是贬斥它表现了统治者的腐化享乐价值取向。然而从深层次考察，我们却发现，汉大赋实际上是"处在上升时期的积极有为的统治者直观地创造世界的伟大业绩的产物，是对汉帝国的繁荣发展所创造出来的美的世界的再现和赞颂，洋溢着宏阔明朗的信心和力量"②。它在文学上体现了汉帝国的时代精神，它所表现出来的那种"巨丽"之美，那种"苞括宇宙，总览人物"的宏大气魄，也是后世所难以企及的。由此可见，人们长期以来对阴阳灾异氛围中的两汉政治伦理学说的激烈抨击，对汉大赋的呵责指斥，从态度上说，是不公允的。

总而言之，秦汉文化是中国古代文化发展的一个重要阶段，正如秦汉在事功、疆域和物质文明上为统一国家和中华民族奠定了稳固基础一样，这一时期的文化在构成中国的文化心理结构方面同样起到了重要作用。对此，我们很有必要对秦汉"大一统"条件下的文化（当然，也包括了重要的兵学文化）发展成就及其地位作出更深入、辩证的考察和评价。

长期以来，大多数学者对"大一统"政治条件下的学术文化发

---

① ［德］黑格尔著，贺麟、王太庆译：《哲学史讲演录》第二卷，商务印书馆，1960年，第359页。
② 李泽厚、刘纲纪：《中国美学史》第一卷，中国社会科学出版社，1984年，第443页。

展持有一种先验性的观念,即在政教合一、高度集权、舆论一律的背景之下,人们的思维模式与价值取向往往整齐划一,缺乏独创性和深刻性,秦汉与隋唐均为其例。而与之形成对比的是,在分裂或偏安的历史时期,由于统治者力有不逮,思想统治相对松懈,因而人们独立思考的精神常常得到张扬,思想的深刻性、创造力往往得到充分的体现,如百家争鸣之于春秋战国、玄学之于魏晋等就是很好的说明。应该说,这种分析虽有一定道理,但并不全面。事实上,尽管高度大一统背景下的思想文化就其个别"点"的深度来说,似乎不够深刻和精致,但从整体上看,大一统条件下文化建设的全面发展是历史上分裂、动乱、偏安时期所无法比拟的。以秦汉时期为例,当时文化的繁荣发达是全方位、多层次的,无论是物质文化、制度文化还是观念文化,在当时均有全面的建设和总体的提高,其突出的标志,一是表现为在"六合同风,九州共贯"的历史背景下,文化的地理畛域基本被打破。具体地说,就是秦文化、楚文化和齐鲁文化等区域文化因子在秦汉时期经长期融汇,打破了先秦时期南北文化相对较少联系接触的状态,形成了具有统一风貌的汉文化,同时亦由此形成了统一的汉民族的文化心理结构。以儒学正统地位的建立和巩固为突出标志,适应专制主义政治的文化建设所取得的划时代的成就,更对后来的历史与文化产生了规范性的影响。二是表现为"大一统"的社会环境为许多学科的高度成熟与充分发展创造了必要的条件。司马迁撰写《史记》,使中国古代史学建树达到辉煌顶点,就是这方面很有说服力的典型例子。《史记》的成功,原因固然很多,但司马迁"(年)二十而南游江、淮,上会稽,探禹穴,窥九疑,浮于沅、湘;北涉汶、泗,讲业齐、鲁之都,观孔子之遗风,乡射邹、峄,厄困鄱、薛、彭城,过梁、楚以归。……奉使西征巴、蜀以南,南略邛、笮、昆明"[1],涉足中华大地山山水水的经历,无疑是不可或缺的因素。而这种机会,只有在大一统条件下才能获得。换言之,大一统的文化环境,为《史记》的撰写与秦汉史

———————————

[1] 《史记》卷一百三十《太史公自序》。

学的鼎盛与繁荣，提供了最基本的保证。而这在分裂、动乱以及偏安时代则是难以想象的。

由此可知，秦汉文化的高度繁荣发达建立在"大一统"社会政治环境基础之上，是秦汉"大一统"政治生活在文化领域的必然反映。同时，这一历史事实昭示人们：中国古代文化如此辉煌，如此灿烂，乃是不同时期不同文化形态（偏安时期文化"点"的深化与大一统时期文化"面"的拓展）共同作用、互为弥补的产物。这种文化上的不同形态、表现以及贡献值得引起我们同等的重视。唯有如此，我们才能对中国文化的发展全貌与内在规律得出正确的认识，同时也可以对秦汉兵学发展与嬗变的深厚政治文化土壤获得深刻的理解。

第二章　秦汉兵学发展的物质基础与动因

武器装备的发展与兵学理论的成熟，两者之间存在着一种共生互动的关系，这种关系，可以用一个相对稳定的逻辑结构来描述，即：武器装备的改进与发展，引发作战方式、战略战术的变革，同时也促成了军队编制体制的调整和变化，而这变化，最终又推动了兵学理论的创新、兵学思想的升华。而兵学思想的发展，同样要反作用于作战指导领域，使得战法的确立与变革能够在理论的指导下，更趋合理，更趋成熟，以适应军事斗争的需要，为达成一定的战略目标创造积极有利的条件。因此，要认识秦汉时期的兵学成就，首先得了解这一历史时期的军事技术发展水平，尤其是武器装备、筑城、军事交通的基本状况。

第一节　钢铁兵器普遍使用主导下的武器装备建设

综合历史文献的记载与考古发掘的发现，我们可以认定，在秦汉时期铁制兵器已普遍装备部队，青铜兵器的使用比例已经很小。例如近年来考古发现的西汉长安武库中只有少量的青铜兵器，像刀、剑、戟、矛、斧、铠甲等主要杀伤性兵器与防护型兵器，均用精良的钢铁打造，仅铁箭镞即达 1000 余件之多。箭镞是消耗量极大的一次性使用物品，秦汉时期箭镞普遍用铁来打制，这充分说明铁制兵器使用的广泛，象征着中国冷兵器时代青铜兵器阶段的消逝和钢铁兵器阶段的全面到来。

自战国末期至汉初，新型的钢铁戟已普遍装备部队，这就是成为骑兵主要格斗兵器的"卜"字形戟。楚汉战争时，身披铠甲、手持长戟的骑兵叱咤风云，纵横驰骋于疆场，可以楚霸王项羽为代表。据《史记·项羽本纪》记载，楚汉两军相遇，楚军壮士接连被汉军的弩手所射杀，这惹得"项王大怒，乃自披甲持戟挑战"①，即为生动的写照。

典型的西汉钢戟，出土于河北满城中山靖王刘胜墓中，戟体长约37厘米，装柲后全长约2米，是经过多次加热渗碳锻打制成的钢戟。

西汉以后，戟的变化主要是侧伸的距刺（小枝）由原来的垂直横伸，改为垂直横出后再向上弯曲，以增大叉刺时的割、杀面积，更符合骑兵作战的要求。戟的形制也有多种：骑兵所使用的长柲戟称为"马戟"，步兵用戟与盾相配，此外还有防身短戟称"手戟"以及"双戟"。东汉初年汉光武帝刘秀军中的云台诸将，多有持戟作战的战例。杨泓先生指出，《后汉书》中有许多将士们在沙场上持戟奋战的记载，充分说明戟是当时军队中最主要的格斗兵器。②

刀是秦汉时期开始使用的兵器。西汉时出现了一种用于劈砍的铁质短柄刀，又名环柄刀或环首刀。刀的制作技艺在秦汉时期也不断有所提高。至东汉时，军队已普遍使用钢刀。如山东兰陵县出土的永初六年（112）"卅湅（即'炼'）大刀"，质量已达到很高的水平。至于"百炼"钢刀，其质量尤胜于"卅湅"钢刀。这表明制造钢刀的工艺技术，东汉时已基本成熟，而刀的厚重，使劈砍的杀伤力十分显著，非常适用于骑兵的作战。

弩。东汉时期弩的种类增多，主要分"强弩"和"小弩"两种。前者射程较远，杀伤力较大。东汉安帝元初二年（115），"羌众

---

① 《史记》卷七《项羽本纪》。
② 杨泓：《中国古代的戟》，《中国古兵器论丛》，文物出版社，1985年，第178页。

万余，攻围赤亭（今甘肃成县西南）数十日。（虞）诩乃令军中，使强弩勿发，而潜发小弩。羌以为矢力弱，不能至，并兵急攻。诩于是使二十强弩共射一人，发无不中，羌大震，退"①。当时弩的射程和强度，通常以"石"为计算单位，有一、三、四、五、六、七、八、十石等八级。一般以六石弩最为常用，大约可射 260 米。著名的"大黄弩"则为十石弩，射程可达 400 米。"弩"是汉军的"长技"之一，也是步兵抗衡骑兵冲锋与战车碾压的重要利器，在与匈奴和西羌的作战中发挥了特殊的作用。

铠甲。秦汉时期铁制铠甲开始取代皮甲而成为军队将士的主要护体装备。到东汉时，铁制的"鱼鳞甲"已在军中普遍使用。据考古发掘，在山东沂南汉墓画像石上刻有铁制的鱼鳞甲；在河南陕州刘家渠东汉墓中，出土的陶制楼阁上也有披戴鱼鳞甲的武士守卫。总的来看，秦汉时期，随着钢铁冶炼技术的进步与工艺水平的提高，铁铠的数量与质量都有了新的发展，这主要表现为铠甲的坚度增强，类型日益增多，防护性能大大提升。

钩镶。这是一种东汉时始有的把钩与盾结合在一起的兵器，具有能攻可守的功能。它见于武氏祠画像石和邹城市黄路屯画像石。考古工作者在四川成渝铁路沿线，还发现了一具钩镶实物，铁质，长 50 余厘米。② 武器装备是战争活动中最基本的物质要素，恩格斯曾经指出："装备、编成、编制、战术和战略，首先依赖于当时的生产水平和交通状况。这里起变革作用的，不是天才统帅的'悟性的自由创造'，而是更好的武器的发明和士兵成分的改变；天才统帅的影响最多只限于使战斗的方式适合于新的武器和新的战士。"③ 这表明，技术决定战术，战术调整军队的编制体制，并规定了相应的作

① 范晔撰，李贤等注：《后汉书》卷五十八《虞傅盖臧列传》，中华书局，1965 年。

② 蓝永蔚、黄朴民等：《五千年的征战：中国军事史》，第 82 页。

③ ［德］恩格斯：《反杜林论》，中共中央马克思恩格斯列宁斯大林著作编译局编译：《马克思恩格斯全集》第二十卷，人民出版社，1971 年，第 182 页。

战样式，在此基础上形成一定的作战观念。显而易见，秦汉时期的武器装备在材质、形制、功能等各个方面不断获得改良与完善，为当时的兵学发展创造了积极的条件。

第二节　以长城修筑为中心的军事工程

秦始皇统一六国后，一方面下令全部拆毁齐、楚、魏、赵、燕等国互防的内地长城，"堕坏城郭，决通川防，夷去险阻"①，以消弭分裂割据的隐患，有利于国家的统一。另一方面，出于抵御北方游牧民族匈奴的南下侵扰、大力加强边防的需要，对原来秦、赵、燕三国的边地长城进行了大规模的修葺、连接和增筑，建造起雄冠古今的万里长城。

秦代长城的修筑，分为前后两个阶段，共达 12 年之久。第一阶段自公元前 221 年至前 215 年，重点维修了原秦、赵、燕三国的边地长城，并新筑若干地段，以使其互相连接。通过"秦已并天下，乃使蒙恬将三十万众北逐戎狄，收河南。筑长城，因地形，用制险塞"② 可知，长城的修筑是在蒙恬的主持下具体展开的。第二阶段自公元前 214 年至前 210 年，其主要工程有两项：一是"自榆中（今甘肃兰州榆中一带）并河以东，属之阴山，以为（三）［四］十四县，城河上为塞"；二是在高阙、阳山、北假一带"筑亭障以逐戎人"。③ 这两项工程都是以新筑为主。经过多年艰苦的努力，终于在原来秦、赵、燕三国修筑的边地长城基础之上，修筑成了一道西起临洮，东到辽东，绵延 5000 多公里的长城。

长城并不是一道孤立的城墙，而是以城墙为主体，同大量的城、

---

① 《史记》卷六《秦始皇本纪》。
② 《史记》卷八十八《蒙恬列传》。
③ 《史记》卷六《秦始皇本纪》。

障、亭、燧相结合的军事防御体系。其中城墙是一道高大坚固，由夯土版筑而成的连续长垣，主要用于限制敌骑的行动。当时匈奴等北方游牧民族的骑兵之军事优势在于其突然性与机动性，迅疾快速，飘忽倏往，出没无常，令人猝不及防，长城的主体工程则迫使骑兵下马攻坚，丧失了纵横驰骋的主动权，这就是所谓的"以墙制骑"。长城一般修建在险峻的山岭梁脊之上或大河深谷之间，只有草原、荒漠、旷川无险之处，才平地起城。

与长城城墙相结合的是用于防御沿边的大量城、障工事，均修筑于沿长城一线的要害险塞之处，主要用来加强重点地段的控制和防御。城比障大，既驻军又住民，用来加强重点地段的防御；障只驻扎军队，不住居民，用来加强险要之处的扼守，"每塞要处别筑为城，置人镇守，谓之候城，此即障也"①。有了这两项基础性设施，长城的军事防御功能遂得以充分发挥。

亭、燧也是长城不可缺少的组成部分和重要配套设施。它们都起着边境上守望、通信、战斗等作用，一般设在高处，根据具体的地形条件，相距十里左右设一个。有些亭、燧分设在长城两侧，以利于各段之间互相联络；有些在长城之外向远处延伸，以利提早报警；有些设在通往首都咸阳方向，以使军情及时上达；还有些设于通往附近驻军和郡县方向，以利协调各有关方面的应敌行动。

秦代万里长城的总体布局具有鲜明的战略特点，即根据敌情和地形的不同，在西北段、北段和东北段分别建立了不同纵深、不同层次的防御体系。其中西北段是秦战略防御的重点所在，因此该段共有三条防线，纵深达七八百里，从而有效地解除了匈奴贵族骑兵对关中地区的进攻威胁，巩固了秦汉畿辅的安全。北段和东北段的布局，则随着匈奴威胁的逐渐减弱和东胡势力相对弱小，分别由两道和一道边防线构成。②

---

① 《汉书》卷六《武帝纪》颜师古注。

② 关于秦朝长城东北、西北、北段防御阵线的具体布局，霍印章的《秦代军事史》有所论述。（参见霍印章：《秦代军事史》，第88—89页）

汉代的长城（史书上多称为"塞"），同秦长城一样，也是一个以垣墙为主体，包括城、关隘、墩台、烽燧、粮仓、武库等军事设施在内的系统完整的国防工程体系，曾经在防御匈奴，巩固国家安全方面发挥过积极作用。

两汉时期，国家统治者一方面对秦长城进行重新缮修，如汉高祖令人"缮治河上塞"①，修筑"辽东故塞"②；汉武帝委任卫青"复缮故秦时蒙恬所为塞"③，另一方面又根据军事斗争新形势、新需要，修筑了新的长城——"塞"。塞主要修筑于汉武帝反击匈奴时期。当时汉朝政府曾先后组织了7次大规模修筑边塞长城的行动，兴建起长达20000公里左右新的长城。它大体上可以分为"西塞""居延塞"和"塞外列城"三个部分。

所谓"西塞"，是古人对汉朝在占据河西走廊以及连通西域过程中所修筑的工程的通称，因其地处秦长城之西而得名。它东起金城郡令居（治今甘肃永登西北），西至敦煌郡玉门关，长1000余公里。它的修筑，可以看成是汉朝兵威西渐的一部分。"居延塞"，全长约250公里，起自居延泽西，沿额济纳河直至毛目之南（均在今甘肃酒泉一带）。它的修筑不但为酒泉等郡增添了屏障，而且更成为汉军继续西进或北上的一个重要前方基地。"塞外列城"，是指汉朝廷在秦长城之北（即阴山北）所修筑的边防工程，又称"光禄塞""光禄城""武帝外城"等，是修筑在阴山北麓蒙古高原上的南北两道长城（两道长城之间相距20至30公里）。它同样具有重大的战略意义：进入匈奴腹地，大大加强和拓展了汉军的防御纵深。正由于这个缘故，它修筑而成后，汉廷一直不惜投入巨大的财力、人力、物力，坚守这道防线，直至汉宣帝地节二年（前68），因"匈奴不能为边寇"，汉朝这才择机"罢外城，以休百姓"④。

---

① 《史记》卷八《高祖本纪》。
② 《史记》卷一百一十五《朝鲜列传》。
③ 《汉书》卷九十四上《匈奴传上》。
④ 《汉书》卷九十四上《匈奴传上》。

秦汉时期长城修筑是国防建设上的大事，在兵学发展史上也具有深远的意义。作为中原农耕民族对付草原游牧民族武力侵扰的军事手段之一，长城的战略防御地位是绝对不可忽视的。对此，论者曾进行过系统的总结，认为在秦汉，长城曾起过三方面的积极作用。一是化短为长，巩固边防，既限制了匈奴骑兵的机动灵活性，又有效地发挥了中原军队善于集团协同作战，守御有方的优势。二是保障进攻，巩固胜利。正因为"以墙制骑"的做法有效地巩固了边防，保障了秦汉军队侧翼的安全，才能够使朝廷集中主力，在主要战略方向上主动出击，取得了辉煌的战果。这表明，长城不仅是军事防御的广阔平台，也是保障进攻、巩固胜利的重要手段。三是促进北方地区的开发和建设。尤其是秦始皇移民到河南等地，西汉王朝移民至河西走廊等举措的实施，使那些地区在长城的庇护之下，民众安居乐业，土地得到开发，农业得到发展，成为当时新的经济繁荣地区。可见无论是从军事学术发展角度看，还是从中国古代历史整体演进的视野考察，长城的军事学术价值始终不可磨灭。①

第三节　军事交通网络的形成与军用地图的使用

秦始皇统一六国后，为了加强对关东地区的控制及进一步统一边疆，在"决通川防，夷去险阻"②，即拆除诸侯割据各种设施的同时，调动大量人力在全国开始统一的战略交通建设，先后修建了由首都咸阳（今陕西咸阳东北窑店镇附近）通往全国各战略要地及北

---

① 参见霍印章：《秦代军事史》，第90—91页。
② 《史记》卷六《秦始皇本纪》。

部边防重镇的"驰道"①，由云阳（今陕西淳化县西北）通往北方九原郡（治今内蒙古包头西）的"直道"；由岭北通往岭南的"新道"（又称"通越道"），由今四川南部通往今云贵高原的"五尺道"（北起今四川宜宾，南抵今云南曲靖）。同时还开凿了连接湘水与漓水两大水系的"灵渠"。这些以道路修筑为主体的军事交通工程，使得秦代的都城和内地、边疆都紧密地联系在一起，充分提高了军队行动上的机动性，极大地促进了国家的统一和国防的加强。如"驰道"针对东方六国反秦势力和北方匈奴的威胁而修，对于巩固边防和防止分裂，都具有重大的战略意义。又如"直道"的修筑大大缩短了秦都咸阳与北方九原郡的距离，"堑山堙谷，直通之"②，它专用于军事目的，十分便利于秦军的调动，对于巩固北部边防特别是九原郡的安全，具有更为直接的战略意义，直到后来汉武帝时反击匈奴，这条道路仍在充分发挥其作用。再如"新道"，它是在秦军南平百越的过程中，沿着进军路线所开辟的军用道路。南平百越之后，"新道"便成了秦朝廷控制和开发整个岭南地区的战略交通要道。

　　汉代对军用道路的建设，也作出了很大的努力。这中间主要是对以秦"直道""驰道"为主干的军用道路进行修整、扩建。例如汉武帝元光五年（前130）夏，"发卒万人治雁门阻险"③，修筑道路就是这项工程的主要部分。从居延汉简的记载可知，修筑道路并保证其畅通无阻，乃是两汉戍卒的重要职责之一。在当时，还设有专职筑路养路的士兵，称为"除道卒"。汉代军用道路的规模与质量均属上乘。在今内蒙古阿拉善右旗雅布赖山麓的56座烽火台群中，曾发现由20多条石块铺设的道路，至今遗迹仍清晰可辨。它们分为

---

① 据考察和研究，秦代的"驰道"主干线有五条，其规模与作用均十分突出。《汉书》"贾山传"载有贾山《至言》对"驰道"的描述，（秦始皇）"为驰道于天下，东穷燕齐，南极吴楚，江湖之上，濒海之观毕至。道广五十步，三丈而树，厚筑其外，隐以金椎，树以青松。为驰道之丽至于此，使其后世曾不得邪径而托足焉"。

② 《史记》卷六《秦始皇本纪》。

③ 《汉书》卷六《武帝纪》。

上行道和下行道，路基各宽约 6 米，两道平行，将当地各个烽火台与障城连接起来，形成一个比较完善的攻防支援体系。① 雅布赖山位于巴丹吉林和腾格里两大沙漠之间，在秦汉时期并非军事防御的要害地段，但军用道路修筑得如此上乘，那么其他地区的军用道路，尤其是军事干线道路的规模和质量也就可以想见了。② 而两汉时期军队机动性的迅速提高，也应该说在很大程度上是得益于当时军事交通条件的极大改善。

军用地图的制作与广泛使用，也是秦汉时期兵学文化得到进一步发展的一个侧影。军用地图早在先秦时期就已经出现。《管子·地图篇》就专门论述了"审知地图"的具体项目、方法以及在战争中的作用。据文献记载，当时的军用地图分为两种。一种是宏观的战略形势图，《史记·苏秦列传》载苏秦游说赵王时提到"窃以天下之地图案之，诸侯之地五倍于秦"③，这里的"地图"便是战略图，其特点是比例尺较小，比较概括。另一种为较大比例的局部地形及军事部署。荆轲刺秦王时所献的燕督亢地图（当是督亢地区的军事地形与兵力部署图）即属于此类。进行战略决策研究时，一般使用宏观的战略形势图，而在实施具体战役指挥时则使用较大比例的局部军事详图。

秦汉之际刘邦攻入秦都咸阳时，萧何从秦宫中所缴获的各种文书档案中的"图"，应当就包括了这两类军用地图。汉代在展开重大军事行动时，一般也通过查考地图，来预先部署兵力，计划进军方向。淮南王刘安谋反前夕，"日夜与左吴等按舆地图，部署兵所从入"④；汉武帝时君臣商议出兵闽越，"以地图察其山川要塞"⑤ 等，均是这方面的有力史证。

---

① 　石云子：《北方古文化又一奇观：内蒙发现烽火台群》，《中国文物报》1989 年 6 月 23 日。

② 　陈梧桐等：《西汉军事史》，第 333 页。

③ 　《史记》卷六十九《苏秦列传》。

④ 　《汉书》卷四十四《淮南衡山济北王传》。

⑤ 　《汉书》卷六十四上《严朱吾丘主父徐严终王贾传》。

20 世纪 70 年代初，长沙马王堆三号汉墓出土的两幅大比例军用地图，是汉代使用军用地图的实物例证。地图的制作年代应在汉文帝前元十二年（前 168）之前。其中一幅是《长沙国深平防区地形图》，画在一块长、宽各 96 厘米的正方形绢上。地图的主区包括当时长沙国南部地区，中心城镇为深平，图中包括山脉、河流、居民点、交通网四大要素，比例尺为 1∶170000 至 1∶180000 左右。这种地形图对于屯军驻防、行军作战无疑颇有价值。长沙马王堆三号汉墓出土的另一幅地图是《驻军图》，它是以地形图为基础绘制的。该图长 98 厘米，宽 78 厘米，主区在长沙国南部的大深水流域，其范围在上述地形图的区域之内。比例尺较前图为大，在 1∶80000 至 1∶100000 左右。该图用黑、红、青三色绘制，图中各种军事要素用红色符号表示。例如主将军垒以红色等边三角形城堡代表，在三角形上绘制有城楼岗亭；防区界线用实线表示，防区的烽燧哨所以小三角形代表，道路以虚线代表等等，难以用符号标识的军事要素则另外用文字说明；有关的作战计划和战斗决心亦用文字具体标示在地图上。它充分反映出汉代军用地图的绘制和使用都达到了相当高的水平，这显然是当时军事学术迅速发展的一个象征。

值得注意的是，秦汉时期的战地指挥官还根据战事的需要临时制成立体的军用地图，并加以使用。据《后汉书·马援列传》的记载，马援在为刘秀筹划进攻陇右割据势力隗嚣时，曾经"聚米为山谷，指画形势"①，即依据地形条件，具体设计汉军进击隗嚣、平定陇右地区的路线。这也许是已知历史上最早的"沙盘作业"了。

第四节　武库的普遍设置及其影响

武库是军事后勤保障体制中的重要组成部分，它起源于先秦时

①　《后汉书》卷二十四《马援列传》。

期，但随着秦汉时期封建大一统中央集权统治的确立，皇帝对军权绝对控制的加强，武库的设置也进入了一个新的阶段。

秦朝军队的武器、铠甲、粮食、马匹，均由国家统一提供，国家设有专门的武库，负责武器装备的贮藏，同时也主持部分兵器的生产。汉代继承秦朝的武库制度，并有所健全和发展。

为了使武器装备能够及时配发给军士使用，西汉从中央到地方建立了多层次的武库网络。中央级的武库有京师长安的武库，地方郡级武库见于记载的有洛阳、上郡、颍川、河南、山阳、广汉、北海、玄菟等武库，县级武库见于记载的有阳陵、居延、武牢、商县等武库。自汉武帝后，战事频繁，全国武库大增，边防军及大将军幕府多设有武库。

汉代武库规模宏大，位于长安长乐、未央二宫之间的京师武库四周有高大的围墙，考古发掘表明其东西长 700 余米，南北宽 300 余米，墙厚 1.5 米，总占地面积 23 万平方米。该武库内共发现 7 处库房遗址，各库所存放的武器种类不一，有的存放铠甲，有的专贮弓箭、镞矢。地方上的武库也有相当的规模。一旦遇战事，各级武库即可及时为数以万计的军队提供各类武器装备。

东汉时期的武库设置基本上沿袭西汉的做法，在京师洛阳与全国各地都建有武库，储存有大量的兵器装备。当时的各类武器装备数量很大，如河内工官一次就造甲"七千四百十"具，[①] 一次造刀数千至一万把的情况亦时有出现，这些兵器都需放入各级武库中存储妥帖。

两汉王朝都十分重视对武器装备的管理，凡考工所造的兵器，通常送入京师或中央级武库保管；郡国工官所造兵器，藏入本地武库，供应地方部队或由中央统一征调。从中央到郡县，都建有各级武库，作为"精兵所聚"之专门场所。凡武库所藏兵器，有非常严格的管理制度，要登记造册，设专官发放。武库设有"库卒"，昼夜

---

① 容庚：《秦汉金文录》卷六，莞城图书馆编：《容庚学术著作全集》第六册，中华书局，2011 年，第 708 页。

巡逻值班，名为"直符"，以确保武库的安全。没有皇帝的诏令，任何人不得动用库存之兵器。武库令、武库丞等武库主管官员，一般由皇帝的亲信或皇帝所指派的要员担任。武库系统在军事武装力量的建设中占有重要地位，其拥有大量的军事装备，意味着国家有一支庞大的物化了的军队，而其管理制度的严格，则充分体现了专制主义中央集权制下军权高度集中于皇帝之手。

第三章　秦汉军队与国防建设对兵学发展的意义

第一节　"将从中御"的军队领导体制

秦汉时期的军事领导体制是大一统中央集权背景下的产物，与当时政治上的高度中央集权一致，一切军事大权，诸如军队调动、作战指挥、部队管理、国防建设等，都高度集中在以皇帝为核心的中央朝廷的手中。

秦代军队征调的大权完全操控在专制独裁的皇帝手中，其他任何一级政府、官员或将领都无权擅自征调军队。凡是征发军队，必须执行玺、符、节三位一体的严格制度。战争和战略的决策只能由国君作出，对统兵将领的任命也是如此，即由国君临时作出选择来任命，将军一旦完成作战任务，便立即交出兵权，脱离部队。平时对军事事务的管理，则实行四级管理体制：在中央，由太尉协助皇帝主管全国的日常军政事务；在郡一级行政机构，由都尉管理日常军务；在县一级行政机构，由县尉负责处理日常军事工作；在乡一级行政机构，由游徼负责处理日常与军事、治安有关的事务。逐级负责，分层管理，最终听命于皇帝的指挥。在部队的统率上，实行分权制。军队在平时根据性质、任务、情况的不同，分别由各个不同的部门和不同的官员统率，这些部门和官员各自为政，相互制约，不发生横向隶属关系，以防止军权旁落于他人之手。以当时京师禁卫部队为例，其统率办法是一分为四：负责皇帝贴身护卫的郎官卫队，由郎中令统率；负责皇宫警卫的卫士部队，由卫尉统率；负责京师治安的卫戍部队，由中尉统率；屯驻京畿地区的战略机动部队，由皇帝派出的护军、监军使监护，其日常训练和管理则由各部校尉负责。郎中令、卫尉、中尉及护军、监军使等，都分别直接向皇帝负责，而不是受统于太尉或丞相。

汉承秦制，皇帝仍是最高军事统帅。太尉（汉武帝时改称大司马，东汉时期仍改回为太尉）虽是名义上的最高军事长官，但实际上只能处理日常的军事行政事务，并无发兵、领兵之权，调兵权完全握于皇帝之手，如无皇帝的符节，军队便不能征发或调动。一遇战事，皇帝往往临时任将出征，战事结束，将领则罢归入朝另供他职。汉代的军事领导机构及其职官同秦代相仿，也分作几个系统设置，互不统属，互相制约。负责中央最高军事行政的太尉（大司马），属于禁卫军系统的郎中令、卫尉、中尉和战时指挥系统的将军幕府及地方上的郡尉、县尉系统，都各自对皇帝负责，听从皇帝的统一指挥。这种分工合作、互相钳制的御军方式，可使"将无专兵，兵无常将"，对皇帝独揽军权、稳定政局，维系其独裁统治十分有利。

为了进一步加强对军队的控制，秦汉时期的皇帝还推行军事行动监护制。秦代设有护军都尉，代表皇帝到军队执行监护任务。西汉也设有"监军御史"和"监北军使者"等职，专门负责对北军等主力部队的监护。东汉时期，更建立起较为完整的监军制度：对中央直辖部队常设监军吏员，如"北军中侯""羽林左右监""谒者"等等；向征战部队派遣使者随营监军；对地方部队实行督军制。通过监军，确保军权的绝对集中。秦汉时期高度集中军权的做法，基本上确立了中央集权专制体制下军事领导体制的规模与特色，这对后世军事领导体制的发展曾经产生过极其深远的影响，这也是秦汉时期兵学文化的一个鲜明的时代特色。

第二节　"三位一体"与"居重驭轻"

秦汉时期的武装力量体系是"三位一体"的结构模式，即统治者将全国武装力量区分为中央警卫和作战部队、地方郡县部队以及边防守卫部队，三者各承担相应的军事任务，又互相配合协作，共同履行巩固国家政权、保卫国家安全、维护国家统一的责任。这种"三位一体"的武装力量构成是与"大一统"政治格局所面临的形势、任务相一致的。尽管这种体制在个别历史时期（如东汉），形式上有所调整，但其核心结构却始终得到维持与延续，并深刻影响着后世的军队建设。

京师禁卫与屯驻部队。这是严格意义上的中央军，其使命是确保皇帝、皇宫、京师、畿辅地区的安全，并承担居重驭轻、战略机动的任务。它是整个国家武装力量的核心和精锐。其又可以区分为四个部分：一为直接负责皇帝警卫的宫廷禁军，即以郎官、虎贲、羽林为主体的郎卫系统，他们的职责是"掌守门户，出充车骑"①，属皇帝的贴身警卫；二是负责皇宫警卫的卫士部队，秦代的卫士、西汉的南军、东汉的宫城近卫军均属此类，他们为卫尉所辖，掌宫门卫，巡逻宫城，确保宫城的安全；三是京师卫戍部队，主要负责京师的治安，由中尉统率；四是屯驻京畿地区的战略机动部队，它是中央军的主体，系精锐之师，既是保卫京畿地区的主力，也是整个国家重要的战略机动部队（两汉时的北军，就兼有京师卫戍与战略机动的双重职责）。

地方郡县部队。这主要存在于秦和西汉时期，它由各郡县服正卒兵役的士兵构成，其主要任务有三：进行军事训练，负责地方治安，随时听命于国家的统一调遣。郡县地方兵有一定的数量和完备

①　《汉书》卷十九上《百官公卿表上》。

的编制，"自有员数"，由郡守、郡尉（都尉）与县令、县尉统率。它同时也是整个国家武装力量的基础，京师部队和边防部队绝大多数是从地方部队中选拔征调而来。西汉初年，诸侯王国有自己独立的军队，后随着中央集权的强化，这些部队也纳入国家军队体系，成为地方郡县兵的一部分。东汉时期，罢省郡国兵，地方军从形式上似乎消失，但实际仍有一定留存。当时朝廷在各地屯兵，以弥补罢郡国地方兵所造成的守卫空缺，这些屯兵（如黎阳营、雍营、长安营、度辽营、象林营、渔阳营等等）长驻一地，虽归中央直接指挥，但就其实质和作用而言，与地方军并无本质上的区别。

边防守卫部队。主要负责边境郡县的治安，守卫边防要塞，防御外敌入侵，并执行边境地区机动作战的任务。在秦和西汉的大部分时间里，边防军主要由戍卒及边郡正卒组成。西汉中后期起，尤其是东汉一代，边防军就常常以招募的"夷兵""刑徒"来充任了。

在兵力部署上，秦至东汉无一例外地实行"居重驭轻"的原则。中央军在整个国家武装力量体系中，占据主导的地位，较地方拥有巨大的优势。它往往由皇帝的亲信、重臣统领，兵力集中，人数占优，待遇优厚，装备精良，是全军中的精锐，足以控制地方或边境的军队，保卫京师的安全，维护全国的统一。这种"居重驭轻"的武装力量配置原则，曾为后代的统治者普遍借鉴和不断强化，成为古代中国军队建设的显著特点之一。

第三节　习战阵之仪：军队训练的相关原则

为了使军队保持强大的战斗力，秦汉时期的统治者都颇为注重军队平时的军事训练，其中尤以西汉时的军事训练为系统而正规。按西汉军制规定，未经训练或武艺不娴熟的士卒，不能应召出征，即所谓"非教士不得从征""士不素习，不得应召"①。

　　早在战国时期，新式的以"一"教"十"，以"十"教"百"，循序渐进、系统正规的军事训练方式就占据了军队军事训练的主导地位。《吴子·治兵》说："一人学战，教成十人；十人学战，教成百人；百人学战，教成千人；千人学战，教成万人；万人学战，教成三军。"②《尉缭子·勒卒令》也说："百人而教战，教成，合之千人；千人教成，合之万人；万人教成，会之于三军。三军之众，有分有合，为大战之法。教成试之以阅。"③ 这说明当时由单兵到多兵，由分队到部队，由分练到合成的经常性正规化训练已具有普遍性。它通常是在各级军官的直接指挥下进行的："伍长教成，合之什长；什长教成，合之卒长……"④ 方式是先伍后什，先什后卒，先卒后伯，层层递进，最后由大将总其成，即所谓"有分有合"。三军循序教成后，开展作战演习，即所谓"教成试之以阅"。

　　当时正规化军事训练的主要内容包括队列的训练、识别信号的训练、阵法的系统训练、将士的技击训练、"选士"训练，等等。

　　队列的训练。内容主要是进退、左右、纵横、分合、起坐跪跑伏等动作的要求和变化，把握各种动作疾徐快慢的节奏。其基本目的是做到人人定位，行列整齐；进退左右，俱成行列；起坐跪伏，俱从号令；疾徐迅缓，俱循节制。

　　识别信号的训练。据《司马法》《六韬》《尉缭子》等兵书记载，当时识别信号的训练内容严格而具体，军队制定旗铃金鼓和徽章符节，来指挥进退和约束部伍："凡领三军，有金鼓之节，所以整

---

① 《汉书》卷六十三《武五子传》。

② 《吴子》卷上《治兵》，《中国兵书集成》编委会：《中国兵书集成》第一册，解放军出版社、辽沈书社，1987年。

③ 《尉缭子》卷四《勒卒令》，《中国兵书集成》编委会：《中国兵书集成》第一册，解放军出版社、辽沈书社，1987年。

④ 《尉缭子》卷五《兵教上》。

齐士众者也。"① 具体地说，是击鼓则进，并根据鼓声的轻重缓急来决定行动徐疾；鸣金则退，根据金音或止或退，"金之则止，重金则退"；士卒也要服从旌旗的指挥，"旗，麾之左则左，麾之右则右"②。各部队的旗帜有不同的颜色，各行列的将士佩戴不同颜色的徽章，以资识别。所有这些，都属于平时训练的内容。通过训练，使将士能够"审金鼓""辨旌旗"，熟悉旗鼓的指挥，并养成服从旗鼓指挥信号的良好习惯。

阵法的系统训练。它要求士卒了解自己在阵中的位置，在立阵、坐阵时各采取什么姿势，知道怎样集中或分散；要求士卒适应各种阵法的变化和高山、丘陵、大川、沼泽等复杂地形。

秦汉时期的军队训练承袭战国而来，并有进一步的丰富和发展。军事训练的科目与内容十分丰富，其内容根据不同的兵种而有所侧重，如骑兵重在骑射，材官（步兵）首重张弩发矢，楼船舟兵既重行船操作，也重习射。

大致而言，当时军队训练的基本项目和程序为：（1）训练将士掌握"五兵"击杀的要领，拉弓张弩发射箭矢的技能，以及骑术和驾驭兵车、行驶战船的能力，"材官、骑士，习射御、骑驰、战阵。……水处为楼船，亦习战射行船"③。这中间，使用弓弩的训练尤受到重视，成为各兵种皆从事的重要训练科目。（2）学习兵法，演习战阵。《申鉴·时事》云："置尚武之官，以司马《兵法》选位，秩比博士，讲司马之典，简蒐狩之事。"④《后汉书·礼仪中》记载："武官肄兵，习战阵之仪……兵官皆肄孙、吴兵法六十四阵，名曰乘之。"⑤ 演练阵法包括军伍的序列，队形操练，等等。在阵法训练

① 《六韬》卷六《犬韬·教战》，《中国兵书集成》编委会：《中国兵书集成》第一册，解放军出版社、辽沈书社，1987年。
② 《尉缭子》卷四《勒卒令》。
③ 卫宏：《汉官旧仪（附补遗）》卷下，上海古籍出版社，1987年。
④ 荀悦撰，黄省曾注，孙启治校补：《申鉴注校补·时事》，中华书局，2012年。
⑤ 《后汉书》志第五《礼仪中》。

时，特别注重不同兵种之间的协同作战训练，步、骑、车兵混合编队，演练攻防战术。（3）特殊军事技能的训练。这是对少数军士的专门性训练，如边塞戍卒，要能够习候望，识别信号，掌握"烽火品约"；宫中卫士要"习鸡鸣歌"；等等。（4）将士身体素质与体能的基础训练。项目主要有蹴鞠、角抵、手搏、投石、超距等。蹴鞠就是踢球，《史记》集解引刘向《别录》说："蹋鞠（蹴鞠），兵势也，所以练武士，知有材也。"① 汉代军队普遍以它练兵，提高士兵素质。角抵，战国时就是军训项目，秦汉时军中仍然盛行，它近似于后世的摔跤或相扑。投石，即投掷训练。超距，相当于后世的障碍赛跑。通过这类训练，当时将士的身体素质与运动技巧均有较大的提高，可以满足频繁战争对将士所提出的体能要求。

西汉时期中央与地方的军事领导机构还按时进行军事考核和军队检阅，以考察军事训练的效果。军队检阅分京师、郡国两级，每年一次，通常安排在秋季举行，称为"秋射""校阅"和"都试"。京师阅兵，据《汉仪注》等文献记载，可知其仪式隆重，军容壮观。京师的禁卫军还有自己的检阅活动，例如，霍光父子掌南军时就曾多次出都（会阅）羽林。与京师一样，秦汉时期地方上各郡国车骑材官卒、舟师水军、边防戍卒在每年秋季也都要进行"都试"，即军事检阅。在举行都试时，太守、都尉、令、长、相、丞、尉都要亲临，对接受检阅的官兵进行全面的军事考核，论定其优劣，"课殿最"。都试的内容以射为主，加试骑乘、刀矛戟剑等技术，水师则考"战射、行船"，而边地士卒则要在太守率领下，骑马驰骋，"行障塞，烽火追虏"。② 在举行"校阅""都试"之时，还往往用近乎实战的狩猎形式搞军事演习，以系统考察士卒掌握军事技术的状况和使用兵器的能力。这就是《汉官仪》所说的："岁终郡试之时，讲武勒兵，因以校猎，简其材力也。"③ 其场面可谓十分壮观：受阅的

---

① 《史记》卷六十九《苏秦列传》。

② 《汉官旧仪（附补遗）》卷下。

③ 《后汉书》卷十九《耿弇列传》注引《汉官仪》。

军士们一律身着绛色制式军衣，设斧钺，建旗鼓，隆重开展军阵及骑射演习。

第四节　四大兵种与骑兵时代的来临

秦始皇统一六国以后，中原王朝军队所面对的主要对手是西北边境强大的匈奴军队。匈奴军队的主体是逐水草而居、来去飘忽的骑兵，这使得习惯于中原作战的汉族军队穷于应付，疲于奔命。作战对象变了，作战方式也自然需要随之改变。在这种情况下，中原封建王朝对车、步、骑、水军四个兵种重新调整，实行了新的组编。

车兵在秦汉时期虽已不再是军队的主体，但仍然是战斗编组中不可缺少的一个重要兵种，秦至西汉前期的情况尤其如此。它在当时被称为"车士"或"轻车士"。从陕西临潼秦始皇陵兵马俑的出土情况看，当时的车兵既有单独的编队，也有与步兵相结合的编队，还有与骑兵相结合的编队，并有同时与步、骑等兵种相结合的编队。这显示出车兵既可以独立使用，又可以与其他兵种配合使用，是多兵种协同作战中的重要力量。史载汉文帝对匈奴作战时曾"发车千乘"[①]，亦可见这一时期车兵之盛。

车兵主要用于平原地区的作战，进攻时用以冲陷敌阵，打乱敌军的战斗队形；防御时用来布置阵垒，阻止或迟滞敌军的冲击；[②]行军时置于前锋和两翼，以保障部队的安全。当时车兵的编制基本上仍沿用战国时的做法，一般可分为御手、乘车甲士和车属步兵三

---

① 《史记》卷一百十《匈奴列传》。
② 《汉书·李广苏建传》载李陵"军居两山间，以大车为营"，《汉书·卫青霍去病传》载卫青"令武刚车自环为营"，《后汉书·南匈奴列传》载汉光武帝"造战车，可驾数牛，上作楼橹，置于塞上，以拒匈奴"，等等，均是用战车实施防御的史例。

部分。为了抵御敌方弓弩及矛戟等兵器的杀伤，乘车甲士的防护装具多为金属制成，防护性能大为提高。汉武帝反击匈奴战争全面展开后，重点发展骑兵部队，车兵的地位明显下降，战车更多的是用于构筑阵垒，防御敌军的冲杀。

步兵是秦汉时期数量最大的兵种，在汉武帝大规模发展骑兵之前，是军队的第一主力兵种，秦始皇陵出土的绝大多数武士俑为步兵俑就是例证。步兵在秦汉时期称为"材官"或"材士"，能在各种环境下作战。当时的步兵由于武器装备配置的不同和战斗特点的差别，又区分为重装步兵和轻装步兵两种。轻装步兵一般不穿铠甲，作战时列在前排，以强弓劲弩杀伤远距离敌兵；重装步兵大多身着金属铠甲，作战时手持矛、戟、殳、铍等长柄兵器，与敌进行近体格斗。在进攻、防御或攻城、守险、迂回、包围、伏击、奇袭等各种作战形式中，步兵总是担任重要的任务。步兵的优点是灵活，适应性强，其弱点是快速性不如骑兵，稳固性不如车兵，所以秦汉时期特别重视将步兵与骑兵、车兵联合使用，实施协同作战。

骑兵在秦汉时期称为"骑士"，是当时军队主力兵种之一。它的发展又可以汉武帝反击匈奴为界，划分为两个阶段。汉武帝之前，骑兵与车兵、步兵的地位相近，甚至还要稍低一些。但是从汉武帝时期起，骑兵得到了极迅速的发展，中国古代骑兵完成了向战略军种的转变，成为军队中的第一主力兵种。如据汉史资料，在武帝元狩四年（前119）春的进击漠北之战中，仅卫青、霍去病两支部队出塞时，塞上登记的战马即达14万匹，而元封元年（前110），汉武帝巡行北地，"出长城……勒兵十八万骑，旌旗径千余里，威震匈奴"[1]，可见汉军骑兵已十分强大。

古代兵家认为骑兵作战的特点是"急疾捷先"[2]"驰骤便捷，利

---

①　《汉书》卷六《武帝纪》。

②　许维遹撰，梁运华整理：《吕氏春秋集释》卷八《论威》，中华书局，2016年。

于邀击奔趋，而不宜于正守老顿"①。《通典》载："孙膑曰：'用骑有十利：一曰迎敌始至；二曰乘敌虚背；三曰追散乱击；四曰迎敌击后，使敌奔走；五曰遮其粮食，绝其军道；六曰败其津关，发其桥梁；七曰掩其不备，卒击其未整旅；八曰攻其懈怠，出其不意；九曰烧其积聚，虚其市里；十曰掠其田野，系累其子弟。'"②

《武经总要》载："孙膑亦曰：骑战之道，以虚实为主，变化为辅也。形为佐，又有十利八害焉。一、乘其未定。二、掩其不固。三、攻其不属。四、邀其粮道。五、绝其关梁。六、袭其不虑。七、乱其战器。八、陵其恐情。九、撩其未装。十、追其奔散。此十利也。八害者：一、敌乘背虚，寇蹑其后；二、越阻追背，为敌所覆；三、往而无以反，入而无以出；四、所从入者隘，所回去者远；五、涧谷所在，地多林木；六、左右水火，前后山阜；七、地多污泽，难以进退；八、地多沟坑，众草接茂。此八害者，皆骑士成败之机。将必习，乃可从事焉。"③ 这些材料，皆说明了骑兵的作战功能与战术特点。

骑兵的基础是战马，故与秦汉骑兵发展紧密相联的是该时期"马政"的发展，所谓"马者，甲兵之本，国之大用。安宁则以别尊卑之序，有变则以济远近之难"④。无马，则不能建成一支强大的骑兵，因此，秦汉王朝皆致力于马政的建设，大力发展养马事业。如西汉统治者在建国伊始，便着手制定了一整套马匹牧养和管理的严格制度。汉高祖时，丞相萧何制定了《厩律》。吕后执政时，明令禁止母马外流。汉文帝登基后，采纳晁错的建议，下达"马复令"，

---

① 何良臣撰，陈秉才点注：《阵纪注释》卷四《骑战》，军事科学出版社，1984 年。

② 杜佑撰，王文锦等点校：《通典》卷一百四十九《兵二·法制》，中华书局，1988 年。

③ 《武经总要》前集卷四《用骑》，《中国兵书集成》编委会：《中国兵书集成》第三册，解放军出版社、辽沈书社，1988 年。

④ 《后汉书》卷二十四《马援列传》。

鼓励民间养马。① 汉景帝继位后，限制马匹出边关，史称"马弩关"，② 同时他又下达诏令，在秦代边郡牧马苑的基础上，"益造苑马以广用"③。这样，就为日后汉武帝全面发展骑兵、反击匈奴奠定了物质基础。

汉武帝登基后更是推行"马政"，发展骑兵，其重点发展骑兵的直接动因是反击匈奴的侵扰。匈奴之所以在秦汉时期能对中原王朝构成巨大的军事威胁，一时间横行边地，屡战屡胜，"攻城屠邑，驱略畜产""杀吏卒，大寇盗"④，就是因为它拥有一支机动性极强的骑兵部队。中原王朝的步兵、车兵在飘忽不定的匈奴精骑面前常常明显处于下风，"险道倾仄，且驰且射，中国之骑弗与也"⑤。为了改变这种劣势处境，中原王朝自然需要适时地作战略调整，把发展骑兵作为兵种建设的首要任务。汉武帝圆满地完成了这个历史性的任务，凭借文帝、景帝给他留下的苑马四十五万匹的雄厚物质力量，在京师军与地方军中扩建骑兵，拔擢善于指挥大集团骑兵作战的优秀将领，加大力度训练骑射技能。经过长期不懈的努力，一支战斗力很强的骑兵队伍终于建立了起来，从而使汉匈战略态势发生了根本性的变化。从此汉军便能够以机动对付敌之机动，可以远程奔袭，能够实施迂回、包围、分割、围歼，赢得战场上的主动地位。正是在这样的历史条件下，汉武帝坚决发动了前后五次大规模反击匈奴的战役，取得了汉匈战略决战的决定性胜利。由此可见，骑兵的发展及其在作战中的突出地位，是秦汉时期兵种建设上最大的特色，它标志着中国军事学术史上骑兵时代的到来。

骑兵的装具，秦汉时期也有所改良。秦朝的骑兵已配备有齐全

---

① 晁错建议的主要内容："令民有车骑马一匹者，复卒三人。"（参见《汉书》卷二十四上《食货志上》）

② 御史大夫卫绾奏疏："马高五尺九寸以上，齿未平，不得出关。"（参见《汉书》卷五《景帝纪》）

③ 《史记》卷三十《平准书》。

④ 《汉书》卷四十九《爰盎晁错传》。

⑤ 《汉书》卷四十九《爰盎晁错传》。

的鞍鞯，主要的武器装备为弓箭以及矛、戟等长兵与剑等短兵；汉代的骑兵则更增加了环柄长铁刀的兵器配备，可以用来在马上进行斩劈，大大增强了骑兵的格杀能力。然而，从陕西西安秦始皇陵骑兵俑、杨家湾汉骑兵陶俑和江苏徐州狮子山汉骑兵俑装饰情况考察，马镫在秦汉时期仍未见出现，作战时，骑士两脚悬空，很不便于冲锋、格斗，这在一定程度上影响了骑兵战斗力的发挥。

水军（舟师）在秦汉时期称为"楼船士"，也是当时国家武装力量的重要组成部分。水军战船主要分为大型的楼船和轻捷的艨艟、斗舰等两大类，以利水上作战时大、小部队及轻、重战舰之间的互相配合，有效协调。水军的武器装备相当齐全，除水战特用的钩拒等武器之外，凡陆地作战所使用的弓弩、长短兵器、火攻用具等无不皆备。当展开水上战斗之时，远则以矢弩交射，近则以钩拒、矛戟进行攻守格斗，实施猛烈的冲角战和接舷战；在一定情况下，还施以火攻。秦汉时期，水军的建设和运用主要是在江南地区与沿海郡县。秦始皇在攻伐百越时，派遣屠睢统率楼船士五十万充当主力；汉武帝时，楼船士在上林苑昆明湖训练水战，"是时，越欲与汉用船战逐，乃大修昆明池，列观环之。治楼船，高十余丈，旗帜加其上，甚壮"[1]；东汉初年，名将马援统率由"楼船大小二千余艘"[2] 组成的强大水军，南下攻击交趾之地等历史记载，都较为全面地反映出当时水军发展的规模与作用。

第五节　移民实边与军事屯田的实践与总结

移民实边，是秦汉时期封建王朝加强国防的一项重要措施。它始于秦代，秦始皇统一六国后，派遣大将蒙恬率军北逐匈奴，收复

---

① 《史记》卷三十《平准书》。
② 《后汉书》卷二十四《马援列传》。

"河南"地时，就曾徙民以实之，时在秦始皇三十三年（前214）；时隔三年，又"迁北河、榆中三万家。拜爵一级"①。经过这两次的迁徙，北部边防的人力、物力得到了很大的加强。除向北部边境地区移民实边外，秦朝统治者还向岭南地区大规模徙民。

西汉初年，汉文帝听从晁错的建议，也实施徙民实边。这一举措使大批移民在边疆安家落户，生儿育女，垦殖荒地，建设家园，同时进行军事训练，以便能随时拿起武器保家卫国。这说明秦汉时期的移民实边具有经济、国防的双重意义。

由于秦汉时期边防的主要威胁来自北方，先为匈奴，后为羌人，所以当时移民实边的重点在西北边疆，秦至东汉循行不变。此外，当时移民实边的另一重点在辽东地区，主要是针对乌桓、鲜卑设防，不过其经营规模远远不及西北边疆。

移民实边可加强国防，但毕竟无法取代为数众多的边防戍卒。两汉时期，民族战争规模空前，边防兵力众多，其军粮供应成为最棘手的问题。在这样的背景下，军队屯田便应运而生了。

《汉书·食货志》载，武帝元鼎六年（前111），"初置张掖、酒泉郡，而上郡、朔方、西河、河西开田官，斥塞卒六十万人戍田之"②。这是中国历史上实行大规模军屯的最早记录。军队屯田虽也是修渠筑堤、垦田种植，但与移民实边的性质有重大不同：（1）劳动者是士兵而不是农民；（2）管理机构属田官系统，而与郡县无关；（3）生产目的是供应军需，而不必向官府纳租。

武帝之后，西汉诸帝也多次实施军屯措施，如汉昭帝在西域的轮台、渠犁一带开辟屯田；不久，又在今新疆境内的罗布泊南、米兰河畔等地区开辟屯田；宣帝为攻打车师，派遣郑吉、司马熹率免刑罪人在渠犁屯田，以备军粮；等等，皆为显例。

东汉时期，军屯仍得到积极推行，当时军屯主要分布在：（1）北方边郡地区（晋阳、广武、朔方、西河、上郡、玄菟等郡），主要

① 《史记》卷六《秦始皇本纪》。
② 《汉书》卷二十四下《食货志下》。

是为了防备匈奴及其他少数民族的侵扰；（2）西域地区，包括伊吾屯田、柳中屯田、楼兰屯田等，其目的是反击匈奴对西域的控制，经略西域，扩展中原王朝的势力；（3）河湟地区，包括金城西南部黄河沿岸的屯田、龙耆（今青海海晏附近）屯田和湟中（今青海湟水两岸地区）屯田，其主要目的是抵御塞外诸羌的侵扰和镇压内迁降羌的反抗。① 除了边境实行军屯外，东汉初年，内地还短暂进行过军屯活动，这开创了历史上中原地区军屯的先例。日后，曹操在北方中原推行军屯，就是对东汉初年刘秀内郡军屯做法的仿效。

参与军屯的屯田卒平时耕种，战时出征，亦兵亦农，既保证了军粮的供给，也增加了边郡的防御力量，开发了边疆，因而具有重大的国防意义。西汉宣帝神爵元年（前61），先零羌发动叛乱，赵充国前往金城（今甘肃兰州西北），坚持采用"以威信招降""罢骑兵屯田，以待其敝"的策略，终于达到了不战而屈羌人、安定西北边境之战略目的，这是军屯的国防作用最为明显的一例，所谓"屯田内有亡费之利，外有守御之备"②。正因为军屯具有十分积极的国防经济价值，所以一直为后人高度重视，作为一项基本国防对策，历代仿行而经久不衰。

第六节　征兵与募兵：对秦汉兵役的理论考察

秦汉时期的兵役制度经历了由秦代的单一征兵制，到西汉以征兵为主、募兵为辅，再到东汉盛行募兵制的历史演变过程。

秦朝实行郡县普遍征兵制，凡适龄男子都必须在专门的名册登记，即所谓"傅籍"，服役年龄通常在17—56岁（有爵位者）或17—60岁（无爵位者）之间。国家根据需要，按郡县行政组织统一

---

① 参见黄今言等：《东汉军事史》，第176—179页。
② 《汉书》卷六十九《赵充国辛庆忌传》。

征调。

　　普遍兵役制的特点是耕战结合，兵役与徭役结合，预备役与现役结合。傅籍人员一律需服兵役两年，其中一年在本郡服役，称为"正卒"，主要任务是参加军事训练和维持社会治安。服役期间，根据军事训练内容的不同，分为材官（步兵）、轻车（车兵）、骑士（骑兵）、楼船（水军）。这种四大兵种皆备的正卒平时驻守于郡县，遇有战事则听命于国家的调遣，由郡尉和县尉率领出征。

　　一年"正卒"役服满之后，还要到京师或边境地区再服役一年，统称"戍卒"。"戍卒"担负着守边、筑城、作战、守卫王宫与京师等任务，属于国家常备军性质，它与"正卒"的区别是：前者重在训练，为充当"戍卒"做好准备；后者重在执行任务，保卫国家的安全。

　　当时适龄男子除了要当"正卒""戍卒"各一年外，每年还需在本郡县服役一个月，主要承担修筑城垣、道路及军事运输等军事性劳役，每年轮一次，到期更换，故称为"更卒"，可见其相当于预备役。此外，如遇紧急军事需要，还得随时准备应征入伍。应该指出的是，更卒、正卒与戍卒的制度，在秦朝并未获得一贯的坚持，为了弥补大肆动用劳力而造成的兵源不足，秦末曾巧立名目，广泛施行谪戍、谪发与赦法，强迫各种所谓有罪或犯禁的人戍边、充军。如秦始皇三十三年，"发诸尝逋亡人、赘婿、贾人略取陆梁地，为桂林、象郡、南海，以适遣戍"；秦二世二年（前209）冬赦骊山刑徒，"授兵以击"起义军。[①]

　　西汉沿袭秦代的做法，也以实行郡县普遍征兵制为主，服役年龄初为17～60岁，后又调整为20～60岁、23～56岁。但这也都是书面上的规定，实际执行中甚至有小至12岁，老至70岁以上被征兵的例子。征兵的种类和服役的期限基本上和秦代相同，征兵方法是中央下达各郡应征兵员的名额，由都尉、县尉从"傅籍"人员中征发。征调的兵种因地而异，"大抵金城、天水、陇西、安定、北

———————

① 《史记》卷六《秦始皇本纪》。

地、河东、上党、上郡多骑士，三河、颍川、沛郡、淮阳、汝南、巴蜀多材官……江淮以南多楼船士”①。征兵时“近地调发，无远征之劳”②。

自西汉武帝起，由于长期对外作战，普遍征兵制已不尽适应形势的需要，故又辅之以募兵制，如武帝元封二年（前109），“募天下死罪击朝鲜”③；昭帝始元元年（前86），“遣水衡都尉发蜀郡、犍为奔命万余人击牂柯，大破之”④；元帝永光二年（前42），汉廷为击西羌而“发募士万人”⑤，都是临时募兵。当时的募兵有各种各样的名称，例如“勇敢”“奔命”“伉健”“应募”等等。⑥

刘秀建立东汉王朝后，正式取消了郡国正卒之役，罢遣郡国兵，取消戍卒番上更役。这样就基本上废止了秦至西汉所实行的普遍征兵制，而代之以募兵制。这在中国古代兵学发展历史上是兵农合一向兵农分离的重大转变。募兵制是以雇佣形式招募兵员的一种兵役制度，“应募”从军者，官方给予一定的经济、政治待遇，使其承担当兵作战的任务。它一般“有警而后募兵”，即遇有战事临时招募人员组成军队，其对象主要有农民、商贾、刑徒、少数民族，每次募兵的人数，少则数百，多到上万，根据具体情况而定。据不完全统计，从光武帝到汉献帝，有明确系年的招募兵员记录至少为35次。募兵制的实行，对于减轻编户的兵役负担有一定积极意义，也有助于军队的职业化、专门化。但是，由于在实践中多是临战招募，临时组编，其成员良莠不齐，鱼龙混杂，因此也有战斗力遭到削弱的负面因素，“每战常负，王旅不振”⑦。另外，在募兵制下，国家要给“应募士”以数目不等的“偿赐”或“赐钱”，这同样也大大增

① 钱文子：《补汉兵志·材官骑士》，中华书局，1985年。
② 《补汉兵志·序》。
③ 《汉书》卷六《武帝纪》。
④ 《汉书》卷九十五《西南夷两粤朝鲜传》。
⑤ 《汉书》卷七十九《冯奉世传》。
⑥ 《补汉兵志·材官骑士》。
⑦ 《后汉书》志第二十八《百官五》注引应劭《汉官》。

加了国家的财政负担。

第七节　从刺史领兵到坞壁林立：
汉末统一局面的瓦解

刺史领兵，坞壁林立，这也是秦汉时期兵学文化发展的一个特殊现象，与当时的军队建设和战略战术运用有着一定的联系。

春秋时期，卿大夫通常拥有自己的私人武装，称为"私属"，①它往往是中央政权的离心力量，因此，随着战国各国中央集权不断趋于强化，尤其是秦代建立起高度统一的封建专制主义中央集权体制，"私属"武装便逐渐式微，遭到国家政权的取缔。可是到了东汉中期以后，为了镇压农民起义和打击少数民族的武装反抗，原先担任各州监察官的刺史，渐渐被赋予领兵之权。安帝永初四年（110），青州刺史法雄镇压张伯路等武装举事，成为东汉刺史领兵的开端。②顺帝以后，刺史领兵作战的事例更多。至东汉后期，刺史基本上变为"内亲民事，外领兵马"的地方最高军政长官。除州一级之外，地方内部的太守自东汉中期起也开始领兵作战，掌握了郡一级的军事行政大权。如建康元年（144）九江太守领兵击范容；中平四年（187）长沙太守孙坚率师击观鹄等。他们所拥有的武装力量事实上相当于秦、西汉时期的郡县地方兵，这恰好弥补了刘秀"罢省郡国兵"后在地方上所形成的兵力空缺。

地方刺史（州牧）、太守不但拥有领兵权、发兵权，同时还拥有

---

① 公元前592年，晋国郤克向景公"请以其私属"伐齐。（参见《春秋左传正义》卷二十四《宣公十七年》）公元前487年，鲁大夫微虎准备夜袭吴军，"私属徒七百人三踊于幕庭"。（参见《春秋左传正义》卷五十八《哀公八年》）二者均体现当时卿大夫拥有"私属"武装。

② 《后汉书·孝安帝纪》载："海贼张伯路复与勃海、平原剧贼刘文河、周文光等攻厌次，杀县令，遣御史中丞王宗督青州刺史法雄讨破之。"

了募兵权。当时地方军政官临时招募兵士的情况已相当普遍。这些募领之兵，到东汉后期，往往成为部曲私兵，而且可以父子相袭并任意转让，这样，就渐渐形成了地方军阀拥兵割据的局面，并在兵役制度上开了世兵制的先河。如初平元年（190），袁绍在渤海起兵，他的弟弟袁术和冀州牧韩馥、豫州刺史孔伷、兖州刺史刘岱、陈留太守张邈、广陵太守张超、河北太守王匡、山阳太守袁遗、东郡太守桥瑁、济北相鲍信等俱起，各领私兵数万。[1] 刺史州牧、太守将招募来的人员按军事编制组织起来，使之成为自己的私人武装部队——部曲、家兵，这在某种程度上意味着他们已经转变为割据一方的地方军阀。这些地方军阀裂地称雄，豪强地主和小军阀出于防卫需要也纷纷修筑坞壁，"拥兵自保"，一时间坞壁林立，彼此攻伐，成为东汉末年乱世的奇观。

所谓坞壁，原本是边境上的防御工事。"壁"指军队野战宿营地的外墙，而"坞"则是用于守卫的小城。《居延汉简》六·八（甲四四）记载："五凤二年八月辛巳朔，乙酉，甲渠万岁隧长成敢言之，乃七月戊寅夜临坞，坠伤要，有瘳。即日视事，敢言之。"[2] 西汉时期边境驻军曾有燧长夜间查"坞"视事的情况。东汉时期边郡坞壁增多，例如顺帝永和五年（140），"于扶风、汉阳、陇道作坞壁三百所，置屯兵，以保聚百姓"[3]。将多座坞壁组合配置，便构成了地区性的防御体系。

内蒙古和林格尔东汉壁画中绘有坞壁图。图上的坞壁呈四方形，四边环以高墙，一隅带有角楼。这应该是北方坞壁的形式。另外，在今甘肃武威雷台汉墓中，也发现了一种楼院式的坞壁模型。这一坞壁的四周也筑有高墙，正门上有门楼，四隅有角楼。除正门外，其他三面还设重墙，重墙各开一门。院中还建有五层高楼，楼的正

① 《后汉书》卷七十四上《袁绍刘表列传》。

② 中国社会科学院考古研究所编：《居延汉简甲乙编》下册，中华书局，1980年，第4页。

③ 《后汉书》卷八十七《西羌传》。

面开门窗；门楼与角楼和各个角楼之间有带栏杆的天桥相通。①

当时坞壁的大小不一。东汉末年，凉州军阀董卓曾经"筑坞于郿，高厚七丈，号曰'万岁坞'。积谷为三十年储"②。此眉坞当属该时期的大型坞壁了。

为了适应军事防御的需要，坞壁内部的结构相当复杂。《居延汉简》有"外坞户下□""内坞户毋一□"③的记载，知当时坞壁有外坞和内坞之分，既有候望、侦察敌情的基本功能，同时也是存粮积谷、设兵屯守的重要据点。坞壁在内地的大量出现以及它在军事斗争中发挥越来越大的作用，可以视作当时兵学文化发展中防御方法改进提高的一个具体例子。

---

① 甘肃省博物馆：《武威雷台汉墓》，《考古学报》1974 年第 2 期。
② 《后汉书》卷七十二《董卓列传》。
③ 劳榦：《居延汉简考释》释文卷二《烽燧类》，商务印书馆，1949 年，第 195 页。

第四章　秦汉兵学建树的显著成就与时代特征

　　兵学是关于指导战争准备和战争实施的理论与方法。秦汉时期开创了我国历史上空前大统一的新纪元。在这一时期，自始至终存在着阶级矛盾、民族矛盾以及统一与分裂的斗争，并多次引发大规模农民战争、民族战争和统一战争。这一客观现实，刺激推动着当时兵学的形成和发展。具体而言，秦汉时期的兵学是当时经济、政治、军事、文化不断发展，历史实现空前大统一的时代产物，是当时多次大规模统一战争、大规模民族战争和大规模农民起义战争的实践经验的集中反映，是先秦兵学在新的历史条件下的总结、继承和发展，是秦汉整个文化体系中的重要组成部分。它是为秦汉"大一统"时代的军事斗争和政治斗争服务的，从理论上回答了当时历史条件下如何维护统一、建设军队、巩固国防、克敌制胜等重大基本问题，因而是中国历代兵学的有机构成，并对后世产生过深远的影响。

第一节　兵学在目录学中的地位与兵书的系统整理

　　众所周知，《汉书·艺文志》在中国古代学术发展史上具有提纲挈领、举足轻重的地位，它承载了先秦至秦汉学术形态演变的基本脉络，是后世梳理、认知、评判先秦及两汉学术的最重要凭借。因此，还原《汉书·艺文志》形成的历史场景，再现《汉书·艺文志》编排的内在逻辑，梳理《汉书·艺文志》论列学术的基本考量，对把握先秦至秦汉的学术文化整体面貌与基本特征具有关键的意义，而后世对于先秦至秦汉学术文化上若干重大问题的争论，也往往是以《汉书·艺文志》为探讨的逻辑起点与核心。套用明代兵学家茅元仪评论《孙子兵法》的话来说，就是"前《汉志》者，《汉志》不遗；后《汉志》者，不能遗《汉志》"。

《汉书·艺文志》（简称《汉志》）是《汉书》"十志"之一。它首先是记载"六艺"百家文献的图书总目录，其内容分为"六艺""诸子""诗赋""兵书""术数""方技"六略，共收书三十八种、五百九十六家、一万三千二百六十九卷。但同时又是体现先秦至两汉的学术文化发展总成就、总趋势与总特征的理论总结，因为在叙录书目的同时，《汉志》在每种图书之后均有"小序"，在每一"略"之后均撰有"总序"，对先秦至两汉的学术文化的源流、嬗变、特色、价值、影响，都有系统的梳理与全面的总结。

我们认为，图书的目录分类，不能单纯地视为目录学问题，而是学术思想文化发展状态与特征的综合性、集中性体现，即准确折射了其所处时代的"学科建设"面貌与特色。《汉志》在这一点上有尤其明显的反映。经史子集图书四部分类法，是历经荀勖《中经新簿》、阮孝绪《七录》，至《隋书·经籍志》（简称《隋志》）最终确立的。① 虽说这一分类法在目录学史上有重要的地位与价值，但是明显偏重纯学理的图书分类，与《汉志》的目录体系和学术旨趣有显著的差异。稍加分析，我们能发现，在《汉志》中，实用之学与理论之学是结合在一起的，"七略"实际上是"六略"。它传承西汉刘向《别录》及刘向之子刘歆《七略》而来，在刘氏父子的学

---

① 晋代荀勖撰《中经新簿》，将文献分为四部：甲部含六艺、小学等；乙部含诸子、兵书、术数等；丙部含史记、皇览簿、杂事等；丁部含诗赋、图赞、汲冢书等。这似乎是《隋志》"四部分类法"的雏形。南朝梁代阮孝绪撰《七录》，其中包括了"经典录"（六艺）、"记传录"（史传）、"子兵录"（诸子、兵书）、"文集录"（诗赋）、"术技录"（术数）、"佛法录""仙道录"。这是兵书独立分类被取消，合并入诸子类的发轫。

术总结基础上集萃撮要，遂成文献总目和学术渊薮。

第一略"辑略"，即导言、通论，紧接而来的"六艺略"，就是理论指导，《诗》《书》《礼》《乐》《春秋》《易》，即国家的统治思想与文化；"诸子略"，就是中国的学术思想流派；"诗赋略"，就是文学艺术作品；"兵书略"，就是用于指导战争实践的理论及其相应的操作方法；"术数略"，近似于现代的理科；"方技略"，颇类似于今天学科体系中的工科。这些都是属于自然科学范畴的东西，但经史子集分类法里淡化了这些操作性、实践性的东西。这样的图书目录分类，从学科体系构筑上考察，显然更全面、更系统。所以，我们今天认知国学，不应该仅仅局囿于经史子集，而理当超越它，回归到《汉书·艺文志》的学科传统中。西周时期的"六艺"，是培养"全人"人格的，德、智、体、美全方位发展，有精神思想的指导："礼""乐"。有自然科学知识、文化技能的掌握："书""数"。也有军事技能、操作实践能力的培养："射""御"。但孔子之后的"六艺"却变成了纯粹的经典文献学知识。换言之，我们今天弘扬国学，要真正超越经史子集的传统，回归理论与实践相结合的中国传统学术的原生态。实际上，经史子集是次生态，原生形态应该是"六艺"之学，就是从西周的"六艺"之学，一直延续到班固《汉书·艺文志》的"六略"之学。

在《汉书·艺文志》中，兵家并没有被列入"诸子"的范围，兵学著作没有被当作理论意识形态的著述来看待。①"诸子略"的"九流十家"中，兵家未能占据一席之地，完全被排斥在外。当然，兵书也有它自己的学科归属，即"兵书略"，但是它的性质实际上与"术数""方技"相近。清代章学诚认为这就是古书性质上"体"与

---

① 按：清代章学诚曾有这样的推测，当时的兵学文献，如同方技文献、数术文献，有可能是由有司单独收藏，由职能部门委派专人负责管理的："刘向校书之时，自领六艺、诸子、诗赋三略，盖出中秘之所藏也。至于兵法、数术、方技，皆分领于专官，则兵、术、技之三略不尽出于中秘之藏，其书各存专官典守，是以刘氏无从而部录之也。"（参见章学诚著，王重民通解：《校雠通义通解》卷二《补校汉艺文志》，上海古籍出版社，2009 年）

"用"的不同在图书分类上的反映："夫兵书略中孙吴诸书，与方技略中内外诸经，即诸子略中一家之言，所谓形而上之道也；兵书略中形势、阴阳、技巧三条，与方技略中经方、房中、神仙三条，皆著法术名数，所谓形而下之器也。任、李二家，部次先后，体用分明，能使不知其学者，观其部录，亦可了然而窥其统要，此专官守书之明效也。"① 近人杜定友亦认为："古之学术有道器之分，形而上者谓之道，形而下者谓之器。诸子之学，所谓道者也，为无形之学。术数、方技，所谓器者也。虚理实事，义不同科。"② 显而易见，从某种程度上讲，《汉志》"六略"，前三"略"——"六艺""诸子""诗赋"，属于同一性质，可归入"道"的层面；而后三"略"——"兵书""术数""方技"，又是一个性质近似的大类，属于"术"的层面。"道"的层面，为"形而上"；"术"的层面，为"形而下"。"形而下"者，用今天的话来说，是讲求功能性的，是工具型的理性，它不尚抽象，不为玄虚，讲求实用，讲求效益。由此可见，兵书切于人事，其性质属实用之学，与术数、方技相类，这一点，在汉代学术区划与图书分类中，自然要有鲜明的体现："《七略》以兵书、方技、数术为三部，列于诸子之外者，诸子立言以明道，兵书、方技、数术皆守法以传艺，虚理实事，义不同科故也"③ "《七略》以兵书、方技、术数为三部，列于诸子之外，至后世而皆列入子类，较为简括。然《七略》所以分者，重颛门之学也。《艺文志》云：'步兵校尉任宏校兵书，太史令尹咸校术数，侍医李柱国校方技。'盖兵书、方技、术数非颛门名家不能通其法，故校书之人可与诸子同列，此部次所以独精"④。

至于"六略"之学之所以向"四部"之学嬗递，其原因何在？

---

① 《校雠通义通解》卷二《补校汉艺文志》。
② 杜定友：《校雠新义》卷五《子部·子部源流论五之一》，台湾中华书局，1970 年，第 44 页。
③ 《校雠通义通解》卷一《校雠条理》。
④ 金锡龄：《七略与四部分合论》，张舜徽选编：《文献学论著辑要》，陕西人民出版社，1985 年，第 81 页。

我们不妨做一个大胆的猜测，即，除了魏晋门阀制度背景下，史部著述数量由于谱牒学、方志学等发达而剧增等文献积累内容变化的具体原因外，也与中国文化性格特征、价值取向的转型有内在的关系。这种转型，从本质上来概括，就是由"尚武"转向"崇文"，由阳刚转向阴柔，由进取转为守成。在先秦乃至两汉社会中，人们普遍推崇"尚武"精神，"执干戈以卫社稷"才是正儿八经的事业，只有孔武有力的武士，才是人群中的精英、社稷的靠山、国家的栋梁，所谓"赳赳武夫，公侯干城"①，讲的就是这种时代风尚。正如顾颉刚先生所说，"吾国古代之士，皆武士也"②。顾先生所言，是可以信从的。齐景公年间"二桃杀三士"故事中的"士"，显然是武士而非文士。而《孙子兵法·谋攻篇》云："杀士三分之一而城不拔者，此攻之灾也。"这里说"杀士"而非"杀卒"，很显然，即使是在春秋后期，"士"亦专指"武士"。他们是"国士"，地位崇高，万人钦仰："国士在，且厚，不可当也。"③ 因此，《左传·昭公元年》载郑国贵族徐吾犯之妹择婿时，弃衣冠楚楚"盛饰"、扭捏作态的公孙黑（子皙）而取"戎服入，左右射，超乘而出"的公孙楚（子南），其理由就是公孙楚粗犷强悍，有一身的蛮劲，"子皙信美矣。抑子南，夫也。夫夫、妇妇，所谓顺也"。

这种价值取向，至两汉而未改，故张骞敢于横绝大漠，致力于"凿空"；班超勇于进取开拓，"投笔从戎"；陈汤能斩钉截铁发出铿锵有力的时代强音："明犯强汉者，虽远必诛！"这种"尚武"的文化精神，折射到当时的图书目录分类，就是"兵书略"独立成为一"略"，是一级学科，学科门类与"诸子略"并列。兵家高于儒、道、法、墨等其他诸子。姚名达有谓："(《七略》)其稍可称者，惟视实用之'方技'、'术数'、'兵书'与空论之'六艺'、'诸子'、

---

① 《毛诗正义》卷一《兔罝》。

② 顾颉刚：《武士与文士之蜕化》，《浪口村随笔》，辽宁教育出版社，1998年，第52页。

③ 《春秋左传正义》卷二十八《成公十六年》。

'诗赋'并重，略具公平之态度。"① 可谓谠论。但是，在后来"崇文"的文化氛围越来越浓厚的历史背景下，兵家的地位日趋低落，兵书的总量相对萎缩，"兵书略"作为一大独立门类被取消，归入"子部"之中，且日益边缘化，由"蔚为大国"退化为"蕞尔小国"了。在图书数量尚不多的汉代，《汉书·艺文志·兵书略》著录的"兵权谋""兵形势""兵阴阳""兵技巧"四类兵书相加，尚且有53 种。而到了清代编纂《四库全书》之时，图书数量与品类铰之于汉代，其增长不啻有千倍、万倍之多，谓之为汗牛充栋、浩如烟海，也不为过。可收入《四库全书》的兵书，则少到只有可怜的 20种。② 这就是目录分类变化背后，学术文化变迁的一个显著事例。

秦代推行法家政治。法家学说的基本特色是"不别亲疏，不殊贵贱，一断于法"③，"信赏必罚，以辅礼制"④，主张强化君主专制，以严刑峻法治民，厉行赏罚，奖励耕战，巩固封建土地私有制，建立统一的集权国家，以农致富，以战求强，以法为教，以吏为师等等，轻视和否定教化，独任刑法，刻薄寡恩。"及刻者为之，则无教化，去仁爱，专任刑法而欲以致治，至于残害至亲，伤恩薄厚。"⑤ 可见法家的核心宗旨是崇尚暴力，仇视文化，与民为敌，因此，秦朝统治之下，"燔《诗》《书》，坑术士"已成为政治正确。在这样的时代主题下，兵学的理论建树当然乏善可陈，只有吉光片羽残存于秦朝建立前夕成书的《吕氏春秋》一书之中。

进入汉代之后，情况发生了重大的变化。与秦王朝仇视和灭绝文化的立场与态度不同，西汉王朝的统治者相对重视文化的积累与

---

① 姚名达撰，严佐之导读：《中国目录学史》，上海古籍出版社，2002 年，第 57 页。

② 《四库全书》中所收录的兵书类典籍有：《握奇经》《六韬》《孙子》《吴子》《司马法》《尉缭子》《黄石公三略》《三略直解》《素书》《李卫公问对》《太白阴经》《武经总要》《虎钤经》《何博士备论》《守城录》《武编》《阵纪》《江南经略》《纪效新书》《练兵实纪》等 20 种。

③ 《史记》卷一百三十《太史公自序》。

④ 《汉书》卷三十《艺文志》。

⑤ 《汉书》卷三十《艺文志》。

发展，尤其注重对实用性较强的学术文化的提倡。兵学是实用之学，直接关系到政权的稳定与否，因此为统治者所关注，搜访和校理兵书就是这方面的重要举措之一。

据史籍记载，汉代对兵书的搜集整理工作主要有三次。第一次是汉高祖在位时"韩信申兵法"："张良、韩信序次兵法，凡百八十二家，删取要用，定著三十五家。"① 而整理兵书，韩信与张良也是当时最为合适的人选，他们的兵学造诣是时人公认的，也为汉高祖刘邦所充分肯定："夫运筹策帷帐之中，决胜于千里之外，吾不如子房。镇国家，抚百姓，给馈饷，不绝粮道，吾不如萧何。连百万之军，战必胜，攻必取，吾不如韩信。此三者，皆人杰也，吾能用之，此吾所以取天下也。项羽有一范增而不能用，此其所以为我擒也。"② 韩信和张良两人，一个长于实战，另一个擅长谋略，于不同的兵学文献各有所长，"张良所学，《太公六韬》《三略》是也；韩信所学，穰苴、孙武是也"③。两人合作起来，自然是优势互补，相辅相成，能够做到珠联璧合，别开生面。

其实，在此之前，汉初相关的制度建设过程中，所谓"申军法"也是其中相当重要的一项内容，与兵书的搜集整理亦有密切的关系："于是汉兴，萧何次律令，韩信申军法，张苍为章程，叔孙通定礼仪，则文学彬彬稍进，《诗》《书》往往间出矣。自曹参荐盖公言黄老，而贾生、晁错明申、商，公孙弘以儒显，百年之间，天下遗文古事靡不毕集太史公。"④ 有关这次整理兵书的具体情况，史无明载，在今天已无法了解其详。但是，大致可以推测的是，限于汉初干戈未息、经济凋敝，"自天子不能具钧驷，而将相或乘牛车"⑤ 的客观政治经济条件，以及"挟书律"未除的肃杀文化氛围，这次整

---

① 《汉书》卷三十《艺文志》。

② 《史记》卷八《高祖本纪》。

③ 《唐太宗李卫公问对》卷上，《中国兵书集成》编委会：《中国兵书集成》第二册，解放军出版社、辽沈书社，1988 年。

④ 《史记》卷一百三十《太史公自序》。

⑤ 《史记》卷三十《平准书》。

理大约主要重在搜集和遴选。①

汉代第二次兵书整理，是在汉武帝统治时期。当时反击匈奴的战争正在如火如荼地进行，为了夺取战争的胜利，统治者对兵学的关注自然又提到了议事日程中。因此，汉武帝除了在中央设立太学，置五经博士，积极提倡儒学之外，还诏令全国，广泛征集包括兵书在内的各类图书典籍："改秦之败，大收篇籍，广开献书之路。迄孝武世，书缺简脱，礼坏乐崩，圣上喟然而称曰：'朕甚闵焉！'于是建藏书之策，置写书之官，下及诸子传说，皆充秘府。"②"先上太史，副上丞相，开献书之路，置写书之官，外有太常、太史、博士之藏，内有延阁、广内、秘室之府。"③ 故当代学者张舜徽尝言："汉求遗书，自武帝始。搜访既周，网罗自易。自六艺经传外，诸子百家，故书雅记，悉辐凑于京师。盖其初尚未专尊儒术，表章六经，故兼收并蓄，于斯为盛也。"④ 在这样的历史背景之下，为数众多的古代兵书，从各地源源不断地被送入皇家的藏书场所，于是就有了军政杨仆整理兵书之举："军政杨仆捃摭遗逸，纪奏兵录，犹未能备。"颜师古注曰："捃摭，谓拾取之。"⑤ 可见杨仆的工作主要也是搜集兵书，性质上与第一次韩信、张良等人的做法相类似。但遗憾的是，由于种种原因，这次整理同样尚存较大的缺陷，"犹未能备"。不过，杨仆的兵学文献整理还是应该加以肯定的，因为他毕竟编纂出一部《兵录》。有学者将它看作中国第一部兵学文献目录，其当然是有一定的文化价值的，西汉后期步兵校尉任宏整理兵书时，很有

---

① 按："申军法"属于制度规章的建设，主持者为韩信；"序次兵法"为兵书整理，主持者为张良、韩信。我们认为两者的主持者其实皆为韩信一人。但由于韩信身为军人，学术文化方面的造诣或许未能尽如人意，故由张良予以配合，厘定和润饰兵书的文字。但由于韩信身背"谋逆"之罪名，于是，"序次兵法"的第一主持人也就成了张良，而不幸的韩信只能屈就降格，成为第二主持人了。

② 《汉书》卷三十《艺文志》。

③ 魏徵、令狐德棻：《隋书》卷三十二《经籍志》，中华书局，1973年。

④ 张舜徽：《汉书艺文志通释》，湖北教育出版社，1990年，第6页。

⑤ 《汉书》卷三十《艺文志》。

可能曾参考过这部《兵录》。①

汉代第三次大规模的兵书整理，是在汉成帝时。当时朝廷命谒者陈农"求遗书于天下"，"成帝时，以书颇散亡，使谒者陈农求遗书于天下"，并在河平三年（前26）由"任宏论次兵书"，"诏光禄大夫刘向校经传诸子诗赋，步兵校尉任宏校兵书，太史令尹咸校数术，侍医李柱国校方技。每一书已，向辄条其篇目，撮其指意，录而奏之"。② 可见是由步兵校尉任宏担任具体的整理兵书任务，并由刘向总其成，为整理校订后的兵书增作叙录，就每部兵书的作者、篇幅、内容、理论特色、学术价值及校雠情况作全面、系统的介绍，附于其书之中，上奏皇帝，而后汇总成为一部《别录》。但是，刘向尚未完成这项工作便去世了，汉哀帝又命令刘向之子刘歆接替其父的事业。刘歆乃"徙温室中书于天禄阁上"，埋头进行了多年的整理，"遂总括群篇，撮其指要"，将《别录》所叙录的内容加以梳理与简化，把所著录的图书区分为六个大类，再加上总括性的提要性质的《辑略》，是为《七略》。③ 而东汉史学家班固的《汉书·艺文志》，则是直接渊源于刘向的《别录》、刘歆的《七略》。

这次整理的学术价值与文化贡献显然要远远大于前两次，因为它不仅划分了兵家的各类流派，而且还认真厘定了文字，规范了版本，裁夺了歧义，并深刻揭示了各部兵书的学术价值：刘向、任宏将搜集到的各部兵书，校勘其文字，确定其书名，统一其篇名，排定其篇章次序，撰就其提要，缮写而后成为定本，然后，统一交由国家集中收藏。这次全面系统的整理，使得先秦至西汉中期的兵书基本上能以较完善的面貌存于世，为封建王朝的军事斗争提供切实有效的服务。在这之后，又有《三略》《黄石公素书》《握奇经》等兵书面世，进一步充实了秦汉时期的兵学宝库，而较小规模的具体兵学典籍整理与应用，亦始终没有就此终止。如到新莽时期，王莽

---

① 参见赵国华：《中国兵学史》，福建人民出版社，2004年，第247页。
② 《汉书》卷三十《艺文志》。
③ 《隋书》卷三十二《经籍志》。

依然"征诸明兵法六十三家术者，各持图书，受器械，备军吏"①。

第二节　兵书的分类与学术价值总结

秦汉兵学发展的又一个显著标志，是对兵书的分类以及在此基础上对各类型兵书学术特色的揭示与总结。

在第三次兵书整理过程中，步兵校尉任宏对搜集到的兵书进行了系统的分类工作，"任宏论次兵书为四种"，即根据西汉中叶以前兵书的基本内容和主要特征，把兵家划分为兵权谋家、兵形势家、兵阴阳家、兵技巧家等四大类。

其中，兵权谋家共 13 家，著作 259 篇，现存《吴孙子》②《齐孙子》③ 和《吴子》《公孙鞅》《范蠡》《大夫种》《李子》《娷》《兵春秋》《庞煖》《兒良》《广武君》《韩信》等多部典籍，这是兵学流派中最主要的一派，在秦汉整个兵学文化体系中，"兵权谋"属于最重要的内容。

兵形势家共 11 家，著作 92 篇，图 18 卷，主要有《楚兵法》《蚩尤》《孙轸》《王孙》《尉缭》《魏公子》《景子》《李良》《丁子》《项王》等，现仅存《尉缭子》④。

兵阴阳家共 16 家，著作 249 篇，图 10 卷，主要有《太壹兵法》《天一兵法》《神农兵法》《黄帝》《封胡》《风后》《力牧》《鬼容

---

① 《汉书》卷九十九下《王莽传》。
② 即《孙子兵法》。
③ 即《孙膑兵法》。
④ 关于《尉缭子》一书的图书分类性质，古今学术界聚讼纷纭，莫衷一是。有学者认为它为《汉志》所著录的"兵形势家"之《尉缭》，或认为它为《汉志》所著录的"诸子略"中的"杂家"《尉缭》，也有学者认为现存《尉缭子》为"兵形势家"与"杂家"两部《尉缭》的杂糅。笔者倾向于现存《尉缭子》的主体内容为"兵形势家"之《尉缭》，但不排斥或有少部分"杂家"《尉缭》的内容掺杂其中。

区》《地典》《师旷》《孟子》《东父》《苌弘》《别成子望军气》《辟兵威胜方》等。其中有许多是托名黄帝君臣的作品（如：《汉书·艺文志·兵书略》班固自注："《封胡》五篇。黄帝臣，依托也。《风后》十三篇。图二卷。黄帝臣，依托也。《力牧》十五篇。黄帝臣，依托之。"），现都已散失，只有后世诸如《太平御览》《册府元龟》等类书、政书保留有极零星的内容。1983 年湖北江陵张家山第 247 号汉墓中出土的《盖庐》一书，乃是现存最早的"兵阴阳家"著作，但其书不见于《汉书·艺文志·兵书略》的著录。《汉志》"兵书略序"载诸吕作乱时曾经盗取国库大量兵书，估计此书就在其内，由于诸吕事败伏诛而失传。

兵技巧家共 13 家，著作 199 篇，主要有《鲍子兵法》《（五）[伍] 子胥》《公胜子》《苗子》《逢门射法》《阴通成射法》《李将军射法》《魏氏射法》《强弩将军王围射法》《望远连弩射法具》《剑道》《护军射师王贺射书》《手搏》《杂家兵法》《蹴鞠》等，亦已基本散失。比较能反映"兵技巧家"的基本情况的，只有后人辑佚的《伍子胥水战法》以及《墨子》城守诸篇。

在划分兵书种类的基础上，刘向、任宏还就每类兵书的军事学术特点加以分析和总结。他们指出"兵权谋家"的基本特点是"权谋者，以正守国，以奇用兵，先计而后战，兼形势，包阴阳，用技巧者也"①。宋代学者郑友贤在《十家注孙子遗说并序》中对《孙子兵法》的特征曾有过精当的总结与揭示，指出："武之为法也，包四种，笼百家，以奇正相生为变。是以谋者见之谓之谋，巧者见之谓之巧，三军由之而莫能知之。"② 我们认为，这不仅是对《孙子兵

---

① 《汉书》卷三十《艺文志》。

② 郑友贤：《十家注孙子遗说并序》，孙武撰，曹操等注，杨丙安校理：《十一家注孙子校理·附录》，中华书局，1999 年。

法》的阐释，也可以视为对整个"兵权谋家"特色的概括与写照。①
由此可见，这一流派主要是讲求战略的，是一个兼容各派之长的综
合性学派。而且，相较于兵家其他三大流派，"兵权谋家"无疑是处
于总辖与统领的中心地位，对此，清代著名学者章学诚的分析与总
结乃是十分到位的："郑樵言任宏部次有法，今可考而知也：权谋，
人也；形势，地也；阴阳，天也。孟子曰：'天时不如地利，地利不
如人和。'此三书之次第也。权谋，道也；技巧，艺也。以道为本，
以艺为末，此始末之部秩也。"②

"兵形势家"的基本特点为："雷动风举，后发而先至，离合背
乡，变化无常，以轻疾制敌者也。"③ 这里，"雷动风举"乃是言兵
锋之威，"后发而先至"是言军行之快，"离合背乡"乃言其机动能
力强，"变化无常"是指其战术变化巧妙无穷，而所谓"以轻疾制
敌"，乃类似于今天所谓的速战速决。这充分反映了战国中期至秦汉
时期军队运动性提高、战场机动能力增强的时代特征。《荀子·议兵
篇》说，当时"后之发，先之至"，已成为"用兵之要术"。由此可
见，"兵形势家"主要探讨军事行动的运动性和战术运用的灵活性与
变化性。根据这个定义，再结合实战历史，我们认为，挂名楚霸王
项羽的《项王》一书，可能最合乎"兵形势家"的特征。有不少学
者认为这一学派主要是讲求战术，注重作战指挥艺术的。

　　而"兵阴阳家"的主要特点则是："顺时而发，推刑德，随斗
击，因五胜，假鬼神而为助者也。"④ 这表明它是以当时诸子学派中

---

① 　清人孙星衍校《孙子兵法序》云："兵家言惟孙子十三篇最古。古人学有
　　所受，孙子之学或即出于黄帝，故其书道三才、五行，本之仁义，佐以权
　　谋，其说甚正。古之名将，用之则胜，违之则败，称为'兵经'，比于六
　　艺，良不愧也。"孙氏之论，亦足资参考。（参见《孙子兵法序》，《十一家
　　注孙子校理·附录》）
② 　《校雠通义通解》卷三《汉志兵书》。
③ 　《汉书》卷三十《艺文志》。
④ 　《汉书》卷三十《艺文志》。

风靡一时的"阴阳家"之思想学术为自己的理论基础的，① 有学者指出："兵阴阳类和阴阳家既有密切的关系，也有一定的区别。阴阳家以理论阐发为主，兵阴阳类则以实际应用为先。"② 这个分析不无道理。很显然，这一学派十分注重所谓的"时"，注意天时、地理条件与战争关系，可能与范蠡、伍子胥以及黄老学派有较深的渊源关系。近年新出土的张家山汉简《盖庐》一书，以及《六韬》中的《五音》《兵征》诸篇，《孙子兵法》中"画地而守之""黄帝之所以胜四帝也"等文字，以及山东临沂银雀山汉墓竹简本《孙子·计篇》中的"顺逆、兵胜"③ 之类的提法，都可以说是"兵阴阳家"特色之具体写照。

至于"兵技巧家"的主要特点乃为："技巧者，习手足，便器械，积机关，以立攻守之胜者也。"④ 这就是说，这一派注重的是军事训练、军械装备和作战技术，它包括设计、制造攻守器械和学习使用器械的技术方法、要领、军事训练等等，即《孙子兵法·计篇》中说的"兵众孰强""士卒孰练"。训练有素和装备精良，是战争中克敌制胜的基础与重要保证，所谓"用兵之法，教戒为先"⑤ "凡兵有大论，必先论其器"⑥。"兵技巧家"从此入手，是从基础抓起，以一驭万、纲举目张。从现存的文献看，墨家是最典型的兵技巧家。这表现为《墨子》一书对守城防御作战的器械装备和具体战术做了

---

① 《汉书·艺文志·诸子略》论"阴阳家"："阴阳家者流，盖出于羲和之官，敬顺昊天，历象日月星辰，敬授民时，此其所长也。及拘者为之，则牵于禁忌，泥于小数，舍人事而任鬼神。"

② 赵国华：《中国兵学史》，第 252 页。

③ 所谓"顺逆"乃是以阴阳向背为禁忌，所谓"兵胜"则是以五行相胜为禁忌。（参见李零：《兵以诈立——我读〈孙子〉》，中华书局，2006 年，第 62 页）

④ 《汉书》卷三十《艺文志》。

⑤ 《吴子》卷上《治兵》。

⑥ 《管子校注》卷十《参患》。又《司马法·严位》云："凡马车坚，甲兵利，轻乃重。"（参见《司马法》卷下《严位》，《中国兵书集成》编委会：《中国兵书集成》第一册，解放军出版社、辽沈书社，1987 年）

充分的论述。它根据"今之世常所以攻者，临、钩、冲、梯、堙、水、穴、突、空洞、蚁傅、轒辒、轩车"等当时通行的十二种攻城战法，提出了诸如"备高临""备梯""备水""备突""备蛾傅"等一系列有效的守城战术。墨家学派的城守思想，对我国古代防御理论具有奠基意义，影响非常深远。后世对有关防御原则和战术的论述，多借鉴和祖述《墨子》，以至于把一切牢固的防御笼统地称之为"墨守"。近人尹桐阳称赞《墨子》"实古兵家之巨擘"，著名学者岑仲勉则将它与《孙子兵法》相提并论，他说："《墨子》这几篇书，我以为在军事学中，应该与《孙子兵法》，同当作重要资料，两者不可偏废的。"① 这些评价是有一定道理的。

显而易见，兵家四大流派构成了中国古代兵学的完整学术体系。这里的"兵权谋"，其重心是战略指导；"兵形势"，侧重于阐明战术运用；"兵阴阳"，可视为军事活动的重要辅助；而"兵技巧"则可看作军事训练的基本保证。

需要加以说明的是，刘歆《七略》中著录的兵书，较之于班固《汉书·艺文志》所著录的兵书，数量上要多许多。刘歆《七略》的"兵书略"中，"权谋"一目下还著录有《伊尹》《太公》《管子》《孙卿子》《鹖冠子》《苏子》《蒯通》《陆贾》《淮南王》等著作。班固考虑到这些书目已在其他类目中做了著录，为避免重复计，《汉志》"兵书略"之"兵权谋"一目中便省略未著录。《七略》的"权谋"一目还著录一种《军礼司马法》，《汉志》则将它移入"六艺略"的"礼"目之中。《七略》的"技巧"一目还著录有《墨子》一家，《汉志》因其已录入"诸子略"的"墨家"之目，故亦省略不著录。另外又增录《蹴鞠》一家。

任宏、刘向对兵家流派的划分与总结，是中国兵学发展史上一个具有里程碑式意义的事件，从此兵家四分法经《汉书·艺文志》

---

① 岑仲勉：《墨子城守各篇简注·自序》，中华书局，1958 年，第 2 页。

记载而为后世兵家奉为圭臬,① 成为后世兵书撰著与兵学理论建构的规范程序与指导方针。

当然,任何一种图书著录与分类方法,都不可能做到尽善尽美,总难免存在可待商榷之处。刘向、任宏有关兵书的校读与整理,刘歆《七略》中兵书归类与编纂,班固《汉书·艺文志·兵书略》的统括,都有可斟酌讨论的空间。因此,南宋郑樵尽管对任宏、班固的兵书整理与分类总结工作多予以充分的肯定:"《七略》,惟兵家一略,任宏所校,分权谋、形势、阴阳、技巧为四种书,又有图四十三卷,与书参焉。观其类例,亦可知兵,况见其书乎!"② 但是对班固的局部调整则颇不以为然,予以严厉地指斥:"《汉志》以《司马法》为礼经,以《太公兵法》为道家,此何义也?"③ 应该说,郑樵的质疑是不无道理的。

第三节　秦汉兵学的多样性与普及化

其一,兵学表现形态的多样化。秦汉时期的兵学之表现形态是各式各样、绚丽多姿的,既有以专门著作形式面世并产生巨大影响,为后人收入《武经七书》的兵书《三略》等;④ 又有以归纳、总结先秦兵学的基本成就为主旨并加以必要发挥的兵学专著《淮南子·兵略训》《吕氏春秋·荡兵》;还有零散见于君臣诏书、奏议以及众

---

① 班固《汉书·艺文志》源于刘歆《七略》,而刘歆承其父业"总括群篇,撮其指要,著为《七略》"(《隋书》卷三十二《经籍志》)。《隋书·经籍志》又源于刘向之《叙录》。又,《唐太宗李卫公问对》卷上有云:"今世所传兵家流,又分权谋、形势、阴阳、技巧四种,皆出《司马法》也。"

② 郑樵:《通志》卷七十一《校雠略·编书不明分类论三篇》,中华书局,1987 年。

③ 《通志》卷七十一《校雠略·编次不明论七篇》。

④ 有人认为《握奇经》也是东汉时期成书的兵书,此观点可备一说。(参见高锐主编:《中国军事史略》上册,军事科学出版社,1992 年,第 304 页)

多文人学士著作中的有关论兵言论；更有通过具体的战争实践活动和军队建设举措所反映的军事理性认识。它们组合在一起，共同勾画了秦汉兵学的总体面貌。

值得注意的是，秦汉兵学的实践功能非常突出，它紧贴当时的社会现实，而较少作抽象的兵学原理演绎，因而具有很强的时代感与针对性，实用性和操作性比较强。如晁错的《言兵事疏》针对汉匈战争而作，它总结了长期以来中原王朝抗击匈奴袭扰的经验教训，分析了当时汉匈双方军力的对比，探索了对匈奴作战的基本规律，提出了"以蛮夷攻蛮夷"①的思想，即争取并联合边疆地区其他少数民族共同抵御匈奴，确保边境的安定和平，为汉朝实现对匈奴战略思想的转变奠定了基础。

又如赵充国《屯田制羌疏》，针对汉宣帝时西羌诸部北徙，遮断西域商路，骚扰西汉边境城邑的具体形势，主张"贵谋而贱战"，提出"罢骑兵屯田，以待其敝"②的主张，为西汉王朝从事军事屯田，巩固国防提供了高明的策略方针。

再如，王符的《潜夫论》，根据东汉时期西羌之乱此起彼伏的边防态势，针对东汉王朝在羌乱问题上的应对失误，专列《劝将》《救边》《边议》《实边》诸篇，有针对性地深刻阐发了有关边疆防御和建设的独到见解。

这一切充分表明，秦汉兵学能"与时迁移，应物变化"③，在边防等专题上有了新的深化和突破，现实感与时代感明显加强，这正是秦汉兵学在先秦兵学已有的辉煌成就基础上的新的发展。

其二，兵学学习的普遍化。当时朝廷对兵学理论的学习和普及是予以充分重视的。汉武帝鼓励名将霍去病学习孙吴兵法，是大家都了解的史实。据《后汉书·礼仪中》记载，当时统治者是将学习经典兵法著作、演习战阵作为培养军事人才、提高部队战斗力的重

---

① 《汉书》卷四十九《爰盎晁错传》。
② 《汉书》卷六十九《赵充国辛庆忌传》。
③ 《史记》卷一百三十《太史公自序》。

要途径的："立秋之日……兵、官皆肄孙、吴兵法六十四阵，名曰乘之。"① 另外，像汉武帝时"置尚武之官，以司马《兵法》选位，秩比博士，讲司马之典，简蒐狩之事"② 等等，也皆表明了朝廷对学习与推广兵学文化的高度重视。

当时的大多数名将都热衷于学习《孙子兵法》等重要兵书，如东汉初年大将冯异"好读书，通《左氏春秋》《孙子兵法》"③。他们对《孙子兵法》等著名兵书中的重要军事原则十分熟悉，背诵如流，经常用来指导自己的军事实践活动。如韩信解释其背水阵破赵之所以大获成功，乃在于正确地运用了《孙子兵法》的"投之亡地而后存，陷之死地然后生"的激励士气原则。又如赵充国强调掌握战略上的主动权，根据实际情况灵活应变，达到攻守相宜、收放自如，显然是对孙子基本原则的遵循与贯彻："臣闻兵法'攻不足者守有余'，又曰：'善战者致人，不致于人。'"而其主张军屯，加强守备，反对轻易出击西羌，依据的也是孙子的"全胜"战略思想："善战者致人，不致于人""臣闻帝王之兵，以全取胜，是以贵谋而贱战。战而百胜，非善之善者也，故先为不可胜以待敌之可胜""臣闻兵以计为本，故多算胜少算"。④

再如，《后汉书》"冯异传"云："异曰：……夫攻者不足，守者有余。今先据城，以逸待劳，非所以争也。"引用的同样是《孙子兵法》的作战指导思想。而《后汉书》"皇甫嵩传"载，嵩曰："不然。百战百胜，不如不战而屈人之兵。是以先为不可胜，以待敌之可胜。不可胜在我，可胜在彼。"⑤ 这显然是皇甫嵩在大段背诵《孙子兵法》中《谋攻》诸篇的相关内容，为自己实施作战指挥寻找充分的理论依据。甚至连那位声名狼藉、人神共愤的残暴屠夫董卓，对《孙子兵法》的相关内容也是熟稔于心，这同样见于《后汉书》

---

① 《后汉书》志第五《礼仪中》。

② 《申鉴注校补·时事》。

③ 《后汉书》卷十七《冯岑贾列传》。

④ 《汉书》卷六十九《赵充国辛庆忌传》。

⑤ 《后汉书》卷七十一《皇甫嵩朱儁列传》。

"皇甫嵩传"的记载："（董）卓曰：'不可。兵法：穷寇勿（迫）〔追〕，归众勿（追）〔迫〕。'"① 由此可见以《孙子兵法》为代表的古典兵学在秦汉时期的普及程度。

不但武将注重学习和掌握兵法理论，不少文人同样对兵学感兴趣，致力于兵书学习。汉武帝时人东方朔就是一个例子。他在给汉武帝的上书中曾叙述自己的学术经历："年十三学书，三冬文史足用。十五学击剑。十六学《诗》《书》，诵二十二万言。十九学孙吴兵法，战阵之具，钲鼓之教，亦诵二十二万言。凡臣朔固已诵四十四万言。"② 学兵书与读诗书比重相等（均为"二十二万言"），可见两汉文化人对兵学的重视，当时兵学的普及与发达于此可见一斑。

而两汉时期的大学者司马迁、刘向、刘歆、班固等人对兵学基本原理的重视与阐述，对兵家代表人物的关注与评议，也同样反映了这种文化生态的普遍性。如《史记·律书》所云："晋用咎犯，而齐用王子，吴用孙武，申明军约，赏罚必信，卒伯诸侯，兼列邦土，虽不及三代之诰誓，然身宠君尊，当世显扬，可不谓荣焉？岂与世儒暗于大较，不权轻重，猥云德化，不当用兵，大至君辱失守，小乃侵犯削弱，遂执不移等哉！"③《史记·太史公自序》亦云："非兵不强，非德不昌，黄帝、汤、武以兴，桀、纣、二世以崩，可不慎欤？《司马法》所从来尚矣，太公、孙、吴、王子能绍而明之，切近世，极人变。……非信廉仁勇不能传兵论剑，与道同符，内可以治身，外可以应变，君子比德焉。"④《汉书·刑法志》云："当此之时，合从连衡，转相攻伐，代为雌雄。齐愍以技击强，魏惠以武卒奋，秦昭以锐士胜。世方争于功利，而驰说者以孙、吴为宗。……孙、吴、商、白之徒，皆身诛戮于前，而（功）〔国〕灭亡于后，

① 《后汉书》卷七十一《皇甫嵩朱儁列传》。
② 《汉书》卷六十五《东方朔传》。
③ 《史记》卷二十五《律书》。
④ 《史记》卷一百三十《太史公自序》。

报应之势，各以类至，其道然矣。"① 东汉王充《论衡·量知篇》云："孙武、阖庐，世之善用兵者也，知或学其法者，战必胜。不晓什伯之阵，不知击刺之术者，强使之军，军覆师败，无其法也。"② 皆为其证，实不胜枚举。

第四节　兵学主题的转换

随着封建专制大一统国家的建立，秦汉时期兵学的发展也趋向于理论的整合，并且高度重视军队建设和国防建设的政策性研究。

各个时期的学术文化，都反映出一定的时代精神，兵学也不例外。秦汉兵学所体现的，就是显著的封建大一统时代特征，表现之一是学术兼容趋势的进一步增强，表现之二是兵学旨趣从"取天下"向"安天下""治天下"的转变。

兵学理论的整合缘起于战国时期兵书综合化趋势。其实从思想渊源上说，兵家学派本来就受到儒、法、道、墨诸家的影响。随着秦汉大一统政治的确立，学术上百家"皆有所长，时有所用"③ 的观念遂成为人们的共识。战国至两汉学术兼容趋势，给秦汉兵学的发展打上了深深的烙印，以儒、墨、道、法为代表的自然观念与政治伦理哲学对兵学理论构建与价值取向的渗透和规范，使当时的兵学不再单纯就军事而言军事，而是将军事、政治、经济、文化融汇在一起进行讨论，沿着战国末年《六韬》等兵书所开辟的道路，日益趋于综合化和泛政治伦理化。④ 这一点在《吕氏春秋》《淮南子·兵略训》《黄石公三略》《言兵事疏》《屯田制羌疏》《备塞论》以及《盐铁论》《潜夫论》等有关论兵篇章中均有显著的体现。

① 《汉书》卷二十三《刑法志》。
② 黄晖：《论衡校释》卷十二《量知》，中华书局，1990 年。
③ 郭庆藩：《庄子集释》卷十下《天下》，中华书局，1961 年。
④ 黄朴民：《两汉兵学的发展及其特色》，《光明日报》2002 年 11 月 19 日。

　　例如，《黄石公三略》（简称《三略》）属于典型的黄老兵学体系，其思想特征就是兼容并取，博采众长。除了对前代兵学的继承发展外，《三略》还以黄老之学作为构筑自己整个兵学体系的灵魂和思想纽带，即把《老子》的理论基础——"道""德"——置于最高层次，统辖一切；同时又阐说道家"柔弱胜刚强"的基本原则，使之成为治国安邦、统军作战诸多要务的出发点。对于儒家，《三略》一方面在思想上崇尚"仁义"和"礼乐"，提倡施"仁义"，泽于万民："泽及于民，则贤人归之；泽及昆虫，则圣人归之。贤人所归，则其国强；圣人所归，则六合同。"①另一方面是在政治上主张"德治"和"仁政"，"有德之君，以乐乐人；无德之君，以乐乐身。乐人者，久而长；乐身者，不久而亡"②。《三略》对法家学说的汲取则表现为：一方面贯彻法家以"一断于法"来治国、治军的原则，"一令逆则百令失；一恶施则百恶结。故善施于顺民，恶加于凶民，则令行而无怨"③；另一方面是坚定申明法家"信赏必罚"的思想，"军以赏为表，以罚为里。赏罚明，则将威行；官人得，则士卒服；所任贤，则敌国震"④。由此可见，《三略》是博采兼容各家之长的产物，在继承前代兵学的基础上，以道家谋略取天下，以儒家思想治天下，以法家原则理将卒，以阴阳家观点识形势。⑤而它所反映出来的这一特点正是秦汉兼容博采的鲜明特色。

　　兵学主题的转换，乃是秦汉时期值得重视的兵学文化现象。这一特征在秦汉时期唯一一部流传至今的完整兵学著作《三略》中有集中的反映。《三略》所关注的问题，既包括"争天下""取天下"的经验，更以极大的关注，致力于探讨"安天下""治天下"的基本原则。换言之，它既是一部兵书，更是一部政论书。书中关于国

---

① 《三略》卷下《下略》，《中国兵书集成》编委会：《中国兵书集成》第二册，解放军出版社、辽沈书社，1988 年。

② 《三略》卷下《下略》。

③ 《三略》卷下《下略》。

④ 《三略》卷上《上略》。

⑤ 宫玉振：《白话三略·导读》，时事出版社，1997 年，第 11 页。

家大战略的阐述,远远多于对军事战略的阐述。这同《孙子兵法》等先秦兵书偏重阐述兵略存在着较大的差异,而这恰恰是大一统时代精神指导规范兵学建设的客观反映。① 正因为如此,以《三略》为代表的秦汉兵学贯穿着维护大一统、巩固大一统的红线。例如,在战争目的论方面,它所强调的是维护统一的"诛暴讨乱";在价值取向上,它所强调的是巩固统一的"释远谋近";在处理君主与将帅关系上,它所强调的是"夺其威,废其权""明贼贤之咎"②;在对待"战胜"与"国安"关系上,它既重视如何争取"胜可全",更重视如何实现"天下宁","明盛衰之源,审治国之纪"③。

这些现象的存在,是秦汉时代精神的客观体现,正所谓"天下安,注意相;天下危,注意将"。大一统封建帝国建立后,天下基本趋于太平。在一般情况下,战争不再成为社会生活的主旋律。当整个社会由崇尚武功转向追求文治,由迷信暴力改为粉饰礼乐的时候,人们自然要高度重视政略,而相对忽略兵略了。这种社会价值取向也同样会反映到当时的兵学理论建设之中。换句话讲,从逐鹿中原到统御天下,是国家政治生活中一个根本性的转折,论政略重于论兵略,谈治军优于谈作战,乃是理有固宜,势所必然。这就是所谓的"逆取顺守""文武并用",也可以说是秦汉时期兵学发展的又一个重大特色之所在。

第五节　兵儒合流的内涵及其意义

兵家借鉴并吸取其他诸子的思想内涵,走上兼融综合、全面总

---

① 黄朴民:《大一统兵学的奠基者:〈黄石公三略〉导读》,军事科学出版社,2001年,第39—40页。
② 《三略》卷中《中略》。
③ 《三略》卷中《中略》。

结的康庄大衢不是偶然的。这首先是战国中晚期社会政治、经济、文化发展的必然产物。从政治上说，随着兼并统一战争的顺利进行，各诸侯国政治上的交流和联系日趋加强，于是统一的曙光便渐渐从东方地平线上出现。孟子在答梁惠王时指出天下"定于一"，准确地反映了这一历史趋势。从经济上说，由于社会生产力水平的提高，商业的不断繁荣，交通的初步发达，各个地区在经济上的依赖与联系已相当密切，到战国晚期，已出现了"四海之内若一家"的崭新气象。这种政治、经济上的大一统社会发展大势，作用于当时兵学的发展，使之呈现出综合融汇的倾向。

当然，兵学综合化的发生，也直接与战国中晚期的学术文化走向有关联。当时学术文化走向的最显著特点，就是兼容与总结，它对于兵学的嬗递产生了不容忽视的影响。同样，这种综合，与兵家、儒家的学说各有其优势又各有其短板直接有关：所谓"兵家者流，大抵以权谋相尚；儒家者流，又往往持论迂阔，讳言军旅，盖两失之"①。二者需要互为弥补，取长补短。

在这样的背景之下，稍晚出的兵书，其中尤以《六韬》为代表，就开始较多地受到诸子学说的某些渗透与影响，传递当时各家学说的各种政治文化信息，并对兵学理论的各个层面进行综合性的总结了。而《荀子》《韩非子》等诸子领域中的集大成之作，也一样大量引入兵家的重要原理，以丰富自己的政治伦理学体系。

在兵家与其他诸子互补融合的过程中，兵儒合流也许是最重要的内容，并带来了最富有意义的贡献。这里，我们可以《六韬》和《荀子》为例，具体说明兵儒合流历史现象在战国后期的迅速形成。从成书于战国后期的《六韬》一书中可以看到，当时社会政治思潮的广泛渗透和高度规范乃是不争的事实。

但是，细加考察，我们能够看到，《六韬》尤为重视对儒家思想

---

① 永瑢等：《四库全书总目》卷九十九《子部九·兵家类·太白阴经八卷》，中华书局，1965 年。又《史记·孟子荀卿列传》亦云儒家"迂远而阔于事情"。

的借鉴和吸收，这方面最重要的标志，就是对儒家民本观的坚持和弘扬。它一再指出"无取民者，民利之；无取国者，国利之"，强调"天下者，非一人之天下，乃天下之天下"①。反对繁刑峻法，"上劳则刑繁，刑繁则民忧，民忧则流亡"②，主张以教化治国，提倡"爱民之道"："民不失务则利之，农不失时则成之，省刑罚则生之，薄赋敛则与之，俭宫室台榭则乐之，吏清不苛扰则喜之""驭民如父母之爱子，如兄之爱弟，见其饥寒则为之忧，见其劳苦则为之悲。赏罚如加于身，赋敛如取己物，此爱民之道也"③。这些言论与孟子"贤君必恭俭礼下，取于民有制"④，荀子"仁义者，所以修政者也，政修则民亲其上，乐其君"⑤ 等言辞如出一辙。另外，像《六韬·虎韬·略地》强调"无燔人积聚，无坏人宫室，冢树社丛勿伐，降者勿杀，得而勿戮，示之以仁义，施之以厚德"⑥ 云云，更是《荀子·议兵篇》有关作战纪律、用兵宗旨的翻版："不杀老弱，不猎禾稼，服者不禽，格者不舍，奔命者不获""不屠城，不潜军，不留众，师不越时"⑦。可见，儒家民本思想在当时已深入渗透到兵学著作之中，兵儒合流正在循序展开，成为不可逆转的文化现象。

与兵家借鉴儒家相仿佛，儒家同样从兵学中吸取有益的成分。这可以从《荀子》的有关论述中找到足够的证据。与孟子一概否定战争，鼓吹"善战者服上刑"的做法不同，荀子在推崇"王道"的同时，也肯定"霸道"的地位。他注意到军事自身所具有的独立价值，认识到在正确政治指导的前提下，要最终赢得战争，必须通过军事手段。像孟子那样侈谈"仁者无敌"是远远不够的，而必须充分借鉴和吸取兵家的理论和智慧。基于这样的认识，荀子借助兵家

---

① 《六韬》卷二《武韬·发启》。
② 《六韬》卷二《武韬·文启》。
③ 《六韬》卷一《文韬·国务》。
④ 《孟子注疏》卷五上《滕文公上》。
⑤ 《荀子集解》卷十《议兵篇》。
⑥ 《六韬》卷四《虎韬·略地》。
⑦ 《荀子集解》卷十《议兵篇》。

的观念来阐述军事问题，提出了不少真知灼见。如对将帅品德修养和有关指挥艺术进行精湛的分析总结，提出"六术"："制号政令欲严以威；庆赏刑罚欲必以信；处舍收藏欲周以固；徙举进退欲安以重，欲疾以速；窥敌观变欲潜以深，欲伍以参；遇敌决战必道吾所明，无道吾所疑。"阐说"五权"："无欲将而恶废，无急胜而忘败，无威内而轻外，无见其利而不顾其害，凡虑事欲孰而用财欲泰。"畅言"三至"："可杀而不可使处不完，可杀而不可使击不胜，可杀而不可使欺百姓。"论述"五圹"："敬谋无圹，敬事无圹，敬吏无圹，敬众无圹，敬敌无圹。"① 荀子这些关于将帅修养以及作战指挥原则的概括，是其他儒家人物所没有的，却可以从兵家那里寻找到思想的渊源与理论的出处。如"五权"的精神直接脱胎于孙子的"智者之虑，必杂于利害"的思维；又如"三至"的要义纯粹渊源于孙子"进不求名，退不避罪，唯人是保，而利合于主"② 的论述。

这些情况表明，兵儒合流不仅是兵家的选择，同样也是儒家的追求。荀子既重仁义，也言实力，既坚持了孔孟等先辈反对残酷战争、提倡仁义之师的原则、立场，又清醒地阐述了政治与军事之间既联系又不等同的关系，广泛引入兵家的理论，从而使战国中晚期学术兼容大背景下的兵儒合流发展到一个新的阶段，与《六韬》一起，共同奠定了两汉以后兵儒合流文化格局的基础。

当然，战国中晚期的兵儒合流，尚处于初始的阶段。这首先表现为兵家接受诸子政治伦理思想的选择多元化、泛延化，并不以儒家学说为唯一对象。如《六韬》就在张扬儒家民本主义的同时，大量引入道、墨、法诸家的要义，彼此交相杂糅，很不纯粹。其次也表现为儒家对兵学的借鉴与吸取仍有很大的保留。如《荀子·议兵篇》虽然对"霸政"给予一定程度的肯定，但从根本上仍否定兵家"兵以诈立"的原则："故赏庆、刑罚、势诈之为道者，佣徒粥卖之道也，不足以合大众，美国家，故古之人羞而不道也。"明确地把仁

----

① 《荀子集解》卷十《议兵篇》。
② 《孙子兵法新注·地形篇》。

义礼置于军事活动的首位："秦之锐士不可以当桓、文之节制，桓、文之节制不可以敌汤、武之仁义。"① 这些情况的存在，固然是受当时诸子蜂起、百家争鸣大环境的制约，但同时也说明兵儒合流在战国中晚期仅仅是初步的尝试，与真正的融合尚有相当的距离。自西汉中叶起，随着整个社会政治、文化形势发生根本性的转折，战国中晚期的兵儒合流也逐渐走向了成熟的阶段。当时董仲舒向汉武帝建议"罢黜百家，独尊儒术"："诸不在六艺之科孔子之术者，皆绝其道，勿使并进。"② 它被采纳的结果，便是儒学合乎逻辑地成为正统的统治思想。于是，儒学精神开始全面渗透于社会政治生活的各个方面，人们的举动都必须遵循儒学的原理或借用儒学的名目，诸如以《春秋》经义折狱，以《禹贡》治河，以《诗》为谏书等等，就是明显的例子。尽管统治者并没有真正放弃法家的理论，实行的是"外儒内法"的政治形态，用汉宣帝的话说，便是"汉家自有制度，本以霸王道杂之"；但儒学既然成为名义上的统治思想，那么，这块招牌便高高矗立在那里，不再有动摇，不但儒家人物公孙弘、董仲舒、兒宽等人得"以经术润饰吏事"，而且连酷吏张汤之流也不得不推崇儒学，装潢门面了："汤决大狱，欲傅古义，乃请博士弟子治《尚书》《春秋》，补廷尉史，平亭疑法。"③

　　这样的文化氛围为当时的兵儒合流思潮的发展，开辟了广阔的道路。换言之，随着儒家思想正统地位的确立，兵儒合流现象遂成为中国古代军事思想发展的主流，儒家政治理论与兵家权谋之道得到有机的结合，相辅相成：儒家学说发挥统治思想的指导作用，规范了军队建设的基本原则，以及用兵的宗旨、目的和对待战争的态度；而兵家的权谲用兵之道，则被运用于具体的战争实践之中，力求使战争活动符合规律而达到克敌制胜的最终目的。应该说，这种结合，是军事思想健康发展的最好选择。道理很简单，在理论上，

① 《荀子集解》卷十《议兵篇》。
② 《汉书》卷五十六《董仲舒传》。
③ 《汉书》卷五十九《张汤传》。

儒家代表了中国古代最好的治国安邦之道，而兵家则体现为最好的克敌制胜之道。没有儒学仁义原则作用兵的指导，那么，军事活动便会失去正确的方向，甚至陷入穷兵黩武、自取灭亡的泥潭；而不运用兵家的权谋智慧，那么，便会重蹈宋襄公的覆辙，在残酷的军事较量中败下阵来，成为历史舞台上的失败者。所以必须由儒学来统领兵学，让兵学来服务于儒学的仁义道德。

当然，这种结合是一个痛苦的过程，其间充满着两种不同价值取向的学说体系的深刻冲突与斗争。盐铁会议上桑弘羊与贤良文学的论战就反映了这种磨合的曲折性、复杂性。贤良文学恪守以孟子为代表的儒家道德学派之立场，一味崇尚以德服人，对战争持基本否定的态度，声称"古者，贵以德而贱用兵"①，坚持认为"地利不如人和，武力不如文德"②，竭力主张"去武行文，废力尚德"③。而桑弘羊等人则充分肯定战争的意义："列羽旄，陈戎马，〔所〕以示威武。"④ 明确指出："兵革者国之用，城垒者国之固也。"⑤ 这些分歧的存在，表明兵儒合流步履艰难，也表明兵儒合流的真正完成，必须由统治者来实现，而不能寄希望于那些习惯"坐而论道"的儒生。

不过，这个过程并不漫长。到了东汉光武帝刘秀那里，兵儒合流终于圆满完成了。在军事实践活动中，刘秀始终注意将儒家的仁义治国之道与兵家的克敌制胜之道有机地结合，系统地建立起以儒家战争观为核心的融兵儒为一体的军事思想体系。他一方面打出"吊民伐罪""救万民之命"的醒目旗帜，"延揽英雄，务悦民心"⑥，"平遣囚徒，除王莽苛政"⑦，积极争取民众的归附，把自己所从事的统一战争界定为"义战"，从而使自己在政治上、军事上赢

---

① 王利器校注：《盐铁论校注》卷一《本议》，中华书局，1992 年。
② 《盐铁论校注》卷九《险固》。
③ 《盐铁论校注》卷八《世务》。
④ 《盐铁论校注》卷七《崇礼》。
⑤ 《盐铁论校注》卷八《和亲》。
⑥ 《后汉书》卷十六《邓寇列传》。
⑦ 《后汉书》卷一上《光武帝纪上》。

得对敌手的优势地位，有力保障了军事活动的顺利展开；与此同时，他又充分吸取兵家"诡道"的精髓，在战略方针的制定和战役战斗的指挥上，"好谋而战"，灵活用兵。坚定贯彻集中兵力、先东后西、先易后难、由近及远、各个击破的方针，善于刚柔相济、后发制人、出奇制胜、以长击短、围城打援，致人而不致于人，从而在军事斗争过程中牢牢掌握主动权，一步步走向最后的胜利。在军事建设和国防建设方面，刘秀也做到了兵儒理论与实践的高度统一，既息战养民，"修文德"以"来远人"，又注重实力建设，严边固防，确保军队的集中和政治的稳定。从某种意义上说，刘秀的成功，标志着兵儒合流的完成，这在中国古代军事思想发展历程中具有里程碑式的意义。

刘秀的理论建树与实践活动，从根本上决定了兵儒合流的历史命运。从此，儒家战争观的统治地位得到了确立，而兵家的作战指导思想也获得了更好的合理运用。在随后的封建社会历史里，兵儒合流的表现形式虽然各有不同，在某些情况下也曾遇到来自迂儒或穷兵黩武者的干扰，但是，它作为中国古代兵学发展的主流，一直未被根本逆转，而始终处于不断延续与丰富之中，这乃是理性的胜利。

毫无疑义，兵儒合流对于中国古典军事文化构建的意义从主要方面说是积极的，它是合乎时代潮流的产物，也是适应中国文化基本特质的选择，对于中国优秀军事文化传统的发扬光大具有极其深远的影响。概括地说，这种积极意义突出体现在以下三个方面：

第一，兵儒合流客观地反映了学术发展的自身要求，是中国文化精神中"和实生物，同则不继"优秀传统在军事思想领域的集中体现。它的根本特色是宽容，而宽容精神的存在，则是促进思想发展的必要前提，这在兵学领域也不例外。兵儒合流表明，儒家的仁义礼乐理论与兵家的权谋诡诈之道已安然同处于一个体系之中，彼此间取长补短，相互关联：儒学统领兵学，兵以义动，吊民伐罪，同时又坚持作战指导上的权谲变化，使兵家的正确用兵方法更好地服务于儒家的仁义原则。这种融合的理论价值与实践意义都是至为重大的，既可有力地推动兵学理论体系趋于完善，又能较好地满足人们指导战争实践的需要。就战争观来说，能起到克服战争万能论或德化至上论之偏颇的作用。而就作战指导思想来说，则可以充分发挥"义战"观指导下的兵家克敌制胜之道的精髓。

第二，兵儒合流有力地推动了中国古代军事思想的深化和丰富，增强了古典兵学的理论性和思辨性，使其学术体系进一步完备而系统。众所周知，兵学是一种实用之学，它不尚空谈，而完全以现实利害为依据，重视实际经验，讲究可操作性，这固然是其长处所在。但是，正因为单纯注重功利性，其理论思辨深度比较欠缺，相对缺乏厚重感与精致性，学术体系各个层次、各个方面之间的发展不够平衡，许多具体论述，存在着畸轻畸重甚至自相矛盾的地方，这是不容否认的实际情况。而儒学的广泛渗入及在战争观方面发挥指导性作用，则使兵学理论的思维高度得到质的飞跃，为军事从属于政治、战略服务于政略开拓了更为宽广的道路，也为人们接受和研究兵学提供了更合理的历史与逻辑依据。从这个意义上说，兵儒合流为中国古代军事思想的发展成熟赢得了广阔的活动空间。

第三，也是最为重要的，兵儒合流对中国古代军事文化崇尚和平、内向持重传统的弘扬光大起到了决定性的作用。推崇仁义礼乐，反对穷兵黩武是儒家军事思想的核心精神。对和平的热切追求，对安定生活的真切向往，是儒家的根本价值取向。兵儒合流使得儒家的战争观念深入人心，为民族深层心理所普遍认同。穷兵黩武、扩张侵略、滥施杀伤始终为人们所唾弃，任何统治者或军事统帅，不论其真实的思想或行为如何，都不敢放弃"仁义"这面旗帜，都不得不强调"慎战"这个口号。所谓"杀人亦有限，列国自有疆。苟能制侵陵，岂在多杀伤"[1] 云云，正突出反映了这种安土重迁、追求稳定的民族文化心理和热爱和平、内向持重的民族性格。于是便有"先王之道，以和为贵，贵和重人，不尚战也"[2] 一类的言辞常

---

[1]　杜甫：《前出塞九首》，《杜甫全集》卷三，上海古籍出版社，1996 年。

[2]　李筌：《太白阴经》卷二《人谋下·贵和》，《中国兵书集成》编委会：《中国兵书集成》第二册，解放军出版社、辽沈书社，1988 年。

见于历代文献，成为社会各阶层的理性主张。由此可见，兵儒合流的结果，是儒家人本精神在兵学文化中得到全面的贯彻，从而规范了中国古代兵学崇尚和平、节制战争的本质特征与价值取向，这也许是兵儒合流最富有意义的地方。

当然，兵儒合流的意义并不仅仅体现为积极的一面，也有消极的影响。我们应该看到，兵儒两者的兼容中明显存在着不和谐的音符。

兵儒合流的历史局限性，首先表现为儒家的道德至上主义倾向对于兵学的发展，在某种程度上不无负面的影响。所谓"义利之辩""王霸之辩"走向极端，严重制约了兵学基本原则的丰富和发展，使人们不能正确理解"兵者诡道"在军事斗争中的历史合理性，不敢理直气壮地肯定"兵以诈立，以利动，以分合为变"① 的根本原则，而处处以儒家的人本主义来掩饰自己的真实动机，千方百计为自己的军事实践与理论阐述笼罩上一层"仁义道德"的温情脉脉的面纱。这样一来，就使得以追求功利为宗旨的兵学无法很好地满足时代的需求。这种情况肇始于两汉时期，而从两宋起表现得尤为显著。当时随着理学的兴起，封建中央集权统治进入了新的发展阶段，以儒学为中心的思想文化专制也日趋严格，这一点在兵学上自然亦要有所反映。于是，以"忠义"双全著称而军事建树平平的关羽，便替代"周之兵权与阴谋"的宗祖姜太公而成为新的"武圣"了。于是儒学冬烘先生群起而谩骂孙子诡诈不仁，直斥《孙子兵法》为"盗术"："非诈不为兵，盖自孙武始。甚矣，人心之不仁也。"② "兵流于毒，始于孙武乎！武称雄于言兵，往往舍正而凿奇，背义而依诈。"③ 这种拿儒家"仁义"来否定兵家"诡诈"的做法，虽说不是兵儒合流的主流，但它的存在，却表明儒家道德至上主义对兵学健康发展产生过消极影响。到了近代，这种儒学主导下的兵家文化，

---

①　《孙子兵法新注·军争篇》。

②　叶适：《叶适集·水心别集》卷四《兵权上》，中华书局，1961 年。

③　高似孙：《子略》卷三《孙子》，中华书局，1985 年。

更成为中国军事落后、外侮迭至的重要原因之一。

兵儒合流的历史局限性，还表现为兵学"舍事而言理"的传统与儒家忽视"形而下"问题做法对中国军事文化发展的阻碍。我们知道，中国兵家文化的最大特色是重谋上计，崇智尚权。虽然它也注重实力建设，主张富国强兵，但是与尚谋崇智的根本倾向相比，这只能算是次要的方面。而儒家在这一问题上则显得更为单薄，虽然也有"足食，足兵"之类的倡议，但更多的是侈谈"以仁义为阻，道德为塞，贤人为兵，圣人为守，则莫能入"①，幻想拿仁义"制梃以挞秦楚之坚甲利兵"②。这种"舍事而言理"的"道""器"之辩，势必带来重道轻器、忽视科技、脱离实力建设这一前提而单纯注重谋略的弊端，这乃是中国兵学文化中的一个重大局限。导致这一局面的原因固然很复杂，但兵儒合流，儒学占据统治地位无疑是重要的因素。显然，如果没有"罢黜百家，独尊儒术"的格局，则墨家之军事科技思想，齐地法家《管子》之"凡兵有大论，必先论其器"③ 等主张，一定能够在后世产生积极的影响，更好地推动中国古代军事学术的发展，从而在一定程度上克服兵儒合流的消极因素。就这个意义上说，对于其他学派军事思想的生存及发挥作用，兵儒合流当是一个富有悲剧色彩的归宿。

---

① 《盐铁论校注》卷九《险固》。
② 《孟子注疏》卷一上《梁惠王上》。
③ 《管子校注》卷十《参患》。

第五章 《黄石公三略》的 兵学思想及其地位

第一节 云笼雾罩:《三略》的来龙去脉

《黄石公三略》,又称《三略》,是中国古代的一部著名兵书,被列为《武经七书》之一。全书共分上略、中略、下略三卷,三千八百余言。

关于《黄石公三略》的来历,也就是说它的作者和成书年代,历来都是一个谜,众说纷纭,莫衷一是,谓之云笼雾罩实不为过。传世典籍的作者以及成书年代难以考实,乃是中国古籍流传中一个共性的特点,《黄石公三略》的情况尤其如此。尽管这样,这个问题总归是绕不过去的,所以,今天我们要比较完整准确地向广大读者介绍《黄石公三略》一书,首先得从它的作者与成书年代谈起。

一、《三略》是不是黄石公所著

《黄石公三略》,如果简单地顾名思义,其作者当为黄石公。《隋书·经籍志》就持这样的看法,认为《三略》作者是下邳神人:"《黄石公三略》三卷,下邳神人撰。"而所谓的下邳神人,就是那位历史上名声显赫,曾授张良(子房)以兵书的黄石公。然而,问题并不像《隋书·经籍志》作者所理解和叙述的那么简单,黄石公是否拥有《三略》一书的著作权应当大大地打上一个问号!只要我们细读一下《史记·留侯世家》的有关记载便可以发现其中的疑窦了。

《留侯世家》叙述的关于黄石公传授张良兵书的基本经过大致如下。秦王朝末年，政治暴虐，民怨沸腾，社会大动乱正在迅速酝酿之中。当时，出身于韩国贵族的张良，为了报亡国毁家之仇，不惜重金收买了一名刺客，企图在博浪沙刺杀巡行途中的秦始皇，殊不料功亏一篑，刺客的大铁槌误中了秦始皇的副车，暗杀行动以失败告终，这就是宋末文天祥《正气歌》中所诵的"在秦张良椎"历史事件。张良行刺未遂，为朝廷所通缉，被迫隐姓埋名，流亡于下邳（治今江苏睢宁北）一带。

有一天，百无聊赖之中的张良信步来到下邳的一座桥上。这时，迎面走来了一位身穿粗布麻衣的老人。这老人到了张良跟前，一抬脚将自己的鞋子甩到桥底下，然后极不礼貌地对张良说："小子，下去给我把鞋子捡上来！"张良愕然地看着老人，心里想，这位老人也太不懂事理了，本不愿理睬他，可看到老人确实已经上了年纪，与他也不宜计较，于是强忍着火气，下桥帮老人将鞋子给捡了上来。老人不但不道谢，反而得寸进尺，把脚一伸，又冲着张良说："给我把鞋穿上！"张良闻言真是感到又可气，又可笑：从哪儿冒出个神经兮兮的老头子。心想既然已经把鞋捡上来了，那就好事做到底，干脆再替他穿上得了，于是跪下身子给老人穿上了鞋子。老人一句话未说，扬长而去。张良很吃惊，呆呆地站在原地目送老人远去。没过一会儿，老人又返了回来，对张良说："小子，看来你还是可以教育培养的！五天之后天亮时分，仍然到这个地方来见我。"张良意识到这位老人并非寻常人物，便跪下恭敬地回答道："是。"

五天后天亮时，张良如约来到桥上，但老人已经先到那里了。他一见张良，便怒气冲冲地说："约好了与我老头子见面，却迟到了，这像话吗？"说完扭头便走，并扔下一句话："五天后早点来！"五天之后，鸡刚报晓，张良就提前赶到了桥上，不料又是老人先期抵达。老人恼怒地说："你又落在我后面，这是什么道理？五天后再早点来。"又过了五天，这次张良学乖了，还未到半夜，便来到了桥头等候老人。过了一会儿，老人也来了。他见张良比自己先到，高兴地说："这一回你小子做对了！"于是从衣袖中拿出一部书，递交给张良，说道："读了这部书，你就可以成为帝王的老师。再过十年，你一定会功成名就。十三年后，你我将在济北见面，谷城山下的黄石，那就是我。"说完老人便走了，从此再也没有在世上出现过。

天亮之后，张良返回潜居之所，打开那部书一看，原来是一部兵书，名叫《太公兵法》。张良很珍视这部兵学奇书，时常诵读体会，韬略水平日见提高，后来果真辅佐刘邦推翻秦朝，翦灭项羽，成就了一代帝业。十三年后，张良跟随刘邦途经济北，果然在谷城山下找到了黄石，于是将黄石郑重取回，恭恭敬敬地供奉起来。去世前，又命家人一定要将黄石与自己一起下葬。其家人依言而行，每逢祭祀时，连同黄石也一起祭祀。后来，人们就把那位不知姓名、来历蹊跷的授书老人，尊称为黄石公。

根据《史记》的这段记载，我们知道，张良从黄石公处得到的兵书，当为《太公兵法》，而不是《三略》。《太公兵法》，即托名西周开国功臣姜太公撰著的兵法。由于姜太公是中国历史上第一位以韬略而著名的军事家，因此后人普遍热衷于将自己撰写的兵书假托姜太公之名，以行于世，"后世之言兵及周之阴权皆宗太公为本谋"①。于是自先秦至秦汉，乃至隋唐，社会上流传着为数不少名目各异但同属《太公兵法》范围的兵学著作，如《汉书·艺文志·诸子略》"儒家类"与"道家类"分别著录的《周史六韬》六篇、《太公》二百七十三篇，《唐太宗李卫公问对》所提及的"《太公·谋》八十一篇""《太公·言》七十一篇""《太公·兵》八十五篇"，等等。另外还包括了流传至今，被列为《武经七书》之一的《六韬》，甚至古代重要兵书《司马法》，按《唐太宗李卫公问对》作者的观点，也属于《太公兵法》系列的兵学著作，"周《司马法》，本太公

———————

① 《史记》卷三十二《齐太公世家》。

者也"①。

所以，现在问题的关键在于《三略》是否同属于《太公兵法》系列的兵书。如果答案是肯定的，则《隋书·经籍志》称黄石公授给张良的是《三略》，《史记·留侯世家》称黄石公授给张良的是《太公兵法》，其实质是一样的，两说之间并无根本的矛盾，仅仅是一为专称，一为泛指。反之，则两者之间显然互相抵牾，黄石公实非《三略》的作者。

按照《唐太宗李卫公问对》作者的观点，《三略》如同《六韬》，同属于《太公兵法》系列的兵书："张良所学，太公《六韬》《三略》是也。"② 宋代施子美在其《三略讲义》中进一步作出说明："《六韬》《三略》，本《太公兵法》，而谓之《黄石公三略》者，按前汉张子房（授）［受］书之事，老人指谷城山下黄石以为己，而其所授之书，乃《太公兵法》，后世因而谓之《黄石公三略》，亦如《诗》本夫子所删也，后世谓之《毛诗》，以其出于毛苌之所训也。《黄石公三略》，其此意欤？"③

将《三略》视为《太公兵法》系列的一种兵书，这在某种程度上的确能够解决《史记》与《隋书》记载上的歧异。然而，若进一步考索，还有一个问题需要解释，即为何同为黄石公所授之《太公兵法》，《三略》被后人冠上了《黄石公三略》之称，而《六韬》却没有人称其为《黄石公六韬》呢？

施子美对此做了回避，明代刘寅觉得这个问题绕不过去，于是在其所著的《三略直解》中提出了自己的假设：《三略》属于《太公兵法》系列，但《三略》一书可能经过了黄石公的推演，故被后人冠以《黄石公三略》的名称。刘寅的具体分析是："按《汉书·艺文志》云，张良、韩信序次兵法，凡百八十二家，删取要用，定著三十五家，并不言有《三略》者。汉成帝时，任宏论次兵书，分

① 《唐太宗李卫公问对》卷上。

② 《唐太宗李卫公问对》卷上。

③ 施子美：《施氏七书讲义·三略讲义》，《中国兵书集成》编委会：《中国兵书集成》第八册，解放军出版社、辽沈书社，1992 年。

权谋、形势、阴阳、技巧四种，共五十三家，而《三略》亦不载焉。史称张良少匿下邳，与父老遇于圯桥，出书一编，曰：'读此则为王者师。'遂去，且日视之，乃《太公兵法》也。《通鉴纲目》亦曰：'张良与沛公遇于留，良数以《太公兵法》说沛公，公善用之，常用其策。与他人言，辄不省。良曰："沛公殆天授。"遂不去。'《正义》曰：'《七录》云《太公兵法》一帙三卷。'唐李靖亦云：张良所学，太公《六韬》《三略》是也。然则《三略》本太公书，而黄石公或推演之以授子房。所以兵家者流，至今因以为黄石公书也。"①

刘寅这个假设从表面上看，是可以自圆其说的，因此获得不少学者的首肯，如清代朱墉在《三略汇解》中云："《三略》本太公所著，黄石公推演之以授子房，曰：'读此则为王者师。'……其大要在执微守雌、尊德尚功，不用阴谋诡计，故子房有儒者气象……《上略》所引皆曰《军谶》，《中略》皆曰《军兵》，《下略》独无所引，而自为言也。"②

然而，遗憾的是这个判断并没有得到有力的史料佐证。在这种情况下，要比较可信地判定《三略》的作者及其成书年代，最根本的途径，乃是具体分析《三略》本身的内容，把握其文字内容、思想意蕴所反映的时代特征。

对《三略》本身内容进行细致的分析后，我们可以发现，《三略》不可能是秦汉以前的作品。第一，《三略》带有明显的大一统兵学的特点，它着重关注和探讨的是"安天下""治天下"的原则和方法，更多体现的是治军、驭将的目的与手段，而不再把重点置于作战指导原则的阐发，这都表明它是国家统一背景下的军事理论总结，而不是战乱或实现统一过程中的兵学思想。总之，它是政兵书而非纯兵书。第二，基于大一统兵学的根本属性，《三略》的许多

———————————

① 刘寅：《武经七书直解·黄石公三略》，岳麓书社，1992年。
② 朱墉辑：《武经七书汇解·黄石公三略》，《中国兵书集成》编委会：《中国兵书集成》第四十三册，解放军出版社、辽沈书社，1992年。

具体原则都表现出安邦治国的价值取向。如强调"释远谋近"以维护和巩固国家的统一，又如将"夺其威，废其权"作为君主处理与将帅关系的基本准则，也与孙子及《六韬》所提倡的"君命有所不受"观点迥异其趣，等等。第三，《三略》虽然突出体现了大一统兵学的特点，但这种大一统是汉以后内圣外王、"霸王道杂之"式的大一统，而并非专尚武力，以法家为唯一指导思想的秦王朝式大一统。第四，从文献记载的蛛丝马迹看，《三略》的成书年代略晚于战国末年成书的《六韬》一书。《六韬》在战国后期即有记载，当时的庄周曾见过《金版六弢》，西汉的《淮南子·精神训》则明确提到《豹韬》，高诱注说："《金滕》《豹韬》，周公、太公阴谋图王之书。"① 而《三略》见于著录的时间则要晚得多，其名最早出现于东汉末年陈琳所作的《武军赋》，而其有案可稽的文字内容引用，最早也是在东汉初年。② 这也从一个侧面说明《三略》成书不早于秦汉，黄石公本人似不是《三略》的作者。

　　其实，《三略》成书于秦汉之后，历史上早已有人指出。如宋代的王应麟在其《困学纪闻》中说道："魏李萧远《运命论》：'张良受黄石之符，诵《三略》之说。'言《三略》者，始见于此。"王氏自注云："汉光武诏引《黄石公记》，未有《三略》之名。"③ 其意不言自明。清永瑢总纂的《四库全书总目》中，《黄石公三略》提要亦云："盖自汉以来言兵法者，往往以黄石公为名。……今虽多亡佚不存，然大抵出于附会。是书文义不古，当亦后人所依托。"④ 当代学者持相似看法的更为普遍。许保林先生《黄石公三略浅说》、张文才先生《中国兵书十大名典·黄石公三略·前言》、宫玉振先生《白话三略·前言》，对这个问题均进行了详细的分析，不约而同认

①　《淮南鸿烈集解》卷七《精神训》。
②　见《后汉书·吴盖陈臧列传》所论。
③　王应麟撰，栾保群、田松青校点：《困学纪闻》卷十《诸子》，上海古籍出版社，2015 年。
④　《四库全书总目》卷九十九《子部九·兵家类·黄石公三略三卷》。

定《三略》成书不可能早于秦汉，黄石公并非《三略》一书的
作者。

二、《三略》究竟成书于什么时候

《黄石公三略》作者究竟是谁？它究竟成书于何时？关于第一个
问题，既然已基本排除了黄石公撰著的可能性，那么在缺乏充分材
料来考定具体作者的情况下，大可存而不论。众所周知，秦汉以降，
人们依托前代名人撰文作著的现象十分普遍，例如战国时期流行的
黄帝之书，魏晋时期伪托列子所著的《列子》等等，都反映了这样
的风气，它使得真正的作者姓名湮没无闻。《黄石公三略》作者的情
况当与此类同，所以在今天我们大可不必在这个问题上花费太多的
功夫。比较适宜的做法，是将《黄石公三略》的作者视为深富韬略、
神龙见首不见尾的隐逸高士。

但是，关于《三略》成书年代，我们似有必要做进一步的考定，
因为这对于我们从军事文化发展史的角度考察《三略》的特色和价
值，深刻认识中国传统兵学嬗递之轨迹与一般规律实有裨益，而且
也有利于我们更好地把握《三略》的兵学地位。从这层意义上说，
我们还要费些笔墨，谈谈《三略》的成书年代问题。

学术界在《三略》成书年代问题上的最普遍观点，是认为其大
致成书于西汉末年。但也有少数学者论证其成书于东汉时期。虽说
两说在时间界定上稍有先后，但是并无太大的分歧。因为，一是都
将《三略》视为两汉时期的作品，时差不过两百年左右，这在古书
年代学上并非什么严重问题。因为就古书成书一般规律而言，古书
通常不成于一时一人之手，而往往有一个从雏形到定稿乃至流传的
较长过程。① 这样，无论将《三略》看成是西汉的作品抑或东汉的
著述，均无大碍。二是就《三略》本身内容来看，不论是将其认定
为西汉之作，还是将其认定为东汉之作，都有各自的道理，都能说

---

① 余嘉锡：《古书通例》卷一《案著录第一》，上海古籍出版社，1985 年，第
25—26 页。

得通。

当然，若有办法能更明晰地确定《三略》的成书年代，自是佳事。笔者的基本观点是《三略》当为东汉后期的兵学著作。以下略述主要理由。

一般而言，考定古书成书的确切年代，必须观照的重要因素不外乎历代典籍的著录以及文字引用，其书本身的主体思想倾向、主要内容以及文字风格、著作体例等等。而就这些方面来看，我们认为，将《三略》的成书年代确定在东汉晚期更为合理。

首先，从文献著录所透露的信息看，《黄石公三略》成书当在东汉末年。《汉书·艺文志·兵书略序》云："汉兴，张良、韩信序次兵法，凡百八十二家，删取要用，定著三十五家。"[1] 然而《汉书·艺文志》并没有著录《黄石公三略》。这说明迄至东汉中期班固时，其书尚未定型与面世。

现存史料表明，《三略》之名最早见于汉魏之际。东汉末年文学家、建安七子之一的陈琳在其《武军赋》中始有"《三略》《六韬》之术"的说法[2]；三国魏明帝时隰阳侯李康《运命论》复称："张良受黄石之符，诵《三略》之说，以游于群雄。"[3] 这说明《三略》是在东汉末年才开始流传于世的，它的成书当基本与此同步。

至于其书全称《黄石公三略》则要更晚一些，始见于北齐史学家魏收所著的《魏书》中的《刘昞传》，其称北魏著名学者刘昞曾"注《周易》《韩子》《人物志》《黄石公三略》，并行于世"[4]。此处有个细微之处值得引起注意，即魏收对刘昞所注四部书的排列次序基本上是按时代顺序，刘劭《人物志》亦成书于汉魏之际，故与《黄石公三略》相属，这从一个侧面佐证了《三略》真正成书当在

---

① 《汉书》卷三十《艺文志》。
② 严可均校辑：《全上古三代秦汉三国六朝文·全后汉文》卷九十二《陈琳》，中华书局，1958年。
③ 《全上古三代秦汉三国六朝文·全三国文》卷四十三《李康》。
④ 魏收：《魏书》卷五十二《刘昞传》，中华书局，1974年。

东汉末年。而其为"正史"正式著录则始于唐代著名政治家魏徵等
人所撰的《隋书·经籍志》，其后，历代正史"艺文志""经籍志"
及公私目录书均有著录。由此可见，从文献著录角度考察，《三略》
成书于东汉末年。

当然，古籍成书是一个漫长复杂的过程，考定《三略》成书于
东汉末年，并不意味着其书雏形在东汉初年不曾存在，这方面比较
有力的证据是范晔《后汉书·吴盖陈臧列传》中的一段记载。建武
二十七年（51），朗陵侯臧宫与杨虚侯马武联名上书，请求朝廷发兵
出击匈奴。光武帝刘秀对此进行了批复，其中引录了《黄石公记》
之文作为重要依据："诏报曰：《黄石公记》曰，'柔能制刚，弱能
制强'。柔者德也，刚者贼也，弱者仁之助也，强者怨之归也。故曰
有德之君，以所乐乐人；无德之君，以所乐乐身。乐人者其乐长，
乐身者不久而亡。舍近谋远者，劳而无功；舍远谋近者，逸而有终。
逸政多忠臣，劳政多乱人。故曰务广地者荒，务广德者强。有其有
者安，贪人有者残。残灭之政，虽成必败。今国无善政，灾变不息，
百姓惊惶，人不自保，而复欲远事边外乎？"①

光武帝"诏报"中称引的这段《黄石公记》文字，多近于今本
《黄石公三略》。② 但是，究竟应该怎样看待这一点，我们与"西汉
说"者见解不同。我们不赞同《黄石公记》与《黄石公三略》是同
一部书的不同名字的说法，而认为这恰好表明《三略》从酝酿到最
终成书乃有一个漫长的过程。《黄石公记》充其量为《三略》之雏
形，而绝非《三略》本身，这是符合古籍成书的一般规律的。总之，
《后汉书·吴盖陈臧列传》虽引录了《黄石公记》文字，但这并不
能作为《三略》成书于西汉的充足证据。

其次，也是更为重要的，《三略》本身内容反映出它的成书年代
只能是在东汉末年。这种"内证"较之于文献著录等"外证""旁
证"往往显得更有说服力。

---

① 《后汉书》卷十八《吴盖陈臧列传》。
② 《上略》与《下略》皆有类似的内容，只是在具体文字上略有出入。

很显然，阅读《三略》并考证其成书年代，有两个关键性问题不能不引起我们的注意。一是要充分考虑《三略》兵学思想体系中的黄老思想主导特征；二是要高度重视《三略·中略》所给的提示："是故《三略》为衰世作。"而完全符合黄老思想盛行与"衰世"这两个基本条件的，综观整个两汉时期，只有东汉末年这一特定历史阶段。

考察《三略》全书，其内容杂采儒家的仁、义、礼、信，法家的权、术、势，墨家的"尚贤""尚同"，道家的"贵柔守雌"，阴阳家的"贵因"观甚至谶纬等诸家学说，而以"因阴阳之大顺，采儒墨之善，撮名法之要"为特点的黄老思想为全书立论的基础，具有鲜明的思想特色。正如有学者所指出的那样，"从哲学属性上来说，《三略》属于典型的黄老兵学体系"。

《三略》既然以黄老思想为主导，那么它的问世，必然是在黄老思想成为社会主导思潮的特定历史阶段。而在两汉时期，这种情况只出现于西汉初年和汉魏之际。西汉初年，汉文帝、汉景帝以及窦太后等最高统治者，均尊奉黄老之学，所谓"孝文帝本好刑名之言。及至孝景，不任儒者，而窦太后又好黄老之术"[1]。在统治者的提倡下，当时崇尚黄老之学的士人亦不在少数。文帝时有一位王生，其"善为黄老言，处士也"[2]。有长安卜者司马季主，"通《易经》，术黄帝、老子，博闻远见"[3]。景帝时有个黄生，也是位黄老学者。另外还有位田叔，也曾"学黄老术于乐巨公所"[4]。社会上对黄老之学的热衷与倾慕，势必要在学术领域中得到体现，故陆贾强调"道莫大于无为"[5]；贾谊认为"忧喜聚门兮，吉凶同域""合散消息兮，安有常则；千变万化兮，未始有极"[6]；司马谈盛赞黄老之学"与时

---

① 《史记》卷一百二十一《儒林列传》。
② 《史记》卷一百二《张释之冯唐列传》。
③ 《史记》卷一百二十七《日者列传》。
④ 《史记》卷一百四《田叔列传》。
⑤ 王利器：《新语校注》卷上《无为》，中华书局，1986年。
⑥ 《全上古三代秦汉三国六朝文·全汉文》卷十五《贾谊》。

迁移，应物变化，立俗施事，无所不宜，指约而易操，事少而功多"①。而在典籍方面，则出现了不少以黄老思想为主体内容的著述，如著名的《淮南子》。这种现象，一直到汉武帝采纳董仲舒建议，"罢黜百家，独尊儒术"之后，才基本得以改观。黄老之学渐渐退出历史舞台的中心位置，让位于儒学，转化为思想界的潜流。

不过，《黄石公三略》显然不可能产生于西汉初年，因为当时虽说是大乱之后，百废待兴，但毕竟不是"王泽竭"的"衰世"，与《三略》所称的"政不正则道不通，道不通则邪臣胜，邪臣胜则主威伤"②景况风马牛不相及。所以其成书于西汉初年的假设基本上可以排除。

而倘若以东汉末年的状况来观照《三略》成书，则诸多问题就可迎刃而解，成书年代能够基本确定。一是因为东汉末年完全符合"衰世"的时代特征，表现为皇权衰落，吏治腐败，政治黑暗，外戚与宦竖交替擅权，豪强横行，边患迭至，儒林异化，大一统政治格局面临严重危机，有识之士对政局深感绝望，愤然浩叹："嗟乎！不知来世圣人救此之道，将何用也？又不知天若穷此之数，欲何至邪？"③这样的世道，的的确确属于《三略》所指称的"衰世"。也与其书所述的"夫命失则令不行，令不行则政不正"的情况相一致。

二是因为东汉末年是黄老思想从儒学阴影中走出来，在思想界重新崛起的重要阶段。儒学自西汉中叶占据思想界统治地位后，经过漫长的凝固与僵化过程，至东汉后期，已沦落为近乎宗教神学的理论体系。它将大量的谶纬援引入自己的思想体系，使其在形式上与内容上都呈现荒诞怪异的特征，严重窒息了儒学继续发展的活力和生机，在经学形式上遭到了古文经学的挑战，而在思想体系方面，又遇上部分具有独立人格的思想家（王符、仲长统、崔寔等）的批判。这一切均表明儒学在东汉末年已开始衰落。而儒学的中衰，势

---

① 《史记》卷一百三十《太史公自序》。

② 《三略》卷下《下略》。

③ 《后汉书》卷四十九《王充王符仲长统列传》。

必导致其他思想流派，如黄老之学、法家学说，渐渐摆脱长期以来遭受的压抑，再度活跃于当时的思想领域。换言之，当时诸子百家之学（尤其是黄老之学）重新风靡于世乃是不争的事实。如著名学者蔡邕在《释诲》中津津乐道于淡泊之道："心恬澹于守高，意无为于持盈。粲乎煌煌，莫非华荣。明哲泊焉，不失所宁。"① 又如仲长统亦汲汲追慕出世的欢乐："安神闺房，思老氏之玄虚；呼吸精和，求至人之仿佛……消摇一世之上，睥睨天地之间。不受当时之责，永保性命之期。如是，则可以陵霄汉，出宇宙之外矣。岂羡夫入帝王之门哉！"②

正是在这样的社会思潮之下，《三略》的作者才会把思想旨趣归结于"尚柔""守微"，"莫不贪强，鲜能守微。若能守微，乃保其生"③。由此可见，《三略》主导思想之确立乃是东汉末年黄老之学再兴之产物，它只能成书于东汉末年。换言之，它是当时儒家一统格局遭到冲击，黄老之学等重新抬头的学术大趋势在兵学领域中的客观反映。

第二节　兼容博采：《三略》的思想特色

《黄石公三略》作为产生于东汉末年的一部重要兵书，自有其鲜明的思想特色，集中反映着当时社会思潮的总体面貌，在一定程度上体现出中国古代兵学演变递嬗的基本轨迹。这个思想特色，扼要地概括，就是其书的理论体系乃是以道家思想为基础，在此基础上兼蓄博采儒家、法家、墨家、阴阳家众家之说，使之有机浑然地结合在一起，从而形成独具特色的兵学体系。

---

① 《后汉书》卷六十下《蔡邕列传》。
② 《后汉书》卷四十九《王充王符仲长统列传》。
③ 《三略》卷上《上略》。

一、先秦至两汉的学术兼容综合趋势

要认识《黄石公三略》兵学体系兼容博采的鲜明特色，就必须穷本溯源，先从了解先秦至两汉学术思潮演变大势入手。道理很浅显，《黄石公三略》思想特色的形成，不是孤立的历史现象，而是整个社会思潮嬗变长期作用于兵学领域的自然结果，换言之，即社会思潮整合大势在兵学著作撰著上的必然反映。

考察历史，我们可以发现，在先秦诸子之中，存在着一种学术思想在对峙冲突中逐渐走向兼容互补的倾向。这一是表现为诸子各家对不同学派的抨击和攻讦；一是表现为诸子在自己的学说中，或多或少、或明或暗地汲取其他学派的某些思想，来丰富和完善自己的体系。前者体现了诸子间的对立和冲突，反映出其"异质"的一面。正是由于这种"异"的存在，诸子各家间就有了"交流"的必要性。后者则体现了诸子间的内在联系与贯通，反映出其"同质"的一面。恰恰是这种"同"的现实基础，又给学术思想的"交流"提供了可能性。前者是占据主导的，后者则是处于从属地位的。因此，这种学术思想的兼容，乃是对峙基本前提下的融汇。对峙，决定了各学派的特有的基本面貌；又由于兼容，各学派才能不断地丰富和发展自己。这一学术思潮嬗变的大趋势，决定了包括兵家在内的诸子学说有一个由"异"趋"同"的历史过程。

一般地说，在战国中期之前，诸子学术思想的对峙尤其显得突出。当时诸子对于吸收自己对立面的有用东西来丰富充实自身的认识还是相当模糊的，而往往以决绝的态度来对待其他学派，将排斥他说、攻击异端引为己任。孔子曾明确主张："攻乎异端，斯害也已。"① 这个"异端"，按杨伯峻先生理解，当为"不正确的议论"，② 也可引申为不同的学说。孔子所谓的"攻"者，实际上便是要"排斥"、反对不同观点的存在。孟子之排斥异端，众所周知：

---

① 《论语注疏》卷二《为政》。
② 杨伯峻：《论语译注·为政篇》，中华书局，2006 年，第 19 页。

"杨墨之道不息，孔子之道不著，是邪说诬民，充塞仁义也……我亦欲正人心，息邪说，距诐行，放淫辞。"① 墨家、法家、道家等学派同样致力于"攻乎异端"，如墨家曾假借晏婴之口极力贬斥儒家："博学不可使议世，劳思不可以补民，累寿不能尽其学，当年不能行其礼，积财不能赡其业……其道不可以期世，其学不可以导众。"② 在这种社会思潮大背景下，当时兵家对于吸收其他诸子思想内涵的认识，同样不能不受到严重的局限。这一点可以从春秋末年的《孙子兵法》上看得很清楚。譬如，《计篇》《谋攻篇》虽然也提出了"道者，令民与上同意""上下同欲者胜"等观点，但更多的却是从军事学本身的角度立论，并没有兵学政治伦理化现象的存在。

然而，随着时代的发展，思想交流的增强，先秦某些思想家开始考虑如何在保持自己思想主体性、肯定自己思想正确性这一前提下，借鉴和汲取其他学派的某些思想内容，来丰富和发展自己的学说。《荀子》《庄子》以及《吕氏春秋》等对此均有比较集中的反映。他们一方面继续尖锐抨击除自己学说之外的诸子百家，"天下之人各为其所欲焉以自为方。悲乎，百家往而不反，必不合矣"③。另一方面也或多或少地肯定不同学派具有某些合理内涵，如《荀子·解蔽篇》在批评诸家弊端的同时，也指出"此数具者，皆道之一隅也"；又如《庄子·天下》也认为百家"皆有所长，时有所用"。

与这种认识相适应，自战国中晚期起，学术思想也出现了重新整合与融汇的崭新气象。反映在各家学说上，在儒家，是出现了汲取法家之说而集儒学之大成的荀子；在法家，是出现了引入君主南面之术等道家要义，并充分汲取儒家"纲常名教"、墨家"尚同"思想，综合前期法家"法、术、势"三派之长的《韩非子》；在道家，是出现了立足于老子思想的主体性，同时兼容并取诸子百家之长的黄老学派；在兵家，是出现了体系完备，兵学政治伦理化倾向

---

① 《孟子注疏》卷六下《滕文公下》。
② 《墨子间诂》卷九《非儒下》。
③ 《庄子集释》卷十下《天下》。

突出，以综合贯通为显著特色的《六韬》。至于以《吕氏春秋》为代表的杂家学派的形成，更标志着诸子学说兼容合流历史趋势的强化。

进入两汉以后，这种思想学说的兼容趋势仍然没有中断，而是在新的历史条件下得到了进一步发展与深化。汉初黄老之学的情况姑且不论，就是经"罢黜百家，独尊儒术"之后，由统治者钦定的正统思想——董仲舒为代表的两汉新儒学，又何尝不是思想整合、学术兼容背景下的产物？考察董仲舒的新儒学理论，我们可以明显地看到，它是以儒学基本原则为基础，并在儒学中心思想指导下借鉴和融会其他学说的，即将道家的长处——"知秉要执本，清虚以自守，卑弱以自持"，阴阳家的长处——"敬顺昊天，历象日月星辰，敬授民时"，法家的长处——"信赏必罚，以辅礼制"，墨家的长处——"强本节用，则人给家足"统统地吸收了过来，将它们与儒家固有的政治思想和哲学观念相结合，建立起新的儒学形态。①这样，就使得董仲舒新儒学无论在理论框架的构建方面，还是在具体政治思想的设计方面，都呈现出宏大开阔、兼容并收的重要特色。可见，董仲舒所谓的"独尊儒术"，是汲取了众家之长基础上的"独尊"；而所谓的"罢黜百家"，也是百家之长被取走前提下的"罢黜"：学术兼融在新儒学形成过程中的表现不可忽略。

到了东汉末年，思想整合、学术兼容的文化现象更因儒学正统地位的动摇，诸子百家之学的复炽，而表现出十分强劲的势头。当时比较著名的思想家，如张衡、崔寔、王符、仲长统之辈，均是融儒、道、法诸家精华于一体的代表人物。他们既主张"变通"，强调法制，"今既不能纯法八代，故宜参以霸政，则宜重赏深罚以御之，明著法术以检之"②，鼓吹"以诛止杀，以刑御残"③；也提倡"礼

---

① 《汉书》卷三十《艺文志》；《史记》卷一百三十《太史公自序》。
② 《后汉书》卷五十二《崔骃列传》。
③ 王符著，汪继培笺，彭铎校正：《潜夫论笺校正》卷五《衰制》，中华书局，1985 年。

乐"，讴歌"德化"，"是以圣帝明王，皆敦德化而薄威刑"，以"和德气以化民心，正表仪以率群下""躬道德而敦慈爱，美教训而崇礼让"① 为安治天下的上乘境界；同时还迷恋于道家的雅致："数极自然变化，非是故相反驳。德政不能救世溷乱，赏罚岂足惩时清浊。"② 这一切正是思想整合、学术兼容在当时进入新的阶段的具体标志。

战国至两汉时期的学术兼容趋势，对于中国古代兵学的发展是有极其重大的影响的。其中最突出的影响之一，是以儒、墨、道、法为代表的自然观念和政治伦理哲学渗透和规范兵学的理论构建与价值取向，使当时的兵书不再单纯以军事而言军事，而往往将军事、政治、文化、经济融汇在一起，加以通盘阐述。换句话说，兵书已越出单纯军事的樊篱，趋于综合化和泛政治伦理化了。这一点在战国成书的兵学著作（如《尉缭子》《吴子》《六韬》）以及战国至两汉有关论兵之作（如《管子》《吕氏春秋》有关篇章，《淮南子·兵略训》）中均有显著的体现。而且越到后来，这种兵学综合化与泛政治伦理化的倾向也越明显。

《黄石公三略》作为东汉末年成书的兵学著作，其学术旨趣自然要真实反映整个社会文化思潮的大趋势。无论是溯源报本——承接战国末年与西汉初期的黄老兵学之绪，抑或是尚时验今——体现东汉后期的学术兼容、思想整合文化现象，它都不能不以学术融合、政治伦理占主导的面目出现，都不能不重重地在自己身上打上整个社会文化思潮的烙印。

二、《三略》博采众长的思想特征

《黄石公三略》属于典型的黄老兵学体系，要了解它的思想特征，自然应该从黄老之学的基本情况说起。

所谓"黄老之学"，是战国中晚期勃兴，西汉前期盛行的重要思

---

① 《潜夫论笺校正》卷八《德化》。

② 《后汉书》卷八十下《文苑列传》。

想流派。从本质上来讲，它仍然属于道家的范围，即立足于老子思想的主体性，继承先秦道家的"道"论思想，同时摒弃先秦道家的消极倾向，将消极的"无为"理论转换为积极的"无为"理论，兼容并取诸子百家之长，丰富和发展老子所创立的道家学说体系，从而形成了"兼儒墨，合名法""讲论道德，总统仁义"的新的道家理论。其主要特征是"以虚无为本，以因循为用"，汲汲追求"与时迁移，应物变化"的境界；而其宗旨则有明确的功利性，即"立俗施事，无所不宜，指约而易操，事少而功多"①。

　　这一特征，决定了黄老兵学体系必然善于汲取他家学派之长，来丰富和充实自己的理论内涵。这一点早在战国后期的黄老兵学之作中就有显著的体现。

　　这表现为，它们在战争观念方面，既对战争持很大的保留意见，有比较浓厚的"非战"倾向，"夫怒者，逆德也；兵者，凶器也；争者，人之所乱也。阴谋逆德，好用凶器，治人之乱，逆之至也"②；同时又认为战争由来已久，不可避免，在一定条件下可以运用战争的手段来达到一定的政治目的："教人以道，导之以德而不听，即临之以威武，临之不从，则制之以兵革"③；"夫作争者凶，不争［者］亦无成功"④。其提出了"人道先兵"的重要命题。表现在战争指导方面，它们主张修明政治，争取人和，以赢得广大民众对战争的拥护和支持："兵之胜也，顺之于道，合之于人"⑤；"举事以为人者，众助之；以自为者，众去之。众之所助，虽弱必强；众之所去，虽大必亡"⑥。提倡发展生产，增强实力，富国强兵，为夺取战争胜利创造充足的物质条件："人之本在地，地之本在宜，宜之

---

① 《史记》卷一百三十《太史公自序》。
② 王利器：《文子疏义》卷九《下德》，中华书局，2000年。
③ 《文子疏义》卷十一《上义》。
④ 马王堆汉墓帛书整理小组编：《马王堆汉墓帛书：经法·十大经·五政》，文物出版社，1976年，第55页。
⑤ 黄怀信：《鹖冠子校注》卷下《兵政》，中华书局，2014年。
⑥ 《文子疏义》卷十一《上义》。

生在时，时之用在民，民之用在力，力之用在节……赋敛有度则民富。民富则有耻，有耻则号令成俗而刑罚不犯，号令成俗而刑罚不犯则守固战胜之道也。"① 在作战指导原则方面，它们在继承和发挥《老子》柔弱胜刚强思想，推崇守雌节、后发制人战略战术方针的同时，主张重视"庙算"，以谋胜敌："庙战者帝，神化者王。庙战者，法天道；神化者，明四时。"② 由此可知，战国黄老兵学显然已开始大量汲取其他学派军事思想的众多长处，体现了多元综合的文化特征，从而使道家军事思想发展到一个新的阶段，同时也为包括《黄石公三略》在内的后世黄老兵学兼容博采众家之长，更好地实现理论体系上的多元综合，奠定了坚实的基础。

《黄石公三略》成书于东汉末年，因此，它在汲取众家学说之长，进行多元综合方面，无疑要较战国后期黄老兵学综合融贯他家学说的能力更为突出，技巧更为娴熟，结构更为完善，效果更为显著。师古而不泥古，源于以往的黄老兵学，又高于以往的黄老兵学。

《黄石公三略》对诸子之学的兼容博采，其一表现为对道家学说的充分汲取。《三略》既以黄老为归旨，自然要把汲取融会道家学说放在首位，作为构筑自己整个兵学体系的灵魂和思想纽带。所以，尽管全书中直接引用道家的语言并不很多，但是道家的精神却像一条红线贯穿于全部文字，像充沛气流笼罩在所有论述之上。简单地说，《三略》对道家学说的汲取，集中反映在两个方面：一是将《老子》的理论基础——"道""德"，置于最高层次，统辖一切；二是高明地阐说道家"柔弱胜刚强"原则，使之成为治国安邦、统军作战等诸多要务的根本出发点。

"道"在《老子》五千言中共出现过七十四次，它既是先天就有的客观实在，又是事物运动变化的基本动因和一般规律，与"德"一起，构成道家哲学思想的理论基础，因此，《老子》一书通常为人们称作《道德经》。《黄石公三略》采摘老子的"道说"，把它列于

---

① 《马王堆汉墓帛书：经法·君正》，第13页。
② 《文子疏义》卷八《自然》。

"道德仁义礼，五者一体"① 之首，连同老子的"德说"，与儒家"仁、义、礼"融为一体，作为全书论述实施治国御军战略的根本条件。这充分表明《三略》的作者是十分注重道家学说对自己兵学体系的精神领导地位的。

"柔弱胜刚强""贵柔守雌"是道家的根本策略与原则，是对待和处理万事万物的基本方法。《三略》汲取道家学说，自然会把它作为博采和运用的重中之重，奉之为圭臬，尊之为神明。因此，《上略》开头部分就明确提出"柔能制刚，弱能制强。柔者，德也；刚者，贼也。弱者人之所助，强者怨之所攻"，通过"刚柔"范畴的分析和阐述，申明"以柔克刚""以弱制强"的根本原则，为全书确立了"尚柔""守雌"的谋略起点，同时，这也和东汉统治者所推行的"以柔道理天下"的政治基调同步。

《三略》对道家学说的汲取，还表现在它对有关战争问题的论述。很显然，它对战争的看法同正统道家一样，持保留的态度，也认为战争是"凶器"，是不得已而用之："夫兵者，不祥之器，天道恶之，不得已而用之，是天道也。夫人之在道，若鱼之在水，得水而生，失水而死。故君子者常畏惧而不敢失道。"② 这一观点，显然是道家战争观的翻版，其文字内容直接取自《老子》第三十一章。

道家已经初步认识到一切事物都存在着对立统一的两个方面，彼此处于既相互依存（"长短相较，高下相倾"）又相互转化（"祸兮福之所倚，福兮祸之所伏"）的辩证关系中。道家这种朴素辩证思想，也为《黄石公三略》所借鉴和汲取。它按照事物对立统一的关系，提出了一系列重要的范畴，如"士与民""将与众""德与威""仁与法"以及"柔与刚""弱与强"等等，指出其均处于既相互依存又相互转化的对立统一之中。如在论述"士与民"两者关系时，《三略》认为贤士是国家的骨干，民众是国家的根本，二者相互依存而不可或缺。君主在治国御军的实践中，只有"得其干，收其本"，

---

① 《三略》卷下《下略》。
② 《三略》卷下《下略》。

才能取得"政行而无怨"① 的效果。又如，在对"将与众"两者关系的论述中，《三略》指出"夫统军持势者，将也；制胜破敌者，众也"②，强调将帅与士兵相互依存，在攻战取胜的对敌斗争中缺一不可。

　　然而，《黄石公三略》对道家学说的汲取并不是简单地沿袭，而是有丰富和发展的。关于"刚柔"范畴的阐说，就比较突出地体现了《三略》对道家朴素辩证思想的丰富。

　　在《老子》中，柔弱、虚静的一面占据着绝对主导的地位，刚强、动躁完全属于被否定的对象，即所谓"坚强者死之徒，柔弱者生之徒"③。这反映在作战指导上，就是无原则、无保留地推崇后发制人、以退为进，"舍后且先，死矣"④，"吾不敢为主而为客，不敢进寸而退尺"⑤。这样，就把"刚柔"关系凝固、消极化了，实际上陷入了形而上学的困境。

　　而《黄石公三略》有关"刚柔"范畴的论述则要辩证深刻得多。它充分肯定"柔弱"在这一范畴中的主导性，但同时并不完全抹煞"刚强"的辅助作用，认为"刚强""柔弱"相互依存，认为其在实施治国御军总战略中是不可或缺的，"柔有所设，刚有所施；弱有所用，强有所加"⑥。为此，《黄石公三略》强调，必须"兼此四者而制其宜"，认为只有做到"能柔能刚""能弱能强"，国家才能光明昌盛，否则，"纯柔纯弱，其国必削；纯刚纯强，其国必亡"⑦。显然这是合乎世间万物发展的辩证道理的。正因为《三略》能够较深刻地认识到对立的事物既相互排斥又相互依存这一矛盾的规律性，所以在一定程度上避免了《老子》认识上的片面性和形而

---

① 《三略》卷上《上略》。

② 《三略》卷上《上略》。

③ 《老子道德经注校释》下篇《七十六章》。

④ 《老子道德经注校释》下篇《六十七章》。

⑤ 《老子道德经注校释》下篇《六十九章》。

⑥ 《三略》卷上《上略》。

⑦ 《三略》卷上《上略》。

上学，这恰恰是《三略》兵学造诣的某些方面能够超越前人的重要
原因所在。

《黄石公三略》对诸子之学的兼容博采，其二表现为对儒家学说
的大量汲取。儒学自西汉中叶起成为整个社会的统治思想，东汉末
年，它虽然遭到一定的冲击，但是其正统的地位并未受到根本性的
动摇，依然在思想界占据主流位置。因此，当时成书的《黄石公三
略》汲取儒家基本理论，以构建其多元一体的兵学体系，乃是十分
正常的现象。

儒家学说的基本精神是讲究"仁义"，提倡"礼乐"，主张严格
等级名分，规范各种秩序，注重道德伦理教育和自我修身养性，重
视"民本"，强调争取民心的归附，要求节制剥削，提倡"德政"，
追求由"小康"臻于"大同"的理想社会，等等。这些观点，不乏
超越时空的合理内核，对整个封建社会统治秩序的确立与稳定曾产
生过极其深远的影响。在中国古典兵学理论建树方面，儒学的影响
同样非常显著，这表现为历代兵书普遍注意强调战争与政治的关系，
注意民心向背对战争胜负的决定性意义，强调以儒学精神来判断战
争的性质，把握战争的目的，认识战争的成败。自东汉刘秀起，更
出现了兵儒合流的趋势，即以儒学原则来规范用兵的宗旨，以兵家
术法来克敌制胜，实现儒家所描绘的政治蓝图。《黄石公三略》就是
在这样的背景下对儒家学说进行博采融会的。

《黄石公三略》对儒家学说的汲取集中体现为两个方面。一是在
思想上崇尚"仁义"和"礼乐"。它提倡施"仁义"之泽于万民，
从而稳定统治秩序，实现天下一统，"泽及于民，则贤人归之；泽及
昆虫，则圣人归之。贤人所归，则其国强；圣人所归，则六合
同"①；主张积极争取民心的归附，"贤人之政，降人以体；圣人之
政，降人以心"②；强调统治者当率先垂范，致力于弘扬"礼乐教
化"，"降体以礼，降心以乐"，"舍己而教人者逆，正己而化人者

---

① 《三略》卷下《下略》。
② 《三略》卷下《下略》。

顺。逆者乱之招，顺者治之要"①。并尖锐地指出背"仁义"，违
"礼乐"，纵欲自乐的严重后果："有德之君，以乐乐人；无德之君，
以乐乐身。乐人者，久而长；乐身者，不久而亡。"② 二是在政治上
主张"仁政"与"德治"。它提倡统治者体恤民众生计，"取于民有
制"，"下下者，务耕桑不夺其时，薄赋敛不匮其财，罕徭役不使其
劳"③，实施所谓的"仁政"；主张弘扬"德化"，在此基础上建立包
括君臣关系在内的合理统治秩序，"主不可以无德，无德则臣叛"
"臣不可以无德，无德则无以事君"④，并指出推行"德治"、实施
"仁政"的重要条件是修身律己，招揽贤人："良将之统军也，恕己
而治人"⑤，"夫为国之道，恃贤与民"⑥，"治国安家，得人也；亡
国破家，失人也"⑦。

　　由此可见，《黄石公三略》对儒家学说的汲取，乃是广泛而深入
的，正是借助于儒家学说的要义，《三略》确立了自己治天下的一般
原则。应该说，《三略》汲取儒家学说以丰富自身，是当时兵儒合流
趋势在兵书撰著方面的客观反映，也是中国古典兵学不断走向成熟
的一个重要标志。

　　《黄石公三略》对诸子之学的兼容博采，其三表现为对法家学说
的广泛汲取。法家的要义是"尊主卑臣"，提倡"不别亲疏，不殊
贵贱，一断于法"⑧，"信赏必罚，以辅礼制"⑨，主张"循名而责
实"，强调加强君主专制，以严刑峻法治民，厉行赏罚，奖励耕战，
巩固封建土地所有制，建立统一的集权国家，以农致富，以战求强，
以法为教，以吏为师。这一切，都说明法家学说的本质属性为具体

---

① 《三略》卷下《下略》。
② 《三略》卷下《下略》。
③ 《三略》卷上《上略》。
④ 《三略》卷中《中略》。
⑤ 《三略》卷上《上略》。
⑥ 《三略》卷上《上略》。
⑦ 《三略》卷上《上略》。
⑧ 《史记》卷一百三十《太史公自序》。
⑨ 《汉书》卷三十《艺文志》。

的可供操作的政治实践思想，在现实生活中，它比"迂远而阔于事情"的儒学显得更为实用。兵家与法家同出一源，兵学也是典型的实用之学，它要积极发挥自己适应统治阶级需要的现实功能，自然完全有必要融合、汲取法家学说的某些内容。

两汉时期，法家学说从表面上看似乎已不再是思想界的主角，然而政治上所面临的许多实际性问题，是单纯提倡"仁义德化"的儒家学说无法解决的，仍需要运用法家的理论和权术去应付、处置。于是在表象的背后，法家学说这只无形的巨手，自始至终无处不在，发挥着不可替代的作用，这就是所谓的"外儒内法"或"儒表法里"。汉宣帝所说的"汉家自有制度，本以霸王道杂之"，一针见血地点破了这个玄机。《黄石公三略》作为实用型的兵学著作，对实用型的法家之说自然青睐有加，即在以道家学说构架主干，以儒家学说展现形象之同时，也要以法家那些具有很强操作性的理论应对治国御军中种种具体问题，从而在复杂的实际军事活动中左右逢源、游刃有余。

《黄石公三略》对法家学说的汲取，最突出的表现也是在两个方面：一是贯彻法家"以法治国、治军"的原则；二是申明法家"信赏必罚"的思想。就"以法治国、治军"原则而说，《三略》主张申明法纪，强化政令、军令的不可侵犯性："夫命失则令不行，令不行则政不正，政不正则道不通，道不通则邪臣胜，邪臣胜则主威伤"[①]；"一令逆则百令失，一恶施则百恶结。故善施于顺民，恶加于凶民，则令行而无怨"[②]。强调"令行禁止"在治国与治军中的极端重要意义："将之所以为威者，号令也；战之所以全胜者，军政也；士之所以轻战者，用命也"[③]；"兵老则将威不行，将无威则士卒轻刑，士卒轻刑则军失伍，军失伍则士卒逃亡，士卒逃亡则敌乘

---

① 《三略》卷下《下略》。
② 《三略》卷下《下略》。
③ 《三略》卷上《上略》。

利，敌乘利则军必丧"①。就"信赏必罚"原则而言，《三略》高度重视其在治军中的必要性："军以赏为表，以罚为里。赏罚明，则将威行；官人得，则士卒服；所任贤，则敌国震"②；"霸者，制士以权，结士以信，使士以赏。信衰则士疏，赏亏则士不用命"③。为此，《三略》一再强调必须在治军中坚定不移地贯彻"信赏必罚"原则，从而夺取战争的胜利："故将无还令，赏罚必信。如天如地，乃可御人。士卒用命，乃可越境。"④ 由此可见，《三略》通过对法家学说"以法治国""信赏必罚"等原则的借鉴和汲取，使自己的治军理论建立在坚实的基础之上，从而从容应对治国御军的实际问题。

除主要汲取道、儒、法诸家学说之长外，《黄石公三略》对阴阳家、纵横家、墨家等学派的思想也有一定程度的借鉴和吸纳。例如"天地神明，与物推移，变动无常"⑤ 之语，很显然是从注重"春生夏长，秋收冬藏，此天道之大经"，致力于揭示"四时之大顺"的一般规律的阴阳家思想武库中寻找而来的，《三略》作者以此确立起自己的"贵因""顺变"谋略原则。

当然，作为一部在东汉末年成书的兵学典籍，《黄石公三略》更广泛地汲取、继承了前代兵家的许多重要成果。众多兵学名著诸如《孙子兵法》《吴子》《尉缭子》《六韬》的思想内涵乃至文字章句，都被它有选择地加以采纳或移用，使之成为其兵学体系中的有机组成部分。例如，《三略》的"通志于众"思想，"夫主将之法，务揽英雄之心，赏禄有功，通志于众。故与众同好靡不成，与众同恶靡不倾"⑥，就是对兵圣孙子的"令民与上同意""上下同欲者，胜"思想的一脉相承。其所称的"用兵之要，必先察敌情。视其仓库，

---

① 《三略》卷上《上略》。
② 《三略》卷上《上略》。
③ 《三略》卷中《中略》。
④ 《三略》卷上《上略》。
⑤ 《三略》卷上《上略》。
⑥ 《三略》卷上《上略》。

度其粮食，卜其强弱，察其天地，伺其空隙"① 观点，乃是对孙子关于用兵要"校之以计而索其情，曰：主孰有道？将孰有能？天地孰得？法令孰行？兵众孰强？士卒孰练？赏罚孰明？"② 思想，以及《吴子·料敌》有关"用兵必须审敌虚实而趋其危"识见的直接继承和发展。《中略》中"出军行师，将在自专；进退内御，则功难成"等关于将帅应拥有战场机断指挥权的论述则直接脱胎于孙子的"将在外君命有所不受"和《六韬·龙韬·立将》"军中之事，不闻君命，皆由将出，临敌决战，无有二心"等基本观点。《上略》所论述的将帅与广大士卒同甘共苦思想，如"军井未达，将不言渴；军幕未办，将不言倦；军灶未炊，将不言饥。冬不服裘，夏不操扇，雨不张盖"云云，从内容到文字悉源自《尉缭子·战威篇》和《六韬·龙韬·励军》。至于《上略》中"与之安，与之危，故其众可合而不可离，可用而不可疲"等文字，也系直接录自《吴子·治兵》。类似的例子，实不胜枚举，这里也就不再费笔墨悉加引述。总之，前代兵书的丰富军事思想内涵，乃是构成《黄石公三略》兵学思想体系的重要来源。

综上所述，《黄石公三略》是博采兼容各家之长的产物，各家之说相辅相成，浑然一体，共同构成了《三略》的思想体系。更确切地说，在继承前代兵家理论的基础上，以道家谋略取天下，以儒家思想安天下，以法家原则理将卒，以阴阳家观点识形势，便是《三略》的全部内容。而统摄全书的，则是道家最高哲学范畴——"道"。当然，《三略》的博采并非单纯地因袭移植，而是融众家之长于一体的再创造和发展，依据事物发展变化的规律，适应时代的变迁，从而更好地为当时的政治和军事斗争服务。正如《黄石公三略》所自述的那样，"端末未见，人莫能知。天地神明，与物推移，变动无常。因敌转化，不为事先，动而辄随"③。

---

① 《三略》卷上《上略》。
② 《孙子兵法新注·计篇》。
③ 《三略》卷上《上略》。

第三节　安治天下：《三略》的时代精神

　　从每一部兵书的身上，都可以看到它特有的时代属性，也即反映着一定的时代文化精神，《黄石公三略》所体现的就是显著的封建大一统兵学的特点。

　　《司马法》一书是西周"礼乐文明"在军事领域的集中体现，是"军礼"文化的主要载体，因此，它在战争问题上的核心观念是"制礼乐法度，乃作五刑，兴甲兵以讨不义"，主张"以礼为固，以仁为胜"，与之相适应的就是在作战上提出带有鲜明"军礼"特色的基本原则，如"成列而鼓""逐奔不过百步，纵绥不过三舍""不穷不能而哀怜伤病""又能舍服"①，从而使其书成为早期战争观念及其特征的历史缩影。《孙子兵法》是春秋晚期诸侯争霸战争的产物，也是直接为诸侯争霸事业服务的，因而孙子在战争问题上宣称的是"掠乡分众，廓地分利，悬权而动"，即所谓的"伐大国"，立足于"安国全军"的根本立场。在作战原则上，也与"动之以仁义，行之以礼让"的"军礼"传统截然不同，主张"兵者，诡道"，"兵以诈立，以利动，以分合为变"，体现出"出奇设伏，变诈之兵并作"的鲜明时代特色。《孙膑兵法》是战国中期列国兼并战争的产物，也是为激烈的列国兼并战争服务的，因而孙膑所强调的是"战胜而强立"，认为"战胜，则所以（在）［存］亡国而继绝世也；战不胜，则所以削地而危社稷也"，对战争观中那些"欲责仁义，式礼乐，垂衣常，以禁争挩"②的迂腐论调给予了坚决的驳斥。成书于战国晚期的《六韬》，则是当时天下统一大趋势在兵学领域的反

―――――――――――

① 《司马法》卷上《仁本》。
② 银雀山汉墓竹简整理小组编：《银雀山汉墓竹简》第一册，文物出版社，1985年，第48页。

映，是直接为统一战争服务的，因而它的立论中心，是如何运用政
治、军事的手段来达到"得天下"的目标，"大明发而万物皆照，
大义发而万物皆利，大兵发而万物皆服"①。

　　秦汉时期是中国历史上大一统封建帝国的确立时期，大一统的
封建帝国需要为大一统服务的兵学。《黄石公三略》正是这种时代需
求的必然产物。东汉后期，大一统的封建帝国建立已有数百年的历
史，在治国御军上已取得了比较丰富的经验，如何认真总结这些经
验，使之上升为兵学领域精致的理性认识，是时代提出的一个重大
课题。同时，东汉末年大一统政治格局在各种因素的影响下，也面
临着潜在的危机，如何克服危机，摆脱被动，继续有力地维系天下
大一统，是时代对兵学提出的又一个严肃课题。这一历史重任恰好
落在了《黄石公三略》的身上，使得它所关注的问题，既是总结
"取天下"的经验，更是探讨"安天下""治天下"的基本原则。这
一时代文化精神在《三略》自我表述的理论宗旨，诸如"设礼赏，
别奸雄，著成败""差德行，审权变""陈道德，察安危，明贼贤之
咎"之中就有突出的反映。

　　正因为《黄石公三略》以安治天下为基本宗旨和立论的出发点，
所以全书上下贯穿着维护大一统、巩固大一统的一根红线，响彻着
"陈道德，察安危"的主旋律。例如，在战争目的上，它所强调的是
维护统一的"诛暴讨乱"："夫以义诛不义，若决江河而溉爝火，临
不测而挤欲堕，其克必矣"②；在价值取向上，它所强调的是巩固统
一的"释远谋近"："释近谋远者，劳而无功；释远谋近者，佚而有
终"③；在君主处理与将帅的关系上，它所强调的是"夺其威，废其
权"："夫高鸟死，良弓藏；敌国灭，谋臣亡。亡者，非丧其身也，
谓夺其威，废其权也。封之于朝，极人臣之位，以显其功；中州善

①　《六韬》卷二《武韬·发启》。

②　《三略》卷下《下略》。

③　《三略》卷下《下略》。

国，以富其家，美色珍玩，以说其心"①；在对待"战胜"与"国安"的关系上，它既重视如何争取"胜可全"，更重视如何实现"天下宁"："明盛衰之源，审治国之纪"②，"治民使平，致平以清，则民得其所而天下宁"③。凡此等等，都充分说明《黄石公三略》是一部适应大一统的封建帝国的需要，尤其是满足东汉末年封建统治特殊要求而出现的兵学名著，追求一统、安治天下是全书的时代精神之所在。

更具体地进行分析，我们可以进一步发现，《黄石公三略》安治天下的大一统时代文化精神，集中体现在以下两个方面：

第一，《黄石公三略》的显著特点是偏重阐述政略，这同《孙子兵法》等先秦兵书偏重阐述兵略存在着很大的差异，而这恰恰是大一统时代精神指导规范兵学建设的客观反映和必有之义。

在中国古代，"略"字的基本含义就是"韬略""谋略"，它虽然不同于现代意义上的"战略"概念，但也有一致之处。《黄石公三略》的书名本身已表明，它是一部专门论述韬略即古代战略问题的兵书。全书上、中、下三略，都是紧紧围绕"治国御军"这个国家总体战略问题而展开阐述的。在东汉以前，像《三略》这样从书名到内容都紧扣战略问题而展开论述的兵学专著还不曾出现过。《孙子兵法》虽然是举世公认的我国古代最伟大的战略学著作，西汉成帝时步兵校尉任宏奉诏"校兵书"，也把它归入"兵权谋"类，但它并不是纯讲战略问题的兵书，而是还具有"兵形势""兵阴阳"诸多特点，所以又是一部战役战术学著作。据此可以断言，《黄石公三略》是中国古代第一部以专讲战略为特色的兵学理论著作。

从《黄石公三略》全书所论内容还可以看出，它是一部兵书，更是一部政论书，其中关于政治战略的阐述，要远远多于对军事战略的阐述。无论是"设礼赏，别奸雄""差德行，审权变"，还是

---

① 《三略》卷中《中略》。
② 《三略》卷中《中略》。
③ 《三略》卷下《下略》。

"陈道德，察安危，明贼贤之咎"①，其实均是从大战略的视角对有关军事问题进行系统的阐说。

《黄石公三略》所论的政治战略，是以安治天下为根本，以治国御军为内容，以收揽人心为手段的国家大战略。它认为民心的向背直接关系到国家的治乱兴衰，主张正确处理国家、贤士和民众的关系，"英雄者，国之干；庶民者，国之本。得其干，收其本，则政行而无怨"②，指出民众是决定战争胜负的关键因素，"夫统军持势者，将也；制胜破敌者，众也"，"以弱胜强者，民也"，"谋及负薪，功乃可述"③。正因为它充分认识到民心的重要和民众在战争中的巨大作用，所以注重争取民心的工作，指出："兴师之国，务先隆恩；攻取之国，务先养民。"强调富国必先富民，认为"四民用虚，国乃无储。四民用足，国乃安乐"④。主张统治者关心民生，节制剥削，"务耕桑不夺其时，薄赋敛不匮其财，罕徭役不使其劳"⑤。认为只有通过这些施恩养民、发展生产、轻徭薄赋的措施，方可以使国富而家乐，政通而人和。

《黄石公三略》重视争取民心的思想运用于军队建设上，就是注重做收揽士卒之心的工作。它强调为将者要具有"必与士卒同滋味，共安危"的思想品格，发挥"以身作则"的表率作用，从而争取广大士卒的信任和拥护。认为这是确保对敌作战取胜的基本条件："故良将之养士，不易于身，故能使三军如一心，则其胜可全。"⑥它还提出了"士众欲一"的命题，认为"士众一，则军心结"。意谓士卒的思想统一了，军队就能团结一致共同对敌。为此，它主张"蓄恩不倦，以一取万"⑦。显而易见，《三略》这些观点，较之孙子的

---

① 《三略》卷中《中略》。
② 《三略》卷上《上略》。
③ 《三略》卷上《上略》。
④ 《三略》卷下《下略》。
⑤ 《三略》卷上《上略》。
⑥ 《三略》卷上《上略》。
⑦ 《三略》卷上《上略》。

"能愚士卒之耳目，使之无知"，对待士卒"若驱群羊，驱而往，驱而来"① 的愚兵思想，是个重大的进步。其间的区别，就在于《三略》是从政治着眼，注重争取民心，鼓舞士气；而《孙子》乃是单纯从军事角度看问题，要求士卒绝对服从，听从使唤。

《黄石公三略》将阐述重点放在政略问题上，正是汉代时代精神的客观反映，是大一统时期政治现实的必然要求。所谓"天下安，注意相；天下危，注意将"，大一统帝国建立后，天下基本趋于太平，战争一般情况下不再成为社会生活的主旋律。当整个社会由崇尚武功转向追求文治，由迷信暴力改为粉饰礼乐的时候，人们自然要高度重视政略，而相对忽视兵略了。这种社会价值取向也同样势必反映到当时的兵学理论建设之中。换言之，从逐鹿中原到统御天下，是国家政治生活中一个根本性的转折，论政略重于论兵略，乃是理有固宜，势所必然。这就是所谓"逆取顺守""文武并用"："居马上得之，宁可以马上治之乎？且汤武逆取而以顺守之，文武并用，长久之术也。"②《黄石公三略》作为体现大一统时代精神的兵书，自然要以论述政治战略为主，而以论述军事战略为辅了。

第二，《黄石公三略》的又一个显著特点是花费大量笔墨在论述君主与将帅、君主与群臣的关系问题上，提出了君主如何御将统众的一系列重要原则。这同样是大一统时代文化精神指导规范当时兵学理论建设的具体表现之一。

《黄石公三略》以很大的篇幅阐述君主统御将帅、控驭群臣的一般道理和方法。它主张君臣之间要建立合理的关系，君主信任臣下，群臣服从君主，做到彼此相安："君无疑于臣，臣无疑于主，国定主安，臣以义退，亦能美而无害。"③ "主不可以无德，无德则臣叛；不可以无威，无威则失权。臣不可以无德，无德则无以事君；不可以无威，无威则国弱，威多则身蹶。"④ 强调指出君臣都不能站错自

---

① 《孙子兵法新注·九地篇》。

② 《史记》卷九十七《郦生陆贾列传》。

③ 《三略》卷中《中略》。

④ 《三略》卷中《中略》。

己的位置，在君臣关系中，君主是绝对主导的，臣下则处于从属依附的地位，一旦混淆了这种关系，就会带来极其严重的恶果："豪杰秉职，国威乃弱；杀生在豪杰，国势乃竭；豪杰低首，国乃可久；杀生在君，国乃可安"①；"大臣疑主，众奸集聚。臣当君尊，上下乃昏；君当臣处，上下失序"②。

那么如何避免出现"国威乃弱""国势乃竭"的局面呢？《三略》作者认为，关键在于君主能善于用权术驾驭将帅群臣，做到"夺其威，废其权"："故非计策无以决嫌定疑，非谲奇无以破奸息寇，非阴谋无以成功。"③ 同时远佞人，亲贤人："伤贤者，殃及三世；蔽贤者，身受其害；嫉贤者，其名不全；进贤者，福流子孙。故君子急于进贤而美名彰焉"④；"善善不进，恶恶不退，贤者隐蔽，不肖在位，国受其害"⑤。为此，《三略》作者大声呼吁，无论是处于九五之尊的君主，还是供君主驱使奔走的臣下，都应该认真读读自己的著作，因为《三略》一书已给他们指明了正确处理君臣关系的途径，只要遵循着去做，就可以各安其位，皆大欢喜："（人主）深晓《中略》，则能御将统众"，"人臣深晓《中略》，则能全功保身"⑥。

《黄石公三略》着重论述君将、君臣关系，热衷于探讨御将统众之道，把"明赋贤之咎"定作全书的基调，也是大一统时代精神在当时兵学领域所打下的深重烙印。对于富有天下、贵为天子的君主来说，为了集中一切权力于自己之手，防止他人觊觎大宝，稳固千秋万代的一姓江山，如何处置"家奴"性质的将帅群臣，使之既能够不遗余力地为自己效力拼搏，又不至于尾大不掉，对自己的专制统治构成任何威胁，也就成了一个无可回避的重要问题。

---

① 《三略》卷下《下略》。
② 《三略》卷下《下略》。
③ 《三略》卷中《中略》。
④ 《三略》卷下《下略》。
⑤ 《三略》卷上《上略》。
⑥ 《三略》卷中《中略》。

在大一统的封建统治秩序下，君将、君臣之间的关系之实质是十分现实的利害关系。无论是君主，还是臣子，其实都信奉"性恶论"的原则。他们虽然口头上也提倡"仁义道德"，但复杂残酷的政治现实使他们的头脑变得异常清醒。他们知道，人世间并不存在真正的仁义忠爱，一切都是利害关系，君臣关系尤其如此，即所谓"臣尽死力以与君市，君垂爵禄以与臣市"①。彼此都是互相利用，彼此都是以自己为本位，以期在利益分配或调整中攫取最大的好处，缘此，就有了无数的倾轧与争斗。然而，倾轧与争斗往往会付出极大的代价，甚至造成两败俱伤、玉石俱焚的后果，给正常的封建统治秩序带来毁灭性的冲击。为了防止这种灾难性情况的出现，维系相对合理的大一统政治格局，就有必要较妥善地处理好君臣（尤其是君将）的关系，将冲突与矛盾控制在一定的范围之内。于是当时的政治家、思想家，都倾注极大的热情去关注这个最棘手，同时也是最现实最急迫的问题，一方面从政治实践操作的层面加以驾驭运作，另一方面从理论总结的层面加以探索尝试。这类理论总结不仅在一般政治理论著作中全面展开，而且也在当时兵学研究中一一体现。在这样的历史背景下，兵学著作中有关用兵作战的内容自然急剧减少，而有关治军御将的成分则相应大量增多，从而辅助君主完全实现军权的高度集中，为维系大一统打下基础。《三略》所反映的正是这么一种时代本质。

第四节　指陈成败：《三略》的兵学内涵

《黄石公三略》一书内容十分丰富，思想殊为深刻，全面论述了统军驭将、治国安邦的政治谋略。其中《上略》通过对"设礼赏，别奸雄，著成败"的深入分析，论述了以"柔能制刚，弱能制强"

---

① 《韩非子集解》卷十五《难一》。

为理论指导，以收揽人心为中心内容，以"任贤擒敌"为根本宗旨的经国治军战略思想及其实现方法。其重点是对克敌制胜的一般规律进行探讨，对将帅的素质能力提出要求，对妥善处理将帅与士卒的关系提出应遵循的原则和方法。《中略》通过"差德性，审权变"，论述了君主驭将用人的权谋策略，其重点是妥善地处理国君和将帅的关系。《下略》的主要内容是"陈道德，察安危，明贼贤之咎"，进一步论述了君主在治国御军过程中所应该注意掌握的基本原则，其重点是从安治天下的最高层次讨论如何妥善处理国君与文武大臣的关系。以下仅就其书所蕴含的丰富军事思想，加以综合概括介绍。

一、《三略》的战争观念与战争指导

《三略》直接论述战争问题的文字并不很多，但仍很重要。对有关战争观念的内容，诸如人们对待战争的态度，对战争目的和性质的分析，战争与政治、经济的关系，战争与民众的关系，战争与天时、地利的关系，战争的主观指导问题，《三略》均作出了自己简明扼要但又不失深刻的分析判断，从而形成了比较系统的战争观念。

《三略》通过对社会、战争的历史与现实的深入观察和理性思考，一方面既承认战争是"天道恶之"的"不祥之器"，具有很强的破坏性，往往给社会政治秩序与民众生活带来巨大的灾难，因此主张不要随意发动战争："王者，制人以道，降心服志，设矩备衰，四海会同，王职不废，虽有甲兵之备，而无斗战之患。"① 这样就和战争万能论、暴力至上观划清了界限。另一方面，《三略》又认识到战争是人类社会的客观存在，绝不会因为人们的厌恶而自行消灭，所以必须正视现实，在迫不得已的情况下，人们必须运用战争这个最后手段，去达到一定的政治目的，即法"天道"而兴"义兵"，"以诛暴讨乱"，"扶天下之危"，"除天下之忧"，这样，它就和德化至上论划清了界限。《三略》进而认为，这种"以义诛不义"的正

---

① 《三略》卷中《中略》。

义战争，是合乎"天道"，合乎"人伦"的，是高尚的举动，因此必定所向披靡，战无不胜："夫以义诛不义，若决江河而溉爝火，临不测而挤欲堕，其克必矣。"①

《三略》指出，一旦要兴兵作战，就必须做好充分的准备。这首先是要以民心向背来决定自己的行动。《三略》认为民众在战争中起着巨大的作用，人心向背是决定战争胜负的关键性因素："与众同好靡不成，与众同恶靡不倾。治国安家，得人也；亡国破家，失人也"②，"夫为国之道，恃贤与民。信贤如腹心，使民如四肢，则策无遗。所适如（支）[肢]体相随，骨节相救，天道自然，其巧无间"③。基于这样的认识，《三略》指出一定要修明政治，整肃吏治，争取民心，举贤用能，祛邪扶正，广施恩惠，为治国安邦、御军统众、克敌制胜创造坚实的政治前提："贤人之政，降人以体；圣人之政，降人以心。体降可以图始，心降可以保终。降体以礼，降心以乐。所谓乐者，非金石丝竹也，谓人乐其家，谓人乐其族，谓人乐其业，谓人乐其都邑，谓人乐其政令，谓人乐其道德。如此君人者，乃作乐以节之，使不失其和"④；"夫用兵之要，在崇礼而重禄。礼崇则智士至，禄重则义士轻死。故禄贤不爱财，赏功不逾时，则下力并而敌国削。夫用人之道，尊以爵，赡以财，则士自来；接以礼，励以义，则士死之"⑤。而要取得这样的政治优势，《三略》认为，关键是必须把道、德、仁、义、礼融会贯通为一个和谐统一的体系，将其作为最高的原则用于规范和指导一切社会活动："道、德、仁、义、礼，五者一体也。道者，人之所蹈；德者，人之所得；仁者，人之所亲；义者，人之所宜；礼者，人之所体。不可无一焉。故夙兴夜寐，礼之制也；讨贼报仇，义之决也；恻隐之心，仁之发也；

---

① 《三略》卷下《下略》。
② 《三略》卷上《上略》。
③ 《三略》卷上《上略》。
④ 《三略》卷下《下略》。
⑤ 《三略》卷上《上略》。

得己得人，德之路也；使人均平，不失其所，道之化也。"①

其次，是要以雄厚的经济实力为后盾，同时依据敌方的基本情况来判断战争态势有利与否，在此基础上确定自己行动的时机和方式。

战争既是敌对双方谋略的角逐、人心的争取，同时也是实力的较量。《三略》在这个问题上的认识也没有例外。它认为，只有富民才能富国，只有国富才能赢得战争的胜利，确保国家的安宁："四民用（灵）[虚]，国乃无储；四民用足，国乃安乐。"② 因此，它告诫统治者一定要实行"务耕桑不夺其时，薄赋敛不匮其财，罕徭役不使其劳"③ 的恤民、富民政策，造就"国富而家娱"的理想局面，在具备雄厚经济实力的基础上展开军事行动，争取和巩固国家的统一。

《三略》进而指出，是否采取军事行动，不能单纯考虑己方的已有有利条件，还必须顾及敌对一方的基本状况，这也是《孙子》所说的"知彼知己"，"用兵之要，必先察敌情。视其仓库，度其粮食，卜其强弱，察其天地，伺其空隙"④，切不可盲目兴师，在敌情尚不清楚的情况下打糊涂仗。那么该怎样观察、分析和判断敌人真正的强弱虚实情况呢？《三略》也提出了自己高明的方法："故国无军旅之难而运粮者，虚也；民菜色者，穷也。千里馈粮，民有饥色，樵苏后爨，师不宿饱。夫运粮百里，无一年之食；二百里，无二年之食；三百里，无三年之食，是国虚。国虚则民贫，民贫则上下不亲。"⑤ 只有在这样的情况下，兴师出兵才有较大的把握，方可顺利达到一定的战略目标，"敌攻其外，民盗其内，是谓必溃"⑥。

值得注意的是，《黄石公三略》十分注重正确处理战争中各种因

---

① 《三略》卷下《下略》。
② 《三略》卷下《下略》。
③ 《三略》卷上《上略》。
④ 《三略》卷上《上略》。
⑤ 《三略》卷上《上略》。
⑥ 《三略》卷上《上略》。

素之间的内在辩证关系。它认为，社会在向前发展，事物在不断变化，在军事斗争领域，情况也没有例外。战争的形势瞬息万变，所以要"因敌转化，不为事先，动而辄随"①，即战争指导者必须根据敌情的变化而制定相应的战略战术，灵活机动，因敌变化，乘隙捣虚，进退裕如，把握时机，掌握主动，如此则全盘皆活，"其胜可全"。从把握事物对立统一的辩证关系入手，阐述战争指导的一般原则，这的确是《黄石公三略》兵学造诣上的独到之处。

在国防问题上，《黄石公三略》明确提出了"释远而谋近"的安全战略指导原则。它所谓的"释远"，就是指放弃劳民伤财，以扩张领土为目的的对外征伐战争；所谓的"谋近"，就是指图治本国，内修政理，广施恩德，安守本土，知足戒贪。这实际上就是立足于防御的安全战略。它将"释远谋近"与"释近谋远"加以比较分析后，正确指出这两种对立的军事战略原则所导致的结果是截然有别的："释近谋远者，劳而无功；释远谋近者，佚而有终"，"务广地者荒，务广德者强。能有其有者安，贪人之有者残。残灭之政，累世受患；造作过制，虽成必败"②。这一观点曾在后世以防御为特色的军事战略文化传统形成过程中产生过深远的影响，对于今人也仍不乏重要的借鉴意义。

关于兵要地理问题，《黄石公三略》也有所论及。它将战略要地区分概括为三种类型："固"——坚固城池、堡垒林立的兵家必争之地；"厄"——关口险隘，"一夫当关，万夫莫开"的战略要地；"难"——易守难攻之地。同时针对这三种战略要地的不同特点，又分别提出了三种处置对策："守"——派兵坚守，"塞"——加以阻塞，"屯"——驻兵长期屯守。以此牢牢确保对战略要地的严密控制。

综上所述，可见《黄石公三略》的战争观理论和战争指导思想均是十分丰富精彩的。其军事学术价值并不因全书将论述的重心置

---

① 《三略》卷上《上略》。

② 《三略》卷下《下略》。

于政略问题而淡化、减弱，对此，我们应有清醒的理解。

二、《三略》的治军用将思想

中国古代治军的思想十分丰富，治军的实践非常精彩，它们是我国传统军事文化宝库中弥足珍贵的遗产，而《黄石公三略》中的治军理论，正是这份珍贵遗产的重要组成部分。

治军用将思想是《黄石公三略》兵学体系中的主体构成，内容十分丰富，既有广度，又有深度，体现了两汉兵学的突出成就。归纳起来而言，其主要内涵有以下三个方面：

第一，在军队管理上，主张恩威并重，赏罚必信。这是《黄石公三略》治军理论的基调。一方面它强调将帅要关心爱护部属，时时施恩于广大士卒："与之安，与之危，故其众可合而不可离，可用而不可疲，以其恩素蓄，谋素和也。故曰：蓄恩不倦，以一取万。"① 认为只有如此，才能以一将之力而争取到千万士卒的衷心拥戴，殊死效命。另一方面又要求严明法令，赏罚必信，毫不含糊地树立将帅的权威："将之所以为威者，号令也；战之所以全胜者，军政也；士之所以轻战者，用命也"②，"军以赏为表，以罚为里。赏罚明，则将威行；官人得，则士卒服"③，指出只有真正做到"将无还令，赏罚必信"，才能达到"如天如地，乃可御人"的目的，使得一支军队具有无比强大的战斗力："故其众可望而不可当，可下而不可胜，以身先人，故其兵为天下雄。"④

《三略》在治军上既讲"蓄恩不倦"，又讲"将无还令"，实际上就是主张恩威并施、文武兼用，将以法治军与以情治军有机地结合起来。然而统观全书，《三略》似更侧重于提倡以情治军，认为通过"推惠施恩"，可以收到更好的效果，达到"士力日新，战如风

---

① 《三略》卷上《上略》。
② 《三略》卷上《上略》。
③ 《三略》卷上《上略》。
④ 《三略》卷上《上略》。

发，攻如河决"的目的。所谓"兴师之国，务先隆恩……以寡胜众者，恩也……故良将之养士，不易于身。故能使三军如一心，则其胜可全"①。将"胜可全"的最终原因归结于"隆恩"，可见，《三略》在恩威并用问题上是以"隆恩"为主导的，在这一点上它与《尉缭子》等兵书的看法是有差异的，不能不说是它在治军理论阐发上的独到之处。

第二，在将帅素质培养上，主张为将者必须具备高尚的思想品格和优秀的军事才能。《三略》充分认识到"将能制胜，则国家安定"的重要性，因而它对为将者的基本素质提出了极高的要求。《三略》认为，身为将帅，不仅必须具有"与士卒同滋味共安危"的思想品德，起到"以身先人"的表率模范作用，而且还必须具备广博的文化知识和善于统军作战的军事才能。为此，它提出将帅要具备"十二能"，避免"八患""三失"，时刻注意"四诫"。

所谓"十二能"，是指将能清（清正廉明），能静（沉着镇静），能平（公平无私），能整（治军严整），能受谏（接受部下规劝），能听讼（明断是非曲直），能纳人（接纳各类人才），能采言（博采各种意见），能知国俗（了解各国风俗），能图山川（掌握山川形势），能表险难（明了地形险阻），能制军权（控制军事权柄）。很明显，前"八能"，是就治军能力而言的，后"四能"，则是就将帅的军事知识和素养而言的。将军事知识和素养单独提出来作为将帅必备的素质，反映时代对将帅提出了更高的专业化要求。

《三略》同时还从反面列举了"八禁忌"和"四明诫"，作为将帅修养所应当注意避免和克服的问题。所谓"八禁忌"及其恶果：一曰"将拒谏，则英雄散"；二曰"策不从，则谋士叛"；三曰"善恶同，则功臣倦"；四曰"专己（独断专行），则下归咎"；五曰"自伐（自我吹嘘夸耀），则下少功"；六曰"信谗，则众离心"；七曰"贪财，则奸不禁"；八曰"内顾（沉湎女色），则士卒淫"。②

---

① 《三略》卷上《上略》。
② 《三略》卷上《上略》。

强调指出，这八件禁忌之事，一旦触犯，就会带来莫大的危害："将有一，则众不服；有二，则军无式；有三，则下奔北；有四，则祸及国。"① 至于"四明诫"，则是指将帅所应提防的四种致命的缺陷："无虑"（谋浅虑短），"无勇"（怯懦怕死），"妄动"（轻举妄动），"迁怒"（迁怒于人）。它们给军队所造成的恶果同样十分可怕："将无虑，则谋士去；将无勇，则吏士恐；将妄动，则军不重；将迁怒，则一军惧。"②《三略》作者认为一个将帅只有具备了"十二能"，同时又能避免"八禁忌"与"四明诫"，方才是合格的将帅，才可以委以重任。

在此基础上，《三略》对将帅还提出了更高的要求，即将帅除了具备军事才能外，还必须拥有政治头脑和历史意识，即必须了解和掌握仁人贤士的智略、君主圣王的谋虑、广大民众的舆论、朝廷官员的意见、国家兴衰的史迹："仁贤之智，圣明之虑，负薪之言，廊庙之语，兴衰之事，将所宜闻。"③ 这是最高层次的将帅，即既具有政治上的清醒和远见，又具有军事上的卓越才能，是集军事家和政治家于一身的大战略家。

由此可见，《黄石公三略》关于将帅条件的论述，较之于《孙子》和《吴子》的相关内容，其内涵更加丰富深刻，其标准更高更严。这表明，《三略》在新的历史条件下，不仅仍然重视将帅思想品格修养，而且更加注重将帅全面素质的提高。

第三，在将帅的选拔任用上，主张贯彻任人唯贤和"因人而致用"的原则。《三略》认为能否任贤用能，直接关系到国家的兴衰，天下的安危，"贤人所归，则其国强；圣人所归，则六合同"④，"所任贤，则敌国震"⑤，"贤去，则国微；圣去，则国乖。微者，危之

---

① 《三略》卷上《上略》。
② 《三略》卷上《上略》。
③ 《三略》卷上《上略》。
④ 《三略》卷下《下略》。
⑤ 《三略》卷上《上略》。

阶；乖者，亡之征"①。为此，在拔擢将帅问题上，它主张"君子急
于进贤"，反对任人唯亲，提倡任人唯贤。为了确保选贤任将能够正
确实施，它特别强调，一是求贤必须坚持"舍近而取远"的原则，
"千里迎贤，其路远；致不肖，其路近。是以明王舍近而取远，故能
全功尚人，而下尽力"②。理由很简单，在《三略》作者看来，古之
圣贤者，往往是远离国君，隐居僻壤，待"时至而动"的"潜名抱
道者"，他们不同于那些奸佞不肖之徒惯于以献媚求宠而围绕君主，
所以聘请他们往往须经过艰苦细致的明察暗访，甚至由君主不辞辛
苦屈尊前去访聘。舍弃近处的奸佞不肖之徒，诚聘千里之外的圣贤，
这才是真正的尚贤，也才能成就一番功业。二是求贤必须贯彻"观
其所以而致焉"的原则，意谓英明的君主求聘贤士为将帅，必须观
察并根据其志向而加以聘用，即对于不同志向的贤士采取不同的求
聘方法。例如，"致清白之士，修其礼"，但"不可以爵禄得"；"致
节义之士，修其道"，但"不可以威刑胁"③；等等。只有这样，才
能得到不同特点的贤才，使其担任军国要任，为统军驭众、巩固统
一各自贡献力量。

　　对于那些被拔擢到将帅位置上的人才，《黄石公三略》主张君主
在任用时应贯彻"因其至情而用之"的原则，从而使他们发挥各自
的优势和长处。《三略》把军事人才区分为"智者""勇者""贪者"
"愚者"四大类，认为这四类人尽管各自的天赋秉性截然不同，但是
都有自己的志向，能在军队中发挥不同的作用："智者乐立其功，勇
者好行其志，贪者邀趋其利，愚者不顾其死。"④ 因此，《三略》主
张对这些不同秉性志向的人应当因能授任，"因其至情而用之"，
"使智，使勇，使贪，使愚"，用其所长，避其所短，以充分发挥他
们在战争中独特的作用，认为这乃是"军之微权"，也即将帅任用的
高明境界。

---

① 《三略》卷下《下略》。

② 《三略》卷下《下略》。

③ 《三略》卷下《下略》。

④ 《三略》卷中《中略》。

第五节　通道适用:《三略》的历史地位

《黄石公三略》以丰富深邃的思想内容和别具一格的鲜明特色,在中国兵学发展史上占据了一席之地,成为人们相对比较熟悉并激赏珍视的少数几部兵学名著之一。这在它后世的流传情况,人们的一般评价,其在众多兵书中所享有的特殊待遇以及在海外的影响等方面均得到了相当充分的体现。

《黄石公三略》问世之后,即受到了社会的普遍重视,不仅为历代兵家、学者所青睐,而且也为历代统治者所推崇。早在东汉末年,著名文学家陈琳就在其《武军赋·序》中将《三略》与《孙子》《吴子》《六韬》相提并论,予以很高的评价。三国时期李康《运命论》称"张良受黄石之符,诵《三略》之说,以游于群雄",把张良"运筹于帷幄之中,决胜于千里之外"的巨大成功,归结为熟诵《三略》,从中汲取智慧韬略的结果。可见《黄石公三略》成书不久,就受到人们的极大关注。这种状况,在后世一直得到延续。《唐太宗李卫公问对》的作者指出:"张良所学,太公《六韬》《三略》是也;韩信所学,穰苴、孙武是也。"也把《三略》与《六韬》《司马法》《孙子》放在一起评骘,强调它是造就一代杰出军事家的巨大源泉。

正因为《三略》流传甚广,内涵丰富重要,所以它也常常成为古代著名类书、政书选录著述的重要对象。例如唐代著名政治家魏徵奉唐太宗李世民之命编撰的《群书治要》,就选录了《黄石公三略》的很多内容,作为"劝戒"皇帝治国安邦的重要"政术"参考。① 又如,北宋时期,由右仆射、著名文学家李昉奉敕主编,宋

---

① 阮元撰,傅以礼重编:《四库未收书目提要》卷三《子部·杂家类·群书治要五十卷》,商务印书馆,1955 年。

太宗赵炅亲自题写书名的《太平御览》一书，也选录了《黄石公三略》的大量文字。

《黄石公三略》受到人们的重视，还表现在有不少人热衷于为它作注和进行阐说。据当代许保林先生等人的研究，从南北朝时期北魏著名学者刘昞为《黄石公三略》作注伊始，经唐宋直至清末，为该书作各种注释、解说的多达六十余家。

至于《黄石公三略》能够入选著名的《武经七书》，更反映出它在历史上享有的特殊地位。北宋神宗赵顼统治时期，朝廷有憾于王朝在对辽与西夏的军事斗争中屡遭失利的被动局面，决定兴办武学，培养优秀军事人才，以振衰起弊，扭转形势。为了适应"武学"教学和训练的需要，朝廷遂于元丰三年（1080）诏命国子监司业朱服和武学博士何去非等人"校定《孙子》《吴子》《六韬》《司马法》《三略》《尉缭子》《李靖问对》等书，镂板行之"①。从此，《黄石公三略》《孙子兵法》等七部兵书被定名为兵家经典著作《武经七书》，此为中国古代第一部由官方校刊颁行的军事理论教科书。前已提到，《黄石公三略》的中心内容是论述政略，与《孙子》《唐太宗李卫公问对》等纯正意义上的兵学典籍情况有所不同，然而，它还是被选入《武经七书》，这说明它的确在中国传统军事思想发展史上具有特殊的意义和不可替代的地位。

历史上人们对《黄石公三略》的学术价值同样是赞誉有加、推崇备至。如南宋宁宗开禧间太子詹事、著名学者戴少望在《将鉴论断》中曾指出："兵法传于今世者七家，惟《三略》通于道而适于用，可以立功而保身。"南宋孝宗乾道年间敷文阁直学士、著名学者晁公武也认为《黄石公三略》"其书论用兵机权之妙，严明之决，明妙审决，军可以死易生，国可以存易亡"②。而清代乾隆皇帝之第

① 李焘：《续资治通鉴长编》卷三百三，元丰三年四月乙未，中华书局，2004年。

② 晁公武撰，孙猛校证：《郡斋读书志校证》卷十四《兵家类·黄石公三略三卷》，上海古籍出版社，1990年。

六子永瑢奉命领衔编撰的《四库全书总目·子部·兵家类》则评价《三略》"其大旨出于黄老，务在沉几观变，先立于不败，以求敌人可胜，操术颇巧，兵家或往往用之"①。这些有关《三略》的评语，充分揭示了其书的鲜明特色，准确指出了它具有很高的军事学术价值和谋略实用价值。这也正是《黄石公三略》一书为历代众多政治家、军事家和兵学家所高度推重，为后世兵书著作或其他著作所广泛征引的原因所在。由此可见，《黄石公三略》对于推动我国古代军事思想和军事学术的发展，做出了积极而重要的贡献，堪称我国古代兵学理论宝库中一颗璀璨明珠。

　　人类的精神活动，在某种意义上具有相通一致之处，这种相通一致性，能使得地域的界限悄然隐没，从而确保优秀思想文化超越空间而走出国门、走向世界。从这个意义上说，优秀的文化，既是民族的，又是世界的。《黄石公三略》揭示了治国御军的某些内在规律，在一定程度上具有普遍的启迪意义和适用性。因此，它不仅为中国古代兵学家所推重，而且也很自然地得到异域他乡之人的青睐，很早就流传到国外，成为中外文化友好交流的使者。

　　日本宽平年间（889—898），日皇诏命藤原佐世撰《日本国见在书目》著录有《黄石公三略》一书。日本宽平年间相当于我国唐朝昭宗龙纪元年至光化元年。这说明，至迟到唐昭宗时期，该书就已流传到了日本。之后，日本不仅把该书与《六韬》定为武学的主要教科书之一，而且还产生了许多日本学者研究《三略》的专著，诸如林道春的《黄石公三略评判》《三略讲义私考》，山冢义炬的《三略备考》，山鹿素行的《三略句读》《三略谚义》《三略要证》，喜多村政方的《三略便义》等等。② 另外，《黄石公三略》也流传到了朝鲜半岛，并且在 1777 年（清乾隆四十二年）出现了朝鲜文刊本。这些情况，足以表明《黄石公三略》的影响是远播海外的。

　　直至今天，《黄石公三略》兵学理论的合理内核仍不无积极的价

---

① 《四库全书总目》卷九十九《子部九·兵家类·三略直解三卷》。
② 许保林：《黄石公三略浅说》，解放军出版社，1986 年，第 30 页。

值，剔除书中的某些封建糟粕，其富有哲理的辩证思维方式，颇具实践意义的治国御军战略思想，重视民众力量，崇尚知识与智慧，强调将帅以身作则，主张任人唯贤、用人所长，提倡维护统一等许多观点，对于国家和军队建设，依然具有重要的借鉴意义。尤其是其谋略原则，对于启迪人们的人生智慧，仍不无积极的作用。对此，宫玉振先生《白话三略·前言》曾做过比较扼要准确的概括，即：刚柔兼济原则、顺应时势原则、知其所止原则。《三略》在把握事物属性上，能做到以柔为主导，以刚为辅助，刚柔兼济，松严和谐，将坚持原则的坚定性与策略的灵活性完美结合；在对待事物的态度上，能做到顺应时势，通识时务，善于审时度势，把握机遇；在处世上，能做到随遇而安、知其所止，"酒饮微醺，花看半开"，警惕和防止物极必反、盛极而衰之悲剧的发生。这乃是人生的大智慧，也即处世为人的理想境界。《黄石公三略》能够在这些方面予以人们极大的启示，足以表明它的影响和价值已经超越单纯的军事领域，而渗透、融入社会生活的各个方面了。从这个意义上来说，《黄石公三略》的生机是不会枯竭的，其价值也是永恒的。

第六章　秦汉兵学的实用理性
与学术建树（上）

第一节　《吕氏春秋》的兵学思想

一、杂家与《吕氏春秋》

杂家是战国晚期才出现的一个思想学派，《庄子·天下》《史记·太史公自序》《淮南子·要略》均未专门记载与讨论，唯《汉书·艺文志》将其列为诸子"九流"之一，其著录"杂家"类著作共二十家，四百零三篇，其中比较重要的有《尸子》《淮南子》《吕氏春秋》等。

关于"杂家"的思想特色，《汉书·艺文志》概括为"杂家者流，盖出于议官。兼儒、墨，合名、法，知国体之有此，见王治之无不贯，此其所长也。及荡者为之，则漫羡而无所归心"。可见，杂家的本质属性，便是"杂"，即综合、融会诸子百家之长而形成自己的学说体系，其优点在于博采众长，兼容并取，其缺点在于多归纳而缺乏自己独到的创见。

吕思勉先生曾指出："《吕氏春秋》，为杂家之始。"① 这一说法至为允当，这表明《吕氏春秋》的成书标志着杂家学派的形成，而

---

① 吕思勉：《经子解题》，中国书籍出版社，2006 年，第 234 页。

其本身也是杂家学派最具代表性的作品。

《吕氏春秋》又称《吕览》，系吕不韦召集其门客所撰。吕不韦在秦国为相13年，面临着全国即将统一的新形势，为统一国家做理论准备尽了极大的努力。他效法战国时期的齐国孟尝君、魏国信陵君、赵国平原君、楚国春申君等人的做法，大养宾客，从关东各国招揽各派文人、学者，"厚遇之，至食客三千人"①，让他们"上观尚古，删拾春秋，集六国时事"②，"人人著所闻，集论以为八览、六论、十二纪，二十余万言。以为备天地万物古今之事，号曰《吕氏春秋》"③。全书原为161篇，今存160篇，26卷，有东汉高诱注和清代毕沅《吕氏春秋新校正》等本。

《吕氏春秋》是我国历史上第一部有组织、按计划集体编写的文集。该书的最大特点是以道家思想为主体，对先秦诸子百家的理论观点兼容并包，故被称为"杂家"代表作。它的成书是诸子百家逐渐由相互对立走向相互融合的产物，也是中国古代文化发展史上具有里程碑意义的事件，"开启了秦汉之际的道家思潮"④。而兵学思想则是《吕氏春秋》的重要组成部分，其中《荡兵》《振乱》《禁塞》《怀宠》《论威》《简选》《决胜》《爱士》《贵卒》《召类》等为论兵的专篇。

二、《吕氏春秋》兵学思想举要

《吕氏春秋》的兵学思想，其荦荦大端大致体现为以下几个方面：

第一，以提倡"义战"为基本特色的战争观念。该书作者对战争的现实有清醒的认识，对战争的必要性也予以充分的肯定，反对

---

① 《史记》卷八十五《吕不韦列传》。

② 《史记》卷十四《十二诸侯年表》。

③ 《史记》卷八十五《吕不韦列传》。

④ 任继愈主编：《中国哲学发展史》（秦汉卷），人民出版社，1985年，第1页。

在战争问题上天真的"偃兵""非攻""救守"之说。认为如果不加区别，一厢情愿强调所谓"非攻""去战"，其结果乃"祸莫大焉，为天下之民害莫深焉"，是"长天下之害，而止天下之利"，属于"大乱天下"，其实质就是"守无道而救不义"。①

因此，在关于战争的基本立场上，作者提出了"古圣王有义兵而无有偃兵"的核心观点。在作者看来，战争是与人类社会的产生俱来的，是人之天性使然："兵之所自来者上矣，与始有民俱。凡兵也者，威也。威也者，力也。民之有威力，性也。性者，所受于天也，非人之所能为也。武者不能革，而工者不能移。"换言之，战争自古以来都是"不可禁，不可止"②。按作者的观点，问题不在于战争的有无，而在于战争的性质，不义之战需要否定，正义之战则要大力提倡，充分肯定："兵苟义，攻伐亦可，救守亦可；兵不义，攻伐不可，救守不可。"③ 在大乱之世，更应该大兴"义兵"，"攻无道而伐不义"，使"天下之民且死者也而生，且辱者也而荣，且苦者也而逸"，从而平定战乱，实现国家的统一，使得天下之人"长有道而息无道"，安居乐业，"则福莫大焉，黔首利莫厚焉"④。在《吕氏春秋》的作者看来，"仁义之兵"所向披靡，无敌于天下。

第二，以崇德与尚力为宗旨的战争指导原则。《吕氏春秋》的作者在战争指导上提倡以德为主、以力为辅，主张尚德顺民，做到以德服人与以力服人的相辅相成、有机结合。他们认为，要争胜于天下，实现既定的战略目标，必先"自胜"，而"自胜"的关键，则在于"行德爱人""先顺民心"："为天下及国，莫如以德，莫如行义。以德以义，不赏而民劝，不罚而邪止，此神农、黄帝之政也。以德以义，则四海之大，江河之水不能亢矣；太华之高，会稽之险

---

① 《吕氏春秋集释》卷七《禁塞》。
② 《吕氏春秋集释》卷七《荡兵》。
③ 《吕氏春秋集释》卷七《禁塞》。
④ 《吕氏春秋集释》卷七《振乱》。

不能障矣；阖庐之教，孙吴之兵不能当矣。"①　"先王先顺民心，故功名成。夫以德得民心以立大功名者，上世多有之矣。失民心而立功名者，未之曾有也。"②

因此，战争指导者要体恤民情，顺应民意，"务除其灾，思致其福"③，攻伐敌国，也要努力做到"以爱利民为心"④，"不虐五谷，不掘坟墓，不伐树木，不烧积聚，不焚室屋，不取六畜"，收到"义兵至，则邻国之民归之若流水，诛国之民望之若父母，行地滋远，得民滋众，兵不接刃而民服若化"⑤　的效果。在经国治军上，作者强调不能专持威势和刑赏两柄，要用德、义教化士民，在潜移默化之中，逐渐树立全军上下共同一致的"生死荣辱之道"，形成"三军一心"的所向无敌之力量："先胜之于此，则必胜之于彼"，所谓"人情欲生而恶死，欲荣而恶辱。死生荣辱之道一，则三军之士可使一心矣。凡军欲其众也，心欲其一也，三军一心，则令可使无敌矣。令能无敌者，其兵之于天下也亦无敌矣"⑥。文武并重，德刑兼施，恩威皆行，刚柔相济，从而战胜而强立，所向而无敌："用武则以力胜，用文则以德胜。文武尽胜，何敌之不服？"⑦

第三，以打造"精兵强将"为中心的军队建设思想。《吕氏春秋》的作者高度重视军队建设问题，强调若要在战场上克敌制胜，必须拥有一支战斗力十分强大，对敌人具有碾压之势的军队。这支军队，要将领精，士卒精，武器精，指挥精，能够做到战无不胜，攻无不克。在其看来，要在战争中把握主动权，夺取胜利，不能单纯依靠不可捉摸、难以把握的"时变"，而唯有士卒之教、将佐之精、兵械之利，加上地形之便，才是真正的"义兵之助"、胜敌之

①　《吕氏春秋集释》卷十九《上德》。
②　《吕氏春秋集释》卷九《顺民》。
③　《吕氏春秋集释》卷十九《适威》。
④　《吕氏春秋集释》卷九《精通》。
⑤　《吕氏春秋集释》卷七《怀宠》。
⑥　《吕氏春秋集释》卷八《论威》。
⑦　《吕氏春秋集释》卷十五《不广》。

策。换言之，精锐的军队，先进的武器，严格的训练，正确的指挥，这四方面的有机结合，乃是一支强大军队的具体表征："凡兵势险阻，欲其便也；兵甲器械，欲其利也；选练角材，欲其精也；统率士民，欲其教也。此四者，义兵之助也。"因此，必须"简选精良，兵械铦利，令能将将之"①，确保己方牢牢立于不败之地。这一点，与西方军事学家的思想十分相似，他们也普遍将军队质量建设作为优先考虑的重点："战争的胜利并不完全取决于人多势众，或者说作战凶猛；只有武艺精湛，熟谙兵法，训练有素，才能确保胜利。……实际上，一支人数较少，但训练有素的队伍在作战时往往更易于夺取胜利，而庞大臃肿、缺乏训练的乌合之众是注定会大败溃输的。"②

值得注意的是，《吕氏春秋》的作者富有深刻而辩证的哲学思维，善于正确认识个别与一般、矛盾特殊性与矛盾普遍性之间的内在辩证关系，指出："世有言曰：驱市人而战之，可以胜人之厚禄教卒；老弱罢民，可以胜人之精士练材；离散系系，可以胜人之行陈整齐；锄櫌白梃，可以胜人之长铫利兵。此不通乎兵者之论。今有利剑于此，以刺则不中，以击则不及，与恶剑无择，为是斗因用恶剑则不可。简选精良，兵械铦利，发之则不时，纵之则不当，与恶卒无择，为是战因用恶卒则不可。"③

这段论述蕴含极其深刻的哲理，意谓：不能因为偶尔用乌合之众和锄头木棍打了胜仗，就由此否定精兵良将和坚甲利兵的关键作用；更不能因为精兵良将和坚甲利兵由于指挥错误而打了败仗，就主张和倡导用乌合之众和锄头木棍去上阵打仗。这从哲学的层面上讲，就是不能以个别否定一般，拿特殊性抹煞普遍性。应该说，这是具有普遍的思想方法论意义的。

---

① 《吕氏春秋集释》卷八《简选》。
② 〔古罗马〕韦格蒂乌斯·雷纳图斯著，袁坚译：《兵法简述》，解放军出版社，1998年，第41页。
③ 《吕氏春秋集释》卷八《简选》。

　　第四，以义、智、勇"三位一体"为特色的作战指导理论。在作战指导方面，《吕氏春秋》的作者强调"知彼知己"，"凡战必悉熟偏备，知彼知己，然后可也"①，主张以"威慑"取胜，"才民未合，而威已谕矣，敌已服矣"②，致力于使自己立于不败之地，兵不贵胜，而"贵不可胜"。在此基础上，作者重点提倡将义、智、勇这三者有机地结合起来，认为这是作战指导的关键，克敌制胜的"本干"："夫兵有本干，必义，必智，必勇。义则敌孤独，敌孤独则上下虚，民解落；孤独则父兄怨，贤者诽，乱内作。智则知时化，知时化则知虚实盛衰之变，知先后远近纵舍之数。勇则能决断，能决断则能若雷电飘风暴雨，能若崩山破溃，别辨霣坠，若鸷鸟之击也，搏攫则殪，中木则碎。"③

　　这里的"义"指的是"师出有名"，攻打乱国，不攻打治国，"凡兵之用也，用于利，用于义。攻乱则服，服则攻者利。攻乱则义，义则攻者荣"，所谓"三王以上，固皆用兵也。乱则用，治则止。治而攻之，不祥莫大焉；乱而弗讨，害民莫长焉"④。这就是在选择打击对象上的根本标准，也就是以义征不义的基本原则。如此，在战争中就能确保自己立于不败之地，夺取最后的胜利。

　　这里的"智"，讲的是在充分尊重客观规律的前提下，积极发挥主观能动性问题，即所谓"知时化"，"知虚实盛衰之变"，其关键在于"贵因"，即因敌制胜。作者认为，"凡兵之胜，敌之失也。胜失之兵，必隐必微，必积必抟。隐则胜阐矣，微则胜显矣；积则胜散矣，抟则胜离矣"，意谓作战取胜，都是利用敌人失误的结果，一旦发现敌人的失误，就要集中兵力，同时隐蔽行动，去战胜分散而暴露弱点之敌，因敌而制胜，这就是"贵因"："凡兵，贵其因也。因也者，因敌之险以为己固，因敌之谋以为己事。能审因而加，胜

① 《吕氏春秋集释》卷十六《察微》。
② 《吕氏春秋集释》卷八《论威》。
③ 《吕氏春秋集释》卷八《决胜》。
④ 《吕氏春秋集释》卷二十《召类》。

则不可穷矣。胜不可穷之谓神，神则能不可胜也。"① 作者还进一步总结了大量的历史经验，认为古往今来的"治乱存亡，安危强弱，必有其遇，然后可成"②，指出大禹治水之所以成功，是"因水之力"，尧、舜禅让之所以实现，是"因人之心"，汤、武得天下之所以完成，是"因民之欲"，因此"三代所宝莫如因，因则无敌"③。无论治国还是用兵，关键就在于"因"，既尊重客观规律，又发挥主观能动性，做到两者之间水乳交融，相辅相成。

这里的"勇"，说的是兵贵神速、先发制人的问题。《吕氏春秋》的作者认为，"力贵突，智贵卒"④，在敌我双方基本条件相同的情况下，快速与占先手，就会取得作战上的优势地位与战略上的全面主动。因此，用兵打仗，要特别注重快速机动与先发制人，"凡兵欲急疾捷先。……急疾捷先，此所以决义兵之胜也，而不可久处"。而要做到这一点，作者认为，必须具有压倒一切、一往无前的勇敢精神，"虽有江河之险则凌之，虽有大山之塞则陷之，并气专精，心无有虑，目无有视，耳无有闻，一诸武而已矣"⑤。缘此，作者强调要注重平时的勇气养成，激励尚武之风的张扬，益气养勇，以勇胜敌："民无常勇，亦无常怯。有气则实，实则勇；无气则虚，虚则怯。怯勇虚实，其由甚微，不可不知。勇则战，怯则北。战而胜者，战其勇者也。战而北者，战其怯者也。"这与先秦兵书《六韬》论将有"五材"，将"勇"置于"五材"之首，实乃有异曲同工之妙。作者进而认为，在"怯勇无常"的情况下，战争指导者的任务，就是要善于掌握和鼓舞士气，有正确的组织指挥，造成一种勇敢战斗的积极态势，这样，在关键的时刻将士们才能真正发挥出最旺盛、最强大的战斗力，摧枯拉朽，碾压一切。不然的话，"军虽

---

① 《吕氏春秋集释》卷八《决胜》。
② 《吕氏春秋集释》卷十四《长攻》。
③ 《吕氏春秋集释》卷十五《贵因》。
④ 《吕氏春秋集释》卷二十一《贵卒》。
⑤ 《吕氏春秋集释》卷八《论威》。

大，卒虽多，无益于胜"，甚至有可能"为祸也亦大"。①

综上所述，可知《吕氏春秋》的兵学理论是十分丰富且已构成一定的体系的，可以视为秦代兵学文化建树的集中体现，对后世兵学的发展亦不无重要的影响。但是，《吕氏春秋》的兵学观点在秦代政治实践中并没有真正得到贯彻与践行，只停留在理论建构的层面，是一种"书斋兵学"。另外，其书是集体编撰的产物，因此，书中的某些论述难免有抵牾矛盾之处。这些问题，有必要予以指出，从而对其兵学价值得出更为妥帖的认知。

第二节　秦始皇陵兵马俑所体现的兵学观念

1974 年考古发现的秦始皇陵兵马俑，为我们今天深入研究秦代军事史提供了珍贵的实物资料，其整体布局能帮助我们从一个侧面了解秦代兵学的概貌及其特征。

大致而言，考古人员发现秦陵的兵马俑坑共有 4 个，其中 4 号坑没有建成，其余 3 个俑坑，计有战车 100 余乘，陶马 600 余件，各类武士俑 7000 余件，此外，还有大量的实用兵器。根据袁仲一所著的《秦始皇陵兵马俑》、霍印章所著的《中国军事通史》第四卷《秦代军事史》等著述的介绍，秦始皇陵兵马俑较为真实地反映了秦军的组织编制和武器装备状况，其部署布局再现了秦代军队的基本构成与战术阵型。我们从中可以看到当时历史条件下的秦军作战原则与战术要素，应该说，这从某个侧面体现了秦代兵学的突出成就。

其一，它呈示了兵种上车、步、骑的有机结合，以充分发挥各大兵种的优长。以 2 号俑坑为例，我们可以看到，其整体布局配置由相对独立又互为补充的弩兵队、骑兵队、车兵队和车、步、骑混合编队共同组成，属于多兵种有机结合的一个典型。这中间，弩兵

---

① 《吕氏春秋集释》卷八《决胜》。

利于远战，步兵利于近战，骑兵擅长机动，车兵胜在掩护与攻坚，结合在一起，就能更充分地发挥每一个兵种的特长，并构成多兵种集成作战的总体威力。

其二，在武器装备实战应用上，致力于远、长、短的相互结合、有效配置，从而充分发挥各种武器装备的综合效用。我们看到，不论是 1 号俑坑，还是 2 号俑坑，弩兵都被配置在前锋位置，以利在较远的距离给敌人以大量的杀伤。主体部分的车兵和步兵，都以手持矛、戈等长柄兵器为主，以利于近战格斗；同时步兵还配备有相当数量的短剑，以利护身和肉搏。这正是《司马法·定爵》中所说的"长以卫短，短以救长"的形象写照。处于机动位置上的骑兵，则都以弓箭为主要攻击手段。骑兵行动迅捷神速，弓箭能杀伤人于百步之外，骑兵持弓箭，恰好将快与远有机地结合在一起，能更加有效地给对手以猛烈、出其不意的凌厉打击。

显而易见，将远、长、短三类兵器有机地加以组合，突出地强调在远距离上消灭敌人，这是秦始皇陵兵马俑在武器配置上的鲜明特点之一。这一特点，与弩的发明与普遍列装于军队，弩兵与骑兵等新型兵种大量组建密切联系，也是技术决定战术，战术随着技术的进步而不断发展的生动体现。

其三，"指画攻守，变易主客"，突出体现进攻与防御相结合的特点，以适应各种情况下作战的需要。进攻和防御是战争中最基本的两种作战形式，其中，进攻是被动的形式，但能达到积极的目的，防御是主动的形式，但其目的则是消极的。任何一支军队都不能只有进攻而无防御，同样，也不能只有防御而无进攻。所谓"攻是守之机，守是攻之策，同归乎胜"①，就是这个道理。战争指导者的职责，乃是能根据不同的情况，做到能攻能守，寓攻于守，分别主次，适当平衡。

这一原则，在秦始皇陵兵马俑的布局中也有明显的体现。从其总体布局上看，以攻为主、攻守结合是其鲜明特点。各号俑坑都是

---

① 《唐太宗李卫公问对》卷下。

坐西向东，马欲驰骋，车欲飞驰，人欲怒斗，鲜活生动。总之，时刻准备，待命出发的状态，恰好反映了秦军东向进攻的态势，这就是以攻为主的重要标志。整体布局结构上，以 1 号俑坑为主，2 号俑坑为辅，3 号俑坑居中调度，4 号俑坑为机动，呈示了攻守兼备的特征。而从每一俑坑的具体布局来看，所透露的也是以攻为主、攻守结合的特点。例如，1 号俑坑的 38 路纵队与前锋，都是面向东方，以攻为主的，而两翼和后卫中各有一列分别面南、面北、面西，这一布局，则显然寓有攻中有守、攻守兼备的含义。

其四，"分别奇正"，守正与用奇密切结合，体现了"以正合，以奇胜"的重要兵学原则。奇正，是中国古代兵学中重要的范畴之一，所谓"用兵之钤辖，制胜之枢机"是也。而奇与正相结合，更是古代兵学的精髓之所在，其精神实质就是"不以法为守，而以法为用"，"践墨随敌，以决战事"①，灵活机动，因敌制胜。

我们认为，秦始皇陵兵马俑，不论从宏观考察，还是从微观剖析，都体现着奇正结合、出奇制胜的兵学基本原则。从宏观上看，1 号俑坑可以视为一支强大的正兵，是主力，有利于同敌军进行堂堂正正的正面交锋；2 号俑坑是一支以车兵为主的综合性机动部队，当属于奇兵的性质，可以配合主力正兵从侧翼打击敌军。从微观上看，2 号俑坑的布局更富有奇正有机结合的特色，即车、步、骑混合部队以及弩兵队可以视为"正兵"，而骑兵队与车兵队则可以视为"奇兵"，由此而构成了一个二正二奇的格局。《孙子兵法·势篇》有云："三军之众，可使必受敌而无败者，奇正是也。"又云："战势不过奇正，奇正之变，不可胜穷也！"秦始皇陵兵马俑在一定程度上，成为这一原则的实物诠释者。

由此可见，秦始皇陵兵马俑是秦代兵学思想的形象体现，"秦代虽然没有给我们留下文字的兵书，但可以说秦陵兵马俑就是一部真实生动的文物兵书"②。

---

① 《孙子兵法新注·九地篇》。
② 霍印章：《秦代军事史》，第 190 页。

第三节　韩信《汉中对》的战略决策思想

轰轰烈烈的秦末农民大起义推翻了秦朝的残暴统治，全国范围内出现了群雄并起，逐鹿中原的局面，其中又以楚霸王项羽和汉王刘邦两大集团实力最强，他们为争夺全国统治权，实现天下统一，展开了殊死的斗争，拉开了长达四年的楚汉战争的帷幕。

早在楚汉战争前，刘邦集团和项羽集团围绕全国统治权的问题就进行过斗争。项羽率军北上与秦朝主力殊死搏斗之际，刘邦乘机率先破秦入咸阳，秦王子婴投降。按照楚怀王当初与诸将的约定——"先入关者王之"，刘邦理应如约为关中王，而刘邦自己也已经以关中王自居，他身边的谋士们曾一边安定关中社会秩序，一边为刘邦"王天下"、建立政权做着各种准备。但项羽挟击破秦朝主力的战功，耻于让刘邦钻了空子，得到先入关中的名声，所以决不容刘邦居于关中，将在关中享有民望，且最有夺天下野心的刘邦分封于巴蜀、汉中为汉王，还将关中一分为三，让秦朝的三个降将在关中做诸侯王，以监视、牵制刘邦的势力。刘邦鉴于项羽强大的军事实力，只好在"鸿门宴"上卑辞谢罪，承认项羽的天下霸主地位，被迫忍气吞声离开关中，前往巴蜀。

但是，刘邦集团并不甘心于困居巴蜀，暂时的退让是为了以屈求伸，等待时机成熟，"还定三秦"，再图天下。而项羽集团政策失误和战略上的麻痹，则给刘邦提供了东山再起的机会。因为项羽在刘邦低头后，错误地认为最有实力与他争夺天下统治权的刘邦已真心臣服，不再具有威胁，所以他在分封后即弃关中而东归，定都于彭城。但分封政策无疑瓦解了自己的强大力量，同时，分封的不公又造成了他与其他诸侯之间不可调和的矛盾，使自己成为众矢之的。

就是在这样的背景下，韩信适时地向刘邦进献了千古名对——《汉中对》。

《汉中对》的逻辑起点，是汉军大将韩信出于转化楚汉双方战略优劣态势，帮助刘邦摆脱被动，争取战争主动权的现实需要。当时，项羽身为霸主，政由己出，兵多将广，实力雄厚，具有压倒性优势。《汉中对》就是要在这种特定的历史条件下，从不利中发现有利，从被动中寻找主动，为刘邦指明发展的方向，奠定以弱胜强，夺取天下，完成统一的基础。

《汉中对》作为成功的战略决策，在以下几个方面体现了其高明之处。

第一，对双方战略条件进行综合比较，在此基础上正确预测了楚汉战争的前景。"知彼知己"，正确判断战争形势，是正确制定战略方针的前提。《汉中对》的高明，首先是韩信对整个形势以及发展趋势的正确分析判断和把握。韩信既看到敌强我弱的客观现实，肯定项羽在诸多方面占有绝对优势，如骁勇善战、地盘广大、宽厚待下等等，同时也从项羽貌似强大的表象中发现其致命的弱点：其一，他刚愎自用，不能识拔和放手任用人才，而只凭一己之勇；其二，排斥异己，任人唯亲，"以亲爱王"，结果导致诸侯不平；其三，缺乏战略远见，自动放弃关中形胜之地；其四，不讲信用，加之诛杀无度，残暴酷虐，"所过无不残灭"，予天下人以暴君的形象，失去了民心。所以项羽只是"匹夫之勇""妇人之仁"。他表面上虽强大，但随着时间推移，必然会由强转弱，因而要想击灭他并不困难。在"知彼"的同时，韩信也能"知己"，指出刘邦势力虽暂弱小，却拥有雄厚的资本，入关后约法三章，秋毫无犯，赢得了民心归附，而未能如约王关中，被项羽赶到汉中一事，反而使刘邦获得了广泛的同情。这就为最终战胜项羽提供了可靠保证。通过这样的比较，韩信预见到刘邦由弱转强，夺取天下的乐观前景："今大王举而东，三秦可传檄而定也。"[1] 从而为处于逆境中的刘邦树立起必胜的信心。这充分显示了韩信洞察大局、高屋建瓴、见微知著的战略预见能力，同时也为他进一步正确选择战略主攻方向提供了可能。

---

[1] 《史记》卷九十二《淮阴侯列传》。

　　第二，正确选择主要战略方向，夺取战略前进基地，为赢得楚汉战争胜利创造充分的条件。要确保战略进攻达到预期的目的，关键之一在于正确选择主要攻击方向，掌握战争的主动权，从而达到乘隙捣虚的效果，实现战略目标。这是指导战争活动的通则，更是决定战略进攻成功的关键。《汉中对》注意到了这一关键问题，因而明确提出夺取关中、还定三秦应为刘邦首要的战略主攻方向。应该说，这一战略选择是十分明智和完全正确的。因为从兵要地理形势考察，关中地区地理条件优越，它作为四塞之地，"被山带河，四塞以为固"，"左殽、函，右陇、蜀，沃野千里；南有巴、蜀之饶，北有胡苑之利。阻三面而守，独以一面东制诸侯……诸侯有变，顺流而下"。① 其处于进可攻、退可守的有利地位，一旦拥有，可获得极大的对敌战略主动，并为日后伺机东进、并吞天下创造积极的态势。由此可见，在战略方向选择上，韩信深谙用兵之道。

　　第三，及时把握战略进攻的时机，迅速开展军事行动，使还定三秦的战略目标尽快得以实现。只有把握进攻时机，才能出敌意外，给敌人以猝不及防的打击，以较小的代价换取最大的胜利。所谓捕捉战机，就是指战争指导者要在全面掌握敌我情况的基础上，善于发现敌人的弱点，一旦有机可乘，即以迅雷不及掩耳之势，展开进攻行动。用《孙子》的话说，就是"敌人开阖，必亟入之"，从而使敌人措手不及，无暇抵抗，完全丧失主动，所谓"后如脱兔，敌不及拒"。② 为此，《汉中对》指出了刘邦集团在战略进攻时机把握上应注意的几个关键环节：一是针对当时项羽后院起火，自顾不暇，无力西向的有利条件，抓住时机，拉开楚汉战略决战的帷幕；二是根据关中三位降王（章邯、司马欣、董翳）众叛亲离、丧失民心的具体情况，立足于刘邦政治威望高，受关中百姓拥戴的优势，及时把握东进的时机，展开战略进攻；三是针对刘邦部众"思东归"的

---

① 司马光编著，胡三省音注：《资治通鉴》卷十一《汉纪三》，高帝五年，中华书局，1956 年。

② 《孙子兵法新注·九地篇》。

心理，巧妙加以利用，使坏事转化为好事，振作士气，鼓舞斗志；四是利用汉军明烧栈道造成的无意东进的假象，在项羽放松警惕、戒备疏懈时，把握"还定三秦"的战略时机。这表明，《汉中对》对战略进攻时机的把握达到了炉火纯青的程度。

第四，高屋建瓴地提出实施战略进攻的原则性手段，以确保战略目标的顺利实现。在确定了战略目标后，还要提出并执行一定的方法、手段，以循序渐进地实现既定的战略目标。这是战略决策构筑过程中的必要步骤，也是整个战略方针的有机组成部分。《汉中对》为刘邦进献了实现战略目标的具体手段："任天下武勇，何所不诛！以天下城邑封功臣，何所不服！以义兵从思东归之士，何所不散！"[1] 即一是广泛招揽贤能，放手使用人才，发展壮大自己的实力，凭借武力打击并最终消灭项羽集团；二是利用封赏这个有力的杠杆，调动将士杀敌制胜的积极性，驱使他们为赢得战争胜利而效命疆场；三是掌握和利用部队士气，充分发挥部队的战斗潜能，战胜攻取，以弱胜强。这是韩信对战略手段的高度归纳和概括，也是赢得统一战争最终胜利的重要保障。

这里，特别值得注意的是，韩信在运用战略手段问题上，十分重视精神因素在夺取战略主动权，赢得战争最后胜利的过程中所具有的关键性意义。古代兵家都认为军队的精神风貌是战争取胜的关键。《孙子兵法》认为，战争的胜负首先取决于"道"，"道者，令民与上同意也"[2]，强调"上下同欲者胜"，"修道而保法"，做到政治清明，上下和谐，内部团结。而战争指导者要鼓舞斗志，振奋士气，在于能够在精神的层面上，让士卒们置身于无路可退的绝境，使其在求生本能的驱使下，奋不顾身，死不旋踵："投之无所往，死且不北，死焉不得，士人尽力。"这就是所谓的"善用兵者，携手若使一人，不得已也"，"投之亡地然后存，陷之死地然后生"[3]。即便

---

① 《史记》卷九十二《淮阴侯列传》。
② 《孙子兵法新注·计篇》。
③ 《孙子兵法新注·九地篇》。

是古代兵家所津津乐道的"不战而屈人之兵""全胜不斗，大兵无创"①，其成功的要诀也首先是精神上对敌手的彻底碾压，使对手完全丧失抵抗的意志，放弃任何侥幸心理，束手就擒，自甘失败，所谓"三军可夺气，将军可夺心"②。而我方则胜券在握，无往而不胜，"以威德服人，智谋屈敌，不假杀戮，广致投降"③，真正进入用兵的理想境界。

在西方军事学家的心目中，军事力量的最核心要素，同样不是物质层面的，而是精神层面的。一支军队战斗意志坚强与否，精神风貌是激扬高昂还是萎靡不振，直接关系到战斗力的高下，决定着战争的胜负归属。克劳塞维茨在这方面有大量的论述，他说："斗争是双方精神力量和物质力量通过物质力量进行的一种较量，不言而喻，在这里不能忽视精神力量，因为正是精神状态对军事力量具有决定性的影响。""物质的原因和结果不过是刀柄，精神的原因和结果才是贵重的金属，才是真正的锋利的刀刃。""任何战斗都是双方物质力量和精神力量以流血的方式和破坏的方式进行的较量。最后谁在这两方面剩下的力量最多，谁就是胜利者。在战斗过程中，精神力量的损失是决定胜负的主要原因。……因此，使敌人精神力量遭受损失也是摧毁敌人物质力量从而获得利益的一种手段。"④ 法国杰出军事学家博福尔在《战略入门》一书中也说："要想解决问题，必须首先创造，继而利用一种情况使敌人的精神大大崩溃，足以使它接受我们想要强加于它的条件。"⑤ 富勒在《战争指导》中则引用《战斗的研究》一书，指出："在战斗中，不仅是两支物质力量相冲突，更重要的是两支精神力量相冲突……只要他有决心前进，有精

---

① 《六韬》卷二《武韬·发启》。
② 《孙子兵法新注·军争篇》。
③ 《阵纪注释》卷一《赏罚》。
④ ［德］克劳塞维茨著，中国人民解放军军事科学院译：《战争论》，解放军出版社，2004年，第87、179、246页。
⑤ ［法］安德烈·博福尔著，军事科学院外国军事研究部译：《战略入门》，军事科学出版社，1989年，第8页。

神上的优势，虽然进行毁灭性打击的威力相等，甚或比对方较差，他也能赢得胜利。"① 为此，富勒一再强调，军事胜利的标志，乃是在精神上彻底击垮对手，而非其他："战略的目的是以武力而不是以文字来维护一种政治主张。这通常以作战来实现，其真正的目的不是摧毁物质力量，而是在精神上压倒敌人。"② 韩信早在 2000 余年前的《汉中对》中就已认真关注，并充分阐述了精神因素与克敌制胜之间的辩证关系、能动作用，真可谓是独具慧眼，卓荦不凡！

　　总之，举凡战略条件的分析、战略方向的选择、战略时机的把握、战略手段的运用，《汉中对》都作出了全面辩证的阐述。这一分析，洞察天下形势，比较了楚汉双方的情况，不仅合乎当时的战争形势，而且也规划了汉王争夺天下、完成统一的战略活动，既有预见性，又具备现实性、可操作性，能满足当时战争活动的需要，因此刘邦欣然采纳："遂听信计，部署诸将所击。"③ 果然，不出韩信所料，项羽东归不久，田荣于山东起兵反楚，陈余于河北，彭越于梁地也起而叛楚。项羽后院起火，到处奔波灭火不暇，陷入了战略被动。而刘邦则遵循着韩信《汉中对》提出的既定战略，乘机部署军队暗出陈仓，迅速平定三秦，夺取关中形胜之地，为"争权天下"取得了战略前进基地，并为最终战胜项羽，完成统一，奠定了坚实的基础。

第四节　张良"运筹帷幄"的战略决策造诣

　　前后不过短短 4 年（前 206—前 202）的楚汉战争，上演了中国

---

① ［英］富勒著，绽旭译，周驰校：《战争指导》，解放军出版社，2006 年，第 145 页。
② ［英］富勒著，周德等译：《装甲战》，第 53 页。
③ 《史记》卷九十二《淮阴侯列传》。

战争史上最为跌宕起伏、扣人心弦的一幕战争活剧。而这场战争活剧起承转合的关键，则在于作为"画策臣"和"帝王师"的张良，能够站在战争全局的高度运筹帷幄，贡献出了《下邑对》《荥阳对》等环环相扣的奇谋良策，使汉王刘邦数次绝处逢生，最终战胜"力拔山兮气盖世"的楚霸王项羽，建立了中国历史上又一个大一统王朝——汉朝。

项羽在分封诸侯后，以为天下从此太平，于是率军东归，踌躇满志地回到彭城，做起了楚霸王号令天下的美梦。实际上，由于分封不均，从此诸侯间的割据战争此起彼伏。尤其是被分封为汉王的刘邦，因未如约据有关中之地，更是心怀不满，时刻谋划着推翻项羽，夺取天下。

分封之初，刘邦听从谋士萧何的建议，忍气吞声前往汉中。到了汉中后，他又根据韩信《汉中对》的战略谋划，在韩信、萧何的辅佐下"明修栈道，暗度陈仓"，于汉高祖元年（前206），乘项羽东归、人心思汉之机，立即发动战略反攻，一举还定三秦，收复了全部关中地区，从而为日后与项羽逐鹿天下奠定了基础。

夺取关中后，刘邦又趁项羽陷于北上伐齐之机，完成了战略进攻的各项准备。汉高祖二年（前205）四月，刘邦统率诸侯兵号称56万人讨伐项羽，正式拉开了楚汉战争战略决战的帷幕。汉军在不到一个月的时间里，一举攻克楚都彭城，取得伐楚战争的第一次大胜利。然而在袭占彭城之后，刘邦满足于表面的胜利，置酒作乐，疏于戒备。平叛在外的项羽立即亲率3万精锐骑兵回救，以迅雷不及掩耳的行动，自西、南两个方向，绕至汉军侧后，切断汉军归路，然后自西向东猛攻，与汉军战于彭城郊外，并速战速决，大败刘邦，歼灭汉军达20余万之众。战局的发展急转直下。

四月下旬，溃不成军的刘邦只带了数十名随从侥幸逃出重围，惊魂未定地向荥阳撤退。溃退到下邑时，面对前所未有的挫败，"下马踞鞍而问"，急切地向张良讨教转危为安的方略。

张良是秦汉之际一位非常富有传奇色彩的人物。太史公司马迁在其《史记》中，曾以其浪漫笔法记载了一个"圯桥授书"的故事，说是秦始皇二十九年（前218），张良雇人刺杀秦始皇失败后流亡于下邳期间，遇到了一位号称"黄石公"的圯上老人，这位个性鲜明而又神龙见首不见尾的老人，以其特有的古怪方式对张良反复考察，认为张良"孺子可教"，于是把一本名为《太公兵法》的书"授"给张良，并告诫张良："读此可为帝王师。"过了10年，到公元前209年，陈涉、吴广在蕲县大泽乡（今安徽宿州东南）率应征戍边的数百士卒举起反秦义旗，张良也聚众响应，在下邳遇到汉高祖刘邦后，从此追随汉高祖，成为汉高祖最重要的谋臣。

自追随刘邦之后，在刘邦夺取天下的各个阶段，每每危难之际，张良都能以其聪明才智贡献出高明的谋划和奇计妙策，扭转乾坤，助刘邦的事业转危为安，走向胜利的坦途：在秦末农民起义斗争处于低潮时，张良力劝刘邦避开秦军主力，绕道南阳、蓝田，捷足先登，先入关中；当项羽挟战胜章邯等秦军主力之余威西进至霸上（今陕西西安东），部署军队进攻，刘邦面临覆亡的危险时，张良献计让刘邦卑辞求和，骗过项羽，从而化解鸿门宴上的危机，让刘邦逃过灭顶之灾；在刘邦闷闷不乐前往巴蜀时，张良一方面力劝刘邦烧毁栈道，以示无东进之意，从而麻痹项羽，并借暂栖巴蜀之机，暗中积极备战，另一方面又劝项羽不要防备刘邦，而将在齐地发动反楚战争的田荣作为最大的威胁；当刘邦"暗度陈仓"，夺取关中时，张良写信给项羽说"汉王失职，欲得关中，如约即止，不敢复东"，使项羽未能解决野心最大、心计最深的刘邦。

此次刘邦彭城惨败，形势危若累卵时，张良向刘邦奉献了著名的《下邑对》。

《下邑对》的核心，是提出了楚汉战争的战略方针，即正面坚持、敌后扰敌与南北两翼牵制，进而逐步夺取战略主动权，转变楚强汉弱的形势，最后战胜项羽。具体来说：

一是正面坚守，与敌周旋。张良认为，鉴于彭城之战的失利和汉弱楚强的实际，刘邦集团必须适时改变战略方针，转攻为守，积极防御，以挫败项羽速战速决的企图。为此，在正面战场，必须以荥阳为战略防线的主轴，利用荥阳、成皋（今河南荥阳汜水镇）的优越地形，分兵把守险要，依托豫西丘陵山地，布置防御工事，拒项羽于汜水以东的黄河平原上，阻止楚军西进，屏蔽河南西部，确保关中安全。进而以关中为大后方，利用其人力、物力，以支持战略相持阶段的持久消耗战。

二是利用矛盾，分化瓦解项羽集团，支持彭越进行敌后袭扰。九江王英布是项羽手下最具智勇而且善用兵的大将，勇冠三军。他原为项梁部属，项梁阵亡后归项羽指挥，在巨鹿之战中，战功"为众军之最"，颇受项羽的器重，是项羽最强大、最重要的盟友。而且，英布的封地地处淮南，据六安及寿春附近地区，是项羽大军主要的粮食供应基地。此外，彭城之战后，九江王英布还是诸侯中唯一没有叛楚的强大势力。可见，英布的向背足以影响楚汉战争的全局。只要策反了英布，就可以孤立项羽的势力，切断项羽的"左臂"，使其侧背暴露，不敢全力进攻刘邦，甚至还势必导致项羽不得不分出一部分兵力去对付英布。

彭越是楚汉战争中的另一位枭雄。他的资历很老，陈胜、吴广农民起义爆发前，他就在山东巨野泽（今山东巨野县北）聚众"为盗"。陈胜、吴广农民起义爆发后，他率众响应起义，并跟随刘邦多次出战，此后一直转战梁地一带。项羽入关后，大封诸侯，彭越虽拥有数万之众，却因为不是项羽的亲信而未受片土之封，心中愤懑，于是接受反楚的齐王田荣的任命，率部攻楚。刘邦率"五路诸侯兵"偷袭彭城时，彭越又率3万余人加入讨伐项羽的阵营，被刘邦任命为魏国相，负责攻掠梁地。彭城之战刘邦惨败后，彭越率部退到河上（今属河南滑县），观望形势。应该说，彭越既有实力，又善用兵，其根据地还处于项羽的后方，可以作为游兵，予项羽以重大打击，实为项羽心腹之患。尤其是，彭越曾多次与项羽为敌，与项羽有不可调和的矛盾，而与刘邦则有故旧关系以及联合抗击项羽的经历。因此，鼓动和支持彭越，使其在项羽的后方大肆骚扰楚军，既是可行的，又对于整个楚汉战争具有举足轻重的影响。刘邦只要得到彭越之助，势必使项羽后方不宁，疲于奔命，无法专力进攻汉军。

三是倚重韩信，开辟北方战场。韩信是整个楚汉战争中身系天下安危的名将。他智勇双全，作战指挥灵活机动，曾向刘邦奉献过著名的《汉中对》，提出了"还定三秦，东向争雄"的战略谋划，并辅佐刘邦顺利实现了这一战略目标。应该说，汉王刘邦手下虽猛将如云，但论才能谋略，没有一个可以与韩信相比。所以张良在《下邑对》中强调："汉王之将独韩信可属大事，当一面。"① 这等于提醒刘邦，要取得反楚战争的最后胜利，最为关键的是要重用韩信，只有调动韩信的积极性，发挥其聪明才智和高超的作战指挥艺术，让其在战略上独当一面，才能真正转变被动的战略态势。

四是精心运筹，区分先后缓急。秦末以来，群雄纷起，豪杰并立，拥兵割地者不计其数。尤其是彭城惨败后，刘邦一路溃退，原来的反楚联盟土崩瓦解，各路诸侯纷纷叛汉归楚。在这样的形势下，张良独具慧眼，认为争取和重用英布、彭越、韩信这三大势力，做到奇正相生，正面坚持与侧翼袭扰相结合，是夺取战略主动权并最后战胜项羽的关键。张良进而提出，在韩信、英布、彭越三人之中，最迫切的工作是必须先争取英布和彭越，所谓"此两人可急使"。② 张良的这一见解是非常高明的，因为：第一，在当时的形势下，只有争取时间，迅速策反英布，拉拢彭越，让英布在南方牵制项羽，让彭越在敌后骚扰项羽，才能确保正面战场荥阳、成皋防线稳定，否则，仅靠刘邦的力量，很难抵挡项羽的正面进攻，而一旦荥阳、成皋防线失守，必然导致全面崩溃；第二，英布、彭越的战略牵制除了可以保证稳定正面战场荥阳防线外，还可以使项羽主力陷于东方战场，为汉军后续的战略部署和战略行动的展开提供条件，确保韩信有机会开辟北方战场，并集中力量逐一歼灭黄河以北的魏、代、赵、燕、齐等割据势力，向楚军侧后发展，威胁楚军侧背，孤立楚军，进而完成大迂回的战略包围，彻底陷楚军于被动境地。

刘邦退据荥阳后，一方面收拾彭城战后之残局，稳定诸侯叛离的危势；另一方面按照张良《下邑对》提出的策略，采取了一系列

① 《史记》卷五十五《留侯世家》。
② 《史记》卷五十五《留侯世家》。

相应的措施和部署。

其一，坚守战略正面。为遏制项羽的进攻态势，挫败项羽欲乘胜追击，彻底消灭刘邦集团的战略企图，刘邦迅速召集残部，亲自率军在荥阳、成皋、广武一线艰苦支撑。他接受郦食其守敖仓（在今河南荥阳东北敖山上，山上有城，东北临汴水，秦时在城中筑仓储粮，因名敖仓）之粟的建议，修筑甬道以连接敖仓、荥阳与黄河，取敖仓的粮食储备为军粮，利用荥阳一带的丘陵地形和敖仓丰足的粮食储备，屯重兵于成皋、巩县（今河南巩义）、洛阳一线，形成多层次的防御体系，以迎击楚军的正面进攻，将项羽的主力遏制在荥阳一带。为确保正面抗击项羽，与项羽长期抗衡，在荥阳防线初步稳定后，刘邦又亲自率樊哙、周勃等回关中镇压反叛势力，部署关中部队防守各要塞，以确保关中根据地的安全。此外，刘邦还特意派萧何镇守关中，巩固后方，整顿内政，发展生产，使关中能够为荥阳前线源源不断地输送物资和兵员。结果，虽然项羽大军不断猛烈攻击，正面战场处境困难，荥阳、成皋几经易手，形势经常不利于汉军，但有关中根据地兵员、物力源源不断的补充，以及敌后战场与北方战场的积极策应配合，刘邦终于守住了荥阳一线。这对实现既定的正面坚守、侧翼包围的战略无疑是十分重要的。

其二，策反九江王英布，瓦解项羽集团。张良于四月下旬提出《下邑对》后，刘邦立即派随何率20人南使九江，并嘱咐随何："公能说九江王布使举兵畔楚，项王必留击之。得留数月，吾取天下必矣。"[1] 随何不负刘邦重托，克服重重困难，于五月初带着刘邦的书信到了九江。得到面见英布的机会后，随何以楚汉强弱之形势，从去之利弊得失，以及扩大九江封地为劝诱，终于说服英布背楚归汉，"起兵而攻楚"，[2] 进攻项羽的侧背，这样就切断了项羽的"左臂"，迫使项羽暂缓对荥阳的正面进攻，抽出生力军南征，他的两员大将项声、龙且率军与英布大战数月之久。英布失败后，干脆率军投降

---

[1] 《汉书》卷一上《高帝纪上》。

[2] 《史记》卷九十一《黥布列传》。

了刘邦，转战于成皋和南阳一带，成为在侧翼牵制项羽的一支重要力量。

其三，鼓动和支持彭越，开辟敌后战场。彭越处于项羽的右侧背，此前曾配合刘邦反楚。彭城之战后，刘邦立即派人以梁地为诱饵，鼓动彭越以"游兵击楚"，① 继续袭击、骚扰项羽的后方，以调动楚军，使项羽疲于奔命，从而配合正面战场的防御作战。在项羽发动对荥阳的第一次进攻时，彭越率军千里跃进，绕到彭城东南的下邳，击败留守彭城的楚将，造成威逼彭城之势，迫项羽撤荥阳之围，回救彭城。当项羽在正面战场发动第二次进攻，一度攻克荥阳、成皋之时，彭越又率军袭击梁地，断绝了荥阳前线楚军的后勤供应，逼迫项羽第二次回师，从而予刘邦以喘息之机。在项羽第三次围攻荥阳、成皋时，彭越又乘机在东方攻城略地，控制梁地，使项羽处于前后夹击之中。

其四，也是最重要的一步棋，是按照张良的建议真正重用韩信，拜韩信为左丞相，令其率兵北上"当一面"，开辟北方战场，以减轻荥阳、成皋一线的压力。韩信不负厚望，集中力量逐一歼灭黄河以北的魏、代、赵、燕、楚和东面的齐等割据势力，向楚军侧后发展，威胁楚军侧背，切断楚军的粮道，进而指挥汉军大举出击。

以上部署，体现了依托关中，正面相持，南翼牵制，北翼进攻，以及敌后扰敌与间谍攻心战相结合的对楚作战的全面方针。于是，在西起荥阳，东到彭城，南起九江，北至燕、代的广大的地域，刘项双方展开了中国战争史上空前壮观的战争。

但刘邦在执行既定战略的过程中，曾一度发生动摇，尤其是汉高祖三年（前204），项羽大举进攻荥阳，数次袭击破坏汉军运粮之甬道，荥阳、成皋也几度易手。虽然其间彭越不断进行敌后袭扰，逼得项羽两次回军，但正面战场危机频频。到了十二月，荥阳仍处于项羽的包围之中，战局仍然处于胶着状态。在这战略相持的关键时刻，谋士郦食其向焦头烂额的刘邦提出了一个建议：分封和扶植

---

① 《汉书》卷三十四《韩彭英卢吴传》。

六国的后人，让项羽多面树敌，以削弱楚军，使刘邦取代项羽成为天下霸主。刘邦本来已经接受了这个建议，并派人铸刻印玺，准备实行分封。恰巧张良前来，刘邦很得意地讲了这个计策，并征求张良的意见。张良一听就急了，认为这是个馊主意，张良说："陛下事去矣！"① 为了给刘邦讲清其中道理，张良于匆忙之中借用刘邦吃饭的筷子作为算筹进行分析，于是就有了历史上著名的《荥阳对》。

张良认为，分封六国后裔有"八不可"。这"八不可"，既源于刘邦和项羽双方实力对比的悬殊，又因为时异势异。更重要的是，一旦分封，势必动摇军心，导致自己集团的瓦解："且天下游士离其亲戚，弃坟墓，去故旧，从陛下游者，徒欲日夜望咫尺之地。今复六国，立韩、魏、燕、赵、齐、楚之后，天下游士各归事其主，从其亲戚，反其故旧坟墓，陛下与谁取天下乎？其不可八矣。且夫楚唯无强，六国立者复桡而从之，陛下焉得而臣之？"② 换言之，分封六国后裔完全是一种饮鸩止渴的方法，其结果不但不能削弱楚军，反而会使自己内部人心不稳，并树立更多的与汉争天下的敌人，所谓"诚用客之谋，陛下事去矣"，也就是说，灭楚统一天下的事业必然难以实现！刘邦听了张良《荥阳对》的分析，猛然省悟，正在吃的饭几乎要喷出来，并大骂郦食其是个毫无见识的儒生，差一点坏了自己的大事，然后立即下令，将刻铸好准备分封六国后裔的印玺销毁。

《荥阳对》的高明之处，在于敏锐地指出了分封之策在现实中既不可行，又遗患无穷，也完全违背了既定的战略方针，更与既定的战略目标背道而驰。张良《荥阳对》合情合理的战略分析，促使刘邦在战略相持转入战略反攻的关键时刻，能够坚持既定的战略方针，从而正兵与奇兵交替使用，互为协同，巧妙策应，以主力抗衡敌之主力，以偏师打开战场局面。结果，项羽发动的多次的正面进攻和围困几乎一无所获，而刘邦则开辟了多个战场，使楚军陷入多面作

---

① 《史记》卷五十五《留侯世家》。
② 《史记》卷五十五《留侯世家》。

战的困境，顾此而失彼。待韩信破齐之后，项羽已经进退不得，只好与刘邦议和，双方遂以鸿沟为界，平分天下。至此，战略主动权已经完全转移到刘邦之手。

公元前202年十月，鸿沟划界刚一结束，张良又劝刘邦把握战略反攻的契机，趁项羽在议和后率军东归之际，适时发起战略反攻。刘邦听从张良建议，指挥汉军对楚军实施战略追击，穷追猛打，并于当年十一月，令韩信统一指挥数量占优势的兵力，在垓下（今安徽灵璧南）与项羽进行战略决战，予项羽以致命一击。经此一役，楚军主力遭汉军包围聚歼，曾经不可一世的项羽也自刎乌江（今安徽和县）。至此，长达4年之久的楚汉战争以刘邦的彻底胜利而告结束。次年二月，刘邦在洛阳正式称帝，建立汉朝，重新建立了大一统的帝国。

弱小的刘邦之所以战胜强大的项羽，除了政治上注重争取人心和团结内部外，军事上的胜算主要在于对战略全局的适当处置，作战指挥的高明正确，也即善于行"权谋"，而这些"智"，主要来自张良。太史公司马迁在《史记》中曾盛赞张良"运筹神算"，并感叹："高祖离（遭遇）困者数矣，而留侯常有功力焉，岂可谓非天乎？"① 而刘邦在夺取全国统治权后论功行赏时也承认："夫运筹策帷帐之中，决胜于千里之外，吾不如子房。"② 称赞张良为"三杰"之一，论为首功，并在称帝后仍称子房，而不像对萧何、韩信那样直呼其名，以示对这位"画策臣""帝王师"的由衷尊重。

张良的功名事业将黄老兵学的精髓发挥到淋漓尽致的境界。司马迁说，他原以为张良是个伟丈夫，及至见到张良的画像，才知道其"状貌如妇人好女"③，足见张良身上道家恬淡而外示柔弱的气质。宋代大哲学家朱熹在回答学生的提问时，也明确地讲："子房分

---

① 《史记》卷五十五《留侯世家》。
② 《史记》卷八《高祖本纪》。
③ 《史记》卷五十五《留侯世家》。

明是得老子之术，其处己、谋人皆是。"① 又说，"子房全是黄老"，能将老子隐忍待机、柔弱胜刚强的理论在实践中发挥到极致："老氏之学最忍，它闲时似个虚无卑弱底人，莫教紧要处发出来，更教你枝梧不住，如张子房是也。子房皆老氏之学。如峣关之战，与秦将连和了，忽乘其懈击之；鸿沟之约，与项羽讲和了，忽回军杀之，这个便是他柔弱之发处。可畏！可畏！它计策不须多，只消两三次如此，高祖之业成矣。"② 总之，作为秦汉之际一位看似闲云野鹤的人物，黄老式的张良实则更是一位擅长战略谋划，深通进退之道的哲人。

---

①　黎靖德编，王星贤点校：《朱子语类》卷一百三十五《历代二》，中华书局，1986 年。

②　《朱子语类》卷一百二十五《老氏》。

第七章　秦汉兵学的实用理性
与学术建树（中）

第一节　贾谊的"民本"兵学观

贾谊（前200—前168），河南洛阳（今河南洛阳）人，西汉文帝时的政论家和思想家。年十八，以能诵诗书属文而闻名于当地。文帝时，被召为博士。当时，贾谊年仅二十余岁，是最年少的博士官。但每次皇帝下令议论朝政，诸老先生未能言，贾谊已经全部对答。他不仅反应敏捷，而且分析周到，得到大家的赞同，贾谊因此在官学诸生中树立起了崇高的威望，也得到了皇帝的赏识。当年就被提拔为太中大夫（千石，掌顾问应对）。他博学多才，应对敏捷。就是凭着这种才学，他能够敏锐地抓住历史转变的大势，及时提出调整治国方针、改革制度，为西汉王朝的进一步发展指出了方向。贾谊曾向文帝提出过完备汉代制度的建议："汉兴至今二十余年，宜定制度，兴礼乐，然后诸侯轨道，百姓素朴，狱讼衰息。"并且曾经"草具其仪"，拟定出一整套改造的方案。① 贾谊的著作，现存《新书》十卷五十八篇。从《新书》的内容来看，贾谊对秦二世而亡做了深入的检讨，对汉初所面临的诸侯国问题、制度疏阔问题、礼乐不完备问题都进行了详细的剖析，并提出解决的方案，而在军事问

---

① 《汉书》卷二十二《礼乐志》。

题上，贾谊也提出了自己的见解，不无建树。

文帝于是拟予贾谊以公卿之位，但是遭到一些元老重臣的反对，他们说贾谊"年少初学，专欲擅权，纷乱诸事"①。"木秀于林，风必摧之；堆出于岸，流必湍之"，贾谊也无法摆脱人才易遭嫉妒的这个通则。于是，在这种沉闷压抑的政治氛围之下，贾谊被逐出中枢机要核心圈，从京都外放，出任长沙王太傅。贾谊到长沙后，常感到怨愤和悲伤，作有《离骚赋》和《鵩鸟赋》以自喻。后来文帝思念贾谊，将其召回长安，但还是未能将贾谊拔擢到枢机任职，转了一圈，只是将贾谊任命为文帝少子梁怀王的太傅。后梁怀王坠马而死，贾谊自伤失职，不久也悲郁而死，年仅三十三岁，实可谓"千古文章未尽才"。贾谊先后多次上疏陈治安之道，后人汇编为《新书》。班固著《汉书》，概括、删削贾谊的一些上疏而成《治安策》。

贾谊首先站在历史的高度，对当时所处的时代和历史任务进行了分析。西汉建国已经二十余年，战争状态早已结束，战争创伤在政治上的恢复也基本完成，所谓"天下和洽"。但这个和洽不是指天下已太平，贾谊不同意有人所说的天下太平，他说："进言者皆曰天下已安矣，臣独曰未安。或者曰天下已治矣，臣独曰未治。"② 贾谊认为当时的形势是非常严峻的，他认为当时既不太平，也不是治世。某些人粉饰太平，意在苟且偷安。国家面临的问题，关键就是迷失了方向，本末倒置，制度紊乱。那他为什么要说"天下和洽"呢？原来他把"取天下"和"治天下"做了一个区分："'祖有功，宗有德。'始取天下为功，始治天下为德。"③ 从取天下的角度看，西汉王朝已经达到了有功，但是"取而未治"。当前的问题是，必须尽快结束"取天下"的思维，开始"治天下"的过程。取天下者是高祖刘邦，而"始治天下者"尚未有其人。"治天下"一点也不比"取

---

① 《史记》卷八十四《屈原贾生列传》。
② 贾谊撰，阎振益、钟夏校注：《新书校注》卷一《数宁》，中华书局，2000年。
③ 《新书校注》卷一《数宁》。

天下"容易，必须是圣人才能担当始治天下的大任。这与他之前的陆贾观点是相一致的："马上得天下"，但不能"马上治天下"，"逆取顺守"，方为"文武之道"，可确保"长治久安"。从贾谊的上疏等文献考察，我们可以发现，贾谊是把西汉"始治天下"的圣王的出现，寄托在文帝身上的。

改正朔，易服色制度，是体现从"取天下"到"治天下"转变的象征性措施。具体如何才能实现这个转变？西汉王朝的发展方向在哪里？贾谊从历史到理论，进行了高屋建瓴的论证。在这个论证过程中，贾谊对暴力与战争的基本立场与态度跃然纸上，鲜明而坚定。

从历史教训的角度，贾谊著有《过秦论》。他分析，秦在取天下的过程中依靠强大的军事力量和诡诈之术，打败了声势浩大的合纵抗秦联军，建立了统一政权。由此可见，贾谊对顺应历史潮流前进的军事行动，并不一概排斥，全盘否定，这是对孔子所倡导的"有文事者必有武备，有武事者必有文备"[1]"以之田猎有礼，故戎事闲也；以之军旅有礼，故武功成也"[2] 主张的一脉相承。但是，贾谊认为秦朝没有随着形势的变化而转变国策，在守天下的时期，仍然依靠严刑酷法和暴力手段来维持统治，以为刀把子可以解决一切问题，而不懂得运用道德教化来改造社会，稳定政权。贾谊的结论是，秦统一后，"以六合为家，殽函为宫。一夫作难而七庙隳，身死人手，为天下笑者，何也？仁义不施，攻守之势异也"[3]。攻守异势，是贾谊从秦之兴亡历史中总结出的一个重要结论，也是贾谊视武力既有用又不宜依赖的真实心态。这是对刘邦时期陆贾所说"马上得天下，不能马上治天下"的治国理论的进一步发挥。

历史经验教训的总结和统治理论的探讨，都是为了落实到治国方略，为了解决西汉王朝的发展方向问题。贾谊对社会现实的估计

---

[1] 《史记》卷四十七《孔子世家》。

[2] 《礼记正义》卷五十《仲尼燕居》。

[3] 《新书校注》卷一《过秦上》。

很严峻，认为西汉建立后基本上承袭了秦的背理伤道。班固在《汉书·贾谊传》中将其对时局的概括归纳为"可为痛哭者一，可为流涕者二，可为长太息者六"。

要改变这种状况，依据以上历史的和理论的分析，贾谊主张"以礼义治之"，即以礼治国。一切政治、经济、文化制度，都依礼而立，以维护社会不同阶层尊卑贵贱的等级秩序。当然，礼不仅仅是为臣下和百姓设立的，越是处于上位的人，就越有义务守礼，有义务做百姓的榜样，有义务满足百姓的要求。教化必须是自上而下的，首先从太子教育抓起。君主对待大臣应该"设廉耻礼义以遇之"，目标是"君使臣以礼，臣事君以忠"。对待百姓，必须坚持教化，用礼义廉耻取代利欲邪俗。"夫移风易俗，使天下回心而乡道，类非俗吏之所能为也。夫立君臣，等上下，使纲纪有序，六亲和睦，此非天之所为，人之所设也。人之所设，不为不立，不修则坏。汉兴至今二十余年，宜定制度，兴礼乐，然后诸侯轨道，百姓素朴，狱讼衰息。"① 只有建立稳定持久的礼乐制度，才能"建久安之势，成长治之业"，最终达到天下太平的理想世界。

贾谊从历史、理论和现实相结合的论证中，提出了切合时宜的治国方略，为西汉王朝的长治久安规划了方向。这些策略概括起来，就是如何解决诸侯王问题、匈奴威胁问题以及彻底扭转社会风气，这中间，像解决诸侯王尾大不掉问题，解决匈奴威胁问题，既是政治命题，也是军事命题。

贾谊的兵学观念其实比较单纯，其出发点与归宿都建立在"民本"的基础之上。众所周知，自秦汉以降，"民本"始终是历代大儒的重要理论命题之一，"重民爱民"始终是历代王朝名义上或实际上的基本政治原则之一。这中间，贾谊的论述颇具有代表性意义。贾谊反复强调在政治上以民为本的重要性与迫切性，他在《新书·大政》中明确指出，"闻之于政也，民无不为本也，国以为本，君以为本，吏以为本。故国以民为安危，君以民为威侮，吏以民为贵贱"

---

① 《汉书》卷二十二《礼乐志》。

"夫民者，万世之本也，不可欺"。正因为民是一切之"本"，所以"天有常福，必与有德；天有常灾，必与夺民时。故夫民者，至贱而不可简也，至愚而不可欺也。故自古至于今，与民为仇者，有迟有速，而民必胜之"。他指出，判断君主的"愚""智"，标准不是别的，就在于其对待普通民众的态度，"凡居于上位者，简士苦民者是谓愚，敬士爱民者是谓智"①。由此贾谊将统治者的命运与民众的安危祸福联系在了一起："夫忧民之忧者，民必忧其忧；乐民之乐者，民亦乐其乐。"②

　　正是因为"民无不为本"，所以，战争胜负，完全取决于民众的人心向背，所谓"故夫战之胜也，民欲胜也；攻之得也，民欲得也；守之存也，民欲存也。故率民而守，而民不欲存，则莫能以存矣。故率民而攻，民不欲得，则莫能以得矣；故率民而战，民不欲胜，则莫能以胜矣。故其民之为其上也，接敌而喜，进而不可止，敌人必骇，战由此胜也。夫民之于其上也，接而惧，必走去，战由此败也"③。这种建立在儒家"民本"观基础上的战争制胜论，其实就是孟子战争理念的汉代翻版，是孟子"天时不如地利，地利不如人和"与"得道者多助，失道者寡助。寡助之至，亲戚畔之；多助之至，天下顺之"④ 的另一种方式的表述，呈示的是历代儒家在兵学观念上的共性立场。

　　贾谊这种"民本"兵学观，也体现在具体的军事对策上。例如，在解决匈奴问题上，贾谊主张施行"三表"与"五饵"之策略。这里的"三表"，指的是"天子之信""天子之爱"与"天子之好"，即在与匈奴交往时，要通过朝廷的诚信、慈爱与友好去感化对手，争取其归顺。至于"五饵"，则类似于先秦兵书《六韬》中的"文伐"做法，即，运用各种利诱手段，腐蚀与笼络匈奴贵族，诱使他

---

① 《新书校注》卷九《大政上》。
② 《新书校注》卷六《礼》。
③ 《新书校注》卷九《大政上》。
④ 《孟子注疏》卷四上《公孙丑下》。

们消磨斗志，丧失意愿，从而阻止匈奴南下，实现汉匈之间的和平与稳定。

贾谊的兵学观及其相关策略手段，在原则上，肯定是高尚与正确的，像"伯国战智，王者战义，帝者战德"① 这样的论调，怎么可能会有错误？绝对的政治正确！绝对是合乎道德与逻辑的不刊之论！但是，多少显得有些宽泛、迂阔和天真，它是否能够在现实生活中得以具体贯彻与实际落实，还必须打上大大的问号。司马迁尝云："能行之者未必能言，能言之者未必能行。"② 坐而论道，兵学思想缺乏可行性与执行力，这也许是不少儒学思想家的通病，贾谊也在所难免。换言之，贾谊的兵学观念在两汉儒家中是有典范性质的，是具有普遍共性的意义的。这种腔调，我们可以看到，在后来盐铁会议上的贤良文学嘴里还将再度泛滥。

正是因为贾谊的政论及其所蕴含的兵学思想具有高度的政治正确，但是又缺乏践行功能这样的基本属性，所以，后世对其评价也是众说纷纭，莫衷一是。如在刘向眼里，贾谊是"仰之弥高"的对象："贾谊言三代与秦治乱之意，其论甚美，通达国体，虽古之伊、管未能远过也。使时见用，功化必盛！"但是，班固的看法却大不一样，在他看来，贾谊的观点粗疏而不敷实用："谊之所陈略施行矣。及欲改定制度，以汉为土德，色上黄，数用五，及欲试属国，施五饵三表以系单于，其术固以疏矣。"③ 总而言之，理想很丰满，现实很骨感。贾谊的兵学观，作为抽象的理念，能够超越时空，永葆其价值，但若为具体的方略，则说教成分过多，难免空想虚幻之讥。历史的辩证法就是如此！

尽管由于形格势禁，文帝未能把贾谊的改革蓝图及时落实，但对于贾谊的改革理念，却是相当认同的，也无时无刻不在寻找落实的时机。待权力全面巩固后，"文帝思贾生之言，乃分齐为六国，尽

---

① 《新书校注》卷四《匈奴》。
② 《史记》卷六十五《孙子吴起列传》。
③ 《汉书》卷四十八《贾谊传》。

立悼惠王子六人为王；又迁淮南王喜于城阳，而分淮南为三国，尽立厉王三子以王之"①，部分解决了诸侯王问题。又以秦之暴政酷刑为镜鉴，躬行节俭，废除酷刑，多次减免赋役，分利与民，所以班固在《汉书·贾谊传》中评论道："追观孝文玄默躬行以移风俗，谊之所陈略施行矣。"

第二节　周亚夫"细柳治兵"的军队管理思想

生产力中最活跃的因素是人，战争中的主角是军队。古往今来，武器装备经常更新，作战方式时有变化，然而军队却始终是战争舞台上的主角，浴血奋战始终是走向胜利彼岸的关键。一句话，军队是决定战争胜负、国家安危的基石。

一支军队，无论其阶级属性如何，士气高昂，上下一致，训练有素，军纪严明，装备精良，永远是它强大有力的标志。只有这样，它才能在作战中掌握主动权，立于不败之地，达到克敌制胜的目的，实现进行战争的宗旨。但是，军队的强大，不是凭空而来的，而要通过一定的手段和方式才能做到。这个使军队变得强大有力，保证其很好完成战斗使命的活动，人们通常称之为"治军"。

所谓"治军"，概括地说就是指对军队的管理和训练。其主要内容不外乎：将帅的拔擢任用，部队的政治思想教育，士卒的管理和训练，兵役的组织和实施，军纪军法的申明，赏罚措施的推行，等等。总的目标就是要造就一支令行禁止、进退有节、赏罚严明、内部团结、训练有素、武艺娴熟的军队，使之所向披靡，无往而不胜。

秦汉时期治军的思想十分丰富，治军的实践非常精彩，它们是我国古代兵学文化宝库中弥足珍贵的遗产。限于篇幅，我们仅以周亚夫"细柳治军"为例，做一个简单的介绍。

---

① 《汉书》卷四十八《贾谊传》。

　　周亚夫（？—前143），是西汉开国功臣绛侯周勃之子。军事世家的特殊环境，使他自幼受到兵家文化的熏陶，习读兵书，谙熟军礼。成年后，于公元前164年出任河内太守（郡治在怀县，今武陟西南），公元前161年受封为条侯。不久，他在抵御匈奴内犯的备战中崭露头角，深得汉文帝的赏识，被誉为"真将军"，从此名闻遐迩，继而在平定吴楚七国之乱（前154）的作战中担任统帅，一举平叛，再造汉室，为维护西汉王朝的统一做出关键性的贡献。其出将入相，位极人臣，后来由于直言谏政，触犯汉景帝，被借故下狱。周亚夫悲愤交加，在狱中绝食而死，走完了他坎坷而又辉煌的人生羁旅。

　　说起周亚夫，不能不说到他"真将军"称号的来历，而提起他的"真将军"来历，又不能不从他"细柳治军"的故事说起。

　　公元前158年，北方地区的匈奴骑兵大举内犯，来势汹汹，兵锋直抵甘泉（今陕西淳化西北）。汉文帝在发兵奔赴边关御敌的同时，任命周亚夫、刘礼、徐厉三人统率三支部队分别驻扎于京师长安周围的细柳、霸上和棘门三营，担任卫戍重任。

　　一天，汉文帝在部署军事防御事宜就绪后，为了激励士气，亲自前往长安周围三营慰劳将士。当他到达霸上的刘礼军营和棘门的徐厉军营时，其车驾都毫无阻碍地长驱直入，两营中的各级将吏还骑马全程陪同，殷勤迎送，整个军营看不到些许备战氛围。

　　最后，汉文帝又前往细柳营视察。当其车驾抵达细柳营时，只见军门紧闭，军吏士卒人人身披坚甲，头戴盔胄，手持戟矛，机弩也上了满弦，戒备森严，一派临战的气氛。文帝的先遣官抵达营门前，被守营的军士阻拦，不准入营。先遣官见状，不耐烦喝令道："天子驾到，赶快开门迎接！"守营军士不为所动，沉着地回答说："周将军有令，军中只听从将军的命令，不奉尊天子的指示。"先遣官一筹莫展，只得向汉文帝通报不能入营的消息。汉文帝于是就让使臣拿上天子专用的符节，给周亚夫传话：朕希望进入军营慰劳各位将士。

　　周亚夫这时才传令给守卫军门的军士，打开营门，请汉文帝的车驾入内。当汉文帝的车驾驶入军门后，守门军士又十分严肃地告诫文帝的随从人员：周将军有规定，在军营内不得策马驱驰。于是，文帝的车驾就缓缓行驶，不敢发出喧哗之声。到了中军帐前，只见周亚夫戎装佩剑，从容接驾。他见了汉文帝，拱手一揖请示说，身着盔甲不宜行跪拜之礼，还请允许下臣以军礼觐见圣上。汉文帝大为所动，"改容式车"，亦按照"军礼"的有关规定俯身手扶车舆前的横木，以表示对周亚夫的敬意，同时还派遣随员向周亚夫致礼称谢："皇帝敬劳将军。"① 礼仪甫毕，随即起驾回宫。

汉文帝通过这次实地劳军视察，发现周亚夫治军严谨，的确是难得的将才，便在匈奴边患警报解除后，即下令"拜亚夫为中尉"，让周亚夫具体负责京师长安的治安戍守事宜。不久，汉文帝病重不起，临终前特意告诫太子说：国家一旦有危难，即可让周亚夫统领军队，解决问题。

历史证明，周亚夫完全没有辜负汉文帝的期许。公元前154年，吴、楚等七国以"除晁错，清君侧"为名发动大规模叛乱。汉景帝在妥协不成功的情况下，决定诉诸武力，委任周亚夫为太尉，统率汉军出函谷关平叛。

周亚夫不辱使命，在平定叛乱的作战中，胸有成竹，指挥若定，很快就镇压了反叛势力，夺取了战争的胜利，使西汉王朝转危为安。这同时也充分证明了古往今来军队建设上的一条铁的规则：只有平时治军严，才能战时显神威。同时，这也成为他"细柳治军"做法的正确性最有说服力的注脚。

先秦兵书《司马法》治军思想的重大价值之一，在于其指导思想以及体系构建是建立在把握军队建设自身特点的基础之上的。这方面最为显著的标志，是它一再强调"国容不入军，军容不入国"②，一针见血地道出了治军的特殊要求与自身规律。换言之，这句军队管理教育的脍炙人口的至理名言，区分了治军与治国两者之

---

① 《史记》卷五十七《绛侯周勃世家》。
② 《司马法》卷上《天子之义》。

间的重大差异，划清了彼此的界限，指出国家、朝廷的那一套礼仪规章不能搬于军队之中，而军队的那一套法令章程以及处事方式同样也不能搬用来处理国家、朝廷的事务。《司马法》的作者认为，这是治军中必须首先加以解决的问题。在其看来，治军与治国各有不同的特点和要求，"在国言文而语温，在朝恭以逊，修己以待人，不召不至，不问不言，难进易退；在军抗而立，在行遂而果，介者不拜，兵车不式，城上不趋，危事不齿"①。

鉴于两者的差异，《司马法》进而强调，倘若将军队的那一套应用于国家、朝廷，那么民间礼让的风气就会废弛。一样的道理，如果把国家、朝廷上的礼仪规章制度移用于军队，那么军人尚武果决的精神也会被削弱："军容入国则民德废，国容入军则民德弱。"总而言之，治理国家应该崇尚礼义，治理军队则应讲求法治。礼与法两者互为表里，互为补充，各有其司，并行而不悖，"礼与法，表里也；文与武，左右也"②。正是基于"居国和，在军法，在刃察"这种不同的特点和要求，《司马法》作为军事法典性的兵学著作，根据治军的自身规律，提出了比较系统而且影响深远的治军理论及方法措施。

而"细柳治军"，正是《司马法》"国容不入军，军容不入国"基本原则在汉代新的历史条件下的坚持和发展。周亚夫所倡导的"军中闻将军令，不闻天子之诏"的主张，所表现的"介胄之士不拜，请以军礼见"③之举，与《司马法·天子之义》所规定的"在军抗而立，在行遂而果，介者不拜，兵车不式，城上不趋，危事不齿"④原则，有其吻合一致的地方，从而有效地避免了"国容入军则民德弱"这种不利现象的发生，为维护治军的严肃性，保持军队的强大战斗力创造了必要的前提，也为日后在战场上叱咤风云、战

---

① 《司马法》卷上《天子之义》。
② 《司马法》卷上《天子之义》。
③ 《史记》卷五十七《绛侯周勃世家》。
④ 《司马法》卷上《天子之义》。

胜攻取提供了充分的条件。

第三节　晁错卓荦不群的军事见解

晁错是西汉前期著名政治家，生于公元前 200 年，卒于公元前 154 年，颍川（治今河南禹州）人。早年专治申不害、商鞅等人的法家刑名之学，以学问博洽精深、见识卓荦不凡而得以出任六百石的中层官吏太常掌故，在掌故任上，晁错的最重要作为是受命记录并整理《尚书》这部经典："孝文时，天下亡治《尚书》者，独闻齐有伏生，故秦博士，治《尚书》，年九十余，老不可征。乃诏太常，使人受之。太常遣错受《尚书》伏生所，还，因上书称说。"[1]

以此为契机，晁错开始崭露头角，先后任太子舍人、门大夫，升迁为博士，深受汉文帝的器重，被委任为太子家令，即当上了太子刘启，也就是后来的汉景帝的老师，一时风光无两，恩幸受宠，优渥备至，"以其辩得幸太子"[2]，深受尊重，号为"智囊"。

晁错富有热忱，全身心投入西汉王朝崛起的宏大事业之中。从汉文帝时代起，他就开始不断上疏抒论军国大计，重要的篇什有《贤良对策》《论贵粟疏》《言兵事疏》《守边劝农疏》《募民实塞疏》等。景帝登基后，晁错的政治生涯更是翻开了新的一页，他出任一些显赫的实权要职，最后当上了御史大夫，得以充分施展自己的政治抱负。

晁错所处的文、景时期，西汉王朝所面临的主要挑战有两个：一是匈奴的袭扰与内侵，二是地方同姓诸侯王的尾大不掉，威胁中央集权统治。前者，应付之是谓"攘外"，后者，应对之是谓"安内"。晁错按照"攘外必先安内"的逻辑，自然将"安内"，也就是

---

① 《汉书》卷四十九《爰盎晁错传》。
② 《汉书》卷四十九《爰盎晁错传》。

回击诸侯王的挑战，列为首要的任务。他的策略很简洁也很致命，即鼓动汉景帝当机立断进行"削藩"，而且说得斩钉截铁，毫无任何圆融变通的余地："今削之亦反，不削亦反。削之，其反亟，祸小；不削之，其反迟，祸大！"①

应该说，晁错的这一主张，思路是清晰的，方向是正确的，但方法与手段则值得商榷，不无操之过急、急于求成的嫌疑。吴、楚等诸侯王一下子被逼到墙角，他们不甘心坐以待毙，与其束手就擒，不如鱼死网破，于是他们狗急跳墙，以"诛晁错，清君侧"为名，公开发动叛乱，史称"吴楚七国之乱"。

晁错深受法家学说的影响，性格冷峻凉薄，"为人峭直刻深"，人缘比较差，得罪过的人不少，当上御史大夫这样的大官后，更是春风得意，为所欲为，"一朝权在手，便把令来行"，用今天的话来说，就是挺热衷于"折腾"。很多同僚和部下内心深处都特别烦他，尤其是袁盎，地位与他差不多，更是对他恨之入骨，恨不得将他置于死地。吴楚七国之乱爆发后，他们趁汉景帝一时间方寸大乱、窘迫无计之际，大进谗言，攻击晁错，将晁错说成是导致吴楚七国之乱的元凶巨恶、罪魁祸首，汉景帝一方面怨恨晁错的削藩之策激起变乱，一方面又幻想以牺牲晁错换取七国退兵，达成妥协，遂不顾及晁错的功勋与忠心，采纳袁盎诸人的建议，将其腰斩，"衣朝衣斩东市"②，"父母妻子同产无少长皆弃市"③，上演了极其惨烈的一幕悲剧，可谓是"锐于为国远虑，而不见身害"④。

晁错也是著名的政论家、文学家，有多篇著述传世，《汉书·艺文志·诸子略》"法家类"著录《晁错》31篇，今存8篇，散见于《汉书》"本传"与《食货志》之中。

晁错的文章，主题鲜明，立论深刻，简洁明快，逻辑严密，文

---

① 《汉书》卷三十五《荆燕吴传》。
② 《史记》卷一百一《袁盎晁错列传》。
③ 《汉书》卷八十一《匡张孔马传》。
④ 《汉书》卷四十九《爰盎晁错传》。

字通达，颇有战国纵横家策士之风，是西汉时期文章的典范之一，故被鲁迅先生推重为"西汉鸿文，沾溉后人，其泽甚远"[1]。

兵学思想是晁错思想体系中的有机组成部分，其观点深刻独到，阐说细致透彻，内容丰富翔实，影响广泛深远，值得加以认真总结，充分借鉴。

晁错的军事见解就本质属性而言，乃渊源于先秦的法家思想。法家，《论六家要旨》定为"六家"中的一家，《汉书·艺文志》列为"九流"之一，在先秦"百家争鸣"的格局中，它与儒、墨、道、名、阴阳五家同为最具有代表性的学派。

法家的思想渊源可以上溯到春秋时期的管仲、子产，当时诸侯国为了稳定统治、整顿秩序、富国强兵，纷纷颁布法律，如郑国子产作刑书，邓析作竹刑，晋国铸刑鼎，等等。可见尊君权、重法治、禁私学，已成为当时社会现实政治之大势所趋，而法家之学不过是把这种社会要求加以理论化、体系化。

法家的实际开山人物，当首推战国初期魏国的李悝，其《法经》的颁布、实施及其理论阐发，标志着法家作为学派的诞生。被称为"前期法家"的，除李悝外，主要还有商鞅、吴起、申不害、慎到等人。战国晚期，韩非子综合前期法家各流派之长，融会贯通，成为法家学说的集大成者。

法家学说的基本特色是"不别亲疏，不殊贵贱，一断于法"[2]，"信赏必罚，以辅礼制"[3]。他们力主变革，主张强化君主专制，以严刑峻法治民，厉行赏罚，奖励耕战，建立统一的集权国家，以农政富，以战求强，以法为教，以吏为师，等等。缺点是轻视和否定教化，独任刑法，刻薄寡恩，残暴血腥，"及刻者为之，则无教化，去仁爱，专任刑法而欲以致治，至于残害至亲，伤恩薄厚"[4]。所以

---

[1]　鲁迅：《汉文学史纲要》，江苏凤凰文艺出版社，2017 年，第 59 页。

[2]　《史记》卷一百三十《太史公自序》。

[3]　《汉书》卷三十《艺文志》。

[4]　《汉书》卷三十《艺文志》。

其能够收效于一时，却很难行之久远。

法家思想的根本特征是重功利，尚操作，极具现实针对性。缘是之故，晁错的军事见解也紧密结合西汉前期的现实需求，提出了一系列独到的卓荦识见，其核心宗旨是：积极主战，富国强兵，外御匈奴，内削诸侯，强化集权，巩固专制。

概括地说，晁错的军事见解，其荦荦大端，大致有以下几个方面：

其一，晁错针对汉初国力疲乏的现实情况，主张重农抑商，将"劝农力本"提升到稳固国本、长治久安的战略高度来加以认识。汉文帝前元十二年（前168），晁错上《论贵粟疏》，他认为："有石城十仞，汤池百步，带甲百万，而亡粟，弗能守也。"为此，提倡"贵粟""贵五谷而贱金玉"，通过重农抑商、入粟拜爵、输粟除罪等途径与方式，以"务民于农桑，薄赋敛，广畜积"，富国强兵，为战争行动奠定强大的物质基础。①

其二，晁错针对匈奴不断南下袭扰的严重边患现实，提出了一系列具体的强边固防之策略。这包括在富国的基础之上建设起一支骁勇善战的强大军队，为此，他在汉文帝前元十一年（前169）所上的《言兵事疏》中强调："器械不利，以其卒予敌也；卒不可用，以其将予敌也；将不知兵，以其主予敌也；君不择将，以其国予敌也。"② 因此，对匈奴作战中武器装备要坚固锋利，士卒队伍要勇敢善战，指挥将领要深富韬略，君主要知人善任，从而卓有成效维护国家的安全与政权的巩固。与此同时，相配套的是，进行屯垦戍边，在巩固边疆问题上真正强本固基。晁错认为，秦朝推行的有成无垦之策与汉初实施的轮番从内郡征调戍卒做法，都存在着相当大的局限性，必须及时加以改变。为此，他先后呈上《守边劝农疏》与《募民实塞疏》，针对匈奴民族活动的特点，提出了"徙民实边"的主张，提倡用赐予高爵、免除赋役的手段迁徙内地民众实边屯垦，

---

① 《汉书》卷二十四上《食货志上》。
② 《汉书》卷四十九《爰盎晁错传》。

并将这些徙边的民众按军事编制严格地组织起来，常住久居，耕守自卫，实行对匈奴的积极防御。

其三，全面系统地分析汉军与匈奴军队的优劣短长，客观平允地对边疆战略态势做出正确的评估与判断，在此基础上制定高明稳妥的战略指导方针。晁错经过仔细的考察，得出对汉匈双方军队实力比较的科学认识。他认为，匈奴及其他少数民族在山区作战有惯于涉险、善于骑射、能耐饥寒等三个"长技"，即三大优势，而汉军在平原作战，则拥有兵种齐全、装备精良、组织严密、训练有素、武艺高超等五个"长技"，即五大强项："上下山阪，出入溪涧，中国之马弗与也；险道倾仄，且驰且射，中国之骑弗与也；风雨罢劳，饥渴不困，中国之人弗与也：此匈奴之长技也。若夫平原易地，轻车突骑，则匈奴之众易挠乱也；劲弩长戟，射疏及远，则匈奴之弓弗能格也；坚甲利刃，长短相杂，游弩往来，什伍俱前，则匈奴之兵弗能当也；材官驺发，矢道同的，则匈奴之革笥木荐弗能支也；下马地斗，剑戟相接，去就相薄，则匈奴之足弗能给也：此中国之长技也。"[1] 作战指导者应该在实战中避实击虚，扬长避短，夺取战争主动权。

其四，借力打力，"以蛮夷攻蛮夷"，即根据汉匈军队的优劣特点，有针对性、前瞻性地致力于取长补短，联合边疆地区其他少数民族共同抵御匈奴，保卫边塞。晁错认为，鉴于匈奴有明显的三大优势，汉军要避免进行硬拼死打，而是要联合其他少数民族，借重他们的作战能力，形成双方结合的矩阵优势，从而以长击短，争取到战略上的主动："两军相为表里，各用其长技。"[2] 在晁错看来，这种优势互补的做法乃是真正的克敌制胜"万全之策"。

其五，坚持用武力戡乱，维护天下的稳定与统一。晁错针对当时地方诸侯势力"骄恣"不法、"谋作乱逆"的急迫内忧，知难而进，力主削藩。他认为诸侯闹独立，搞分裂，乃是必然的，即所谓

---

① 《汉书》卷四十九《爰盎晁错传》。
② 《汉书》卷四十九《爰盎晁错传》。

"削之亦反，不削亦反"。与其被动应付，不如主动出击。故强调以武力戡乱，制止分裂，确保国家的统一与政权的安全。

当然，关于晁错的果决"削藩"、武力戡乱之策的评价，在后世是众说纷纭、莫衷一是的。

众所周知，汉初诸侯王尾大不掉，对中央集权构成威胁，乃是西汉王朝立国以来即存在的老大难问题。如汉文帝对此就有清醒的认识，也试图对诸侯王的离心趋势进行控制并努力加以解决。但是，在具体的措施推行上，汉文帝秉持"善后要稳"的原则，不急于求成，不仓促冒失，稳扎稳打，步步为营，做得高明自然，炉火纯青。他一方面尽可能放低自己的身段，礼敬诸侯王，让其麻痹大意，放松警惕，千方百计稳住他们，如吴王刘濞对他不敬，"诈病不朝"，汉文帝隐忍不发，反而"赐几杖"，以示容让。另一方面，则采纳贾谊"众建诸侯而少其力"的建议，在齐国中又分出城阳、济北两个诸侯国，以削弱齐国的势力。到了文帝前元十六年（前164），册立了原淮南王的三个儿子为王，将一个较大的淮南王国分割成三个较小的王国，这显然是有利于巩固中央集权的高明举措。

事缓则圆，汉文帝的做法显然不同于后来汉景帝采纳晁错之策急于"削藩"的冒进。应该说，这么做有利于政局由分权到集权的平稳过渡，是政治大智慧的体现，假以时日，不至于发生"吴楚七国之乱"式的动荡。因此，明末王夫之对汉文帝这种高明的政治艺术推崇备至，认为这是"以时间换空间"的高招："文帝崩年四十有六，阅三年而吴王濞反。濞之令曰：'寡人年六十有二。'则其长于文帝也，十有三年。当文帝崩，濞年五十有九，亦几老矣。诈病不觐，反形已著，贾谊、晁错日画策而忧之。文帝岂不知濞之不可销弭哉？赐以几杖而启衅无端，更十年而濞即不死，亦以衰矣。赵、楚、四齐，庸劣无大志，濞不先举，弗能自动。故文帝筹之已熟，而持之已定。文帝幸不即崩，坐待七国之瓦解，而折棰以收之……若文帝者，可与知时矣。"①

---

① 王夫之：《读通鉴论》卷二《文帝》，中华书局，1975 年。

但是，历史上也有人认为晁错的兵学思想更富有实践上的可操作性，而汉文帝及其重要智囊贾谊的兵学观则不免有迂远而阔于事情、缓不济急的弊端，两者相较，晁错的观点之可行性明显胜出一筹。如明代李贽认为："若错，但可谓之不善谋身，不可谓之不善谋国也。晁、贾同时，人皆以贾生通达国体。今观贾生之策，其迂远不通者，犹十而一二，岂如晁之凿凿可行者哉！"① 又如鲁迅先生也曾指出："《治安策》《过秦论》，与晁错之《贤良对策》《言兵事疏》《守边劝农疏》，皆为西汉鸿文，沾溉后人，其泽甚远。然以二人之论匈奴者相较，则可见贾生之言乃颇疏阔，不能与晁错之深识为伦比矣。"②

晁错的军事见解高屋建瓴，深刻透彻，卓越绝伦，极敷实用，因此为文、景两帝所高度赞赏，广泛采纳，并加以实施，这对强化西汉前期的国防发挥了重要的作用，并且为日后汉武帝大规模反击匈奴并取得全面胜利奠定了非常坚实的基础。其中他的屯垦戍边和以夷制夷思想，乃为历史上的首创，开历代屯田之先河，具有十分重大的意义，在后世产生过极其深远的影响，一直为后人所重视和借鉴。像西汉中叶的赵充国实行军屯，三国时期曹操实施屯田，都是晁错所倡的"徙民实边"政策的传承与发展。故王夫之尝言："晁错徙民实边之策，伟矣！寓兵于农之法，后世不可行于腹里，而可行于塞徼。"③ 由此可见，晁错的军事见解的确非同寻常，其价值是不可低估的。

---

① 李贽：《藏书》卷十五《名臣传·晁错》，中华书局，1959 年。
② 鲁迅：《汉文学史纲要》，第 59 页。
③ 《读通鉴论》卷二《文帝》。

第四节　《淮南子》的兵学论述

　　《淮南子》，又名《淮南鸿烈》，西汉中期淮南王刘安召集门下宾客方术之士数千人，积多年之功编纂而成的一部重要文献，班固《汉书·艺文志》将其归入"杂家"，但是，它在性质上其实更近黄老新道家。梁启超有云："《淮南鸿烈》为西汉道家言之渊府，其书博大而有条贯，汉人著述中第一流也。"① 胡适亦称："道家集古代思想的大成，而《淮南王书》又集道家的大成。"② 公允地说，其书乃以道家思想为主干与指导，汲取与融会儒、法、墨、阴阳、名等诸子百家的思想观点，体大思精，广博深邃，成为战国后期至西汉中叶黄老之学的代表之作。

　　《淮南子》的编纂大约始于汉景帝晚期，而基本成书于汉武帝建元二年（前139），主持者淮南王刘安（前179—前122），是汉高祖刘邦的孙子，被册封为淮南王。他有较深厚的学术文化素养与造诣，曾发动门下宾客从事著书立说，"作为《内书》二十一篇，《外书》甚众，又有《中篇》八卷，言神仙黄白之术，亦二十余万言"③。《汉书·艺文志》著录《淮南子》内二十一篇，外三十一篇，现仅存二十一篇，此当为《汉书》本传所称的"二十一篇"。刘安后来因图谋兵变，事泄失败，被定罪为"大逆不道，谋反"，自杀身亡，

---

① 梁启超：《中国近三百年学术史》，上海古籍出版社，2014年，第235页。
② 胡适：《淮南王书》，欧阳哲生编：《胡适文集》卷六，北京大学出版社，1998年，第512页。
③ 《汉书》卷四十四《淮南衡山济北王传》。高诱《淮南子注》序文尝云："初，（刘）安为辨达，善属文。……天下方术之士多往归焉。于是遂与苏飞、李尚、左吴、田由、雷被、毛被、伍被、晋昌等八人，及诸儒大山、小山之徒，共讲论道德，总统仁义，而著此书。"（《淮南鸿烈集解·叙目》）

淮南国被废除，其地改设为九江郡，但他组织编撰的《淮南子》一书的主体部分，倒是流传到了今天。

《淮南子》最重要的注本，为东汉高诱的《淮南鸿烈解》，重要的研究著作，有刘文典的《淮南鸿烈集解》、吴承仕《淮南旧注校理》、杨树达《淮南子证闻》、张双棣《淮南子校释》等等。

《淮南子》在形式上属于"杂家"，"杂家"的思想特色，《汉书·艺文志》概括为："杂家者流，盖出于议官。兼儒、墨，合名、法，知国体之有此，见王治之无不贯，此其所长也。及荡者为之，则漫羡而无所归心。"可见，杂家的本质属性，便是"杂"，即综合、融会诸子百家之长而形成自己的学说体系，其优点在于博采众长、兼容并取，其缺点在于多归纳而缺乏自己独到的创见。

实质上，《淮南子》又属于"黄老新道家"，所谓"其旨近《老子》，淡泊无为，蹈虚守静，出入经道。言其大也，则焘天载地；说其细也，则沦于无垠，及古今治乱存亡祸福，世间诡异瑰奇之事。其义也著，其文也富，物事之类，无所不载，然其大较归之于道，号曰《鸿烈》"①。其基本特色，是立足于老子思想的主体，尊奉相传的黄帝学说，同时兼容并取诸子百家之长。西汉时期司马谈《论六家要旨》中对道家理论的总结，其对象实际上就是这部分新型道家。他说："道家使人精神专一，动合无形，赡足万物。其为术也，因阴阳之大顺，采儒墨之善，撮名法之要，与时迁移，应物变化，立俗施事，无所不宜，指约而易操，事少而功多。"② 可见黄老新道家的思想体系中包含了阴阳家、儒家、墨家、法家乃至名家的一些思想内容，其特征是"与时迁移，应物变化"，其宗旨则有明确的功利性，即"立俗施事，无所不宜。指约而易操，事少而功多"。这不但与庄子学派有很大的不同，而且也与老子的不少观点不尽一致，最主要的一点就是由消极避世转变成为积极入世。从表面上看，黄老派与老庄派都强调以无为顺应自然的"因循"原则，但是其目的

---

① 《淮南鸿烈集解·叙目》。
② 《史记》卷一百三十《太史公自序》。

有异：老庄学派是以恢复事物的自然本性为终极目的，而黄老学派则是利用事物的自然本性，使其为我所用。正因这种根本性的变化，道家学说乃从哲学家的书本中走了出来，变成了政治家手中可供操作的治国统军的利器。

但无论是"杂家"，还是"黄老之学"，其根本特征之一，就是学术上呈现鲜明的综合性、系统的融贯性、高度的整体性与显著的互补性。正是出于这个缘故，兵学思想成为《淮南子》整个理论体系中的有机组成部分，即其作者所明确表示的："通书文而不知兵指，则无以应卒。"① 也正是因为这样，《淮南子》的兵学观念也体现出系统整合、包罗万象的时代文化精神。

《淮南子》的兵学论述主要集中于《兵略训》《主术训》《氾论训》等篇。其中，《兵略训》更是专门而深入讨论兵学问题的篇章："《兵略》者，所以明战胜攻取之数、形机之势、诈谲之变，体因循之道，操持后之论也。所以知战阵分争之非道不行也，知攻取坚守之非德不强也。诚明其意，进退左右无所失击危，乘势以为资，清静以为常，避实就虚，若驱群羊。"② 通观《淮南子》全书，其主要的兵学观点，大致有以下几个方面：

第一，战争起源缘于"分不均，求不澹"。《淮南子》的作者认为，战争源远流长，所从来已久："兵之所由来者远矣！黄帝尝与炎帝战矣，颛顼尝与共工争矣。故黄帝战于涿鹿之野，尧战于丹水之浦，舜伐有苗，启攻有扈。自五帝而弗能偃也，又况衰世乎！"③ 然而，尽管战争非常残酷，酿成人道灾难，"驱人之牛马，僇人之子女，毁人之宗庙，迁人之重宝，血流千里，暴骸满野"④，但是，得承认战争很难避免，这乃是受人性内在本质驱动的必然结果。即无论作为生物人，还是作为社会人，都有衣食方面的强烈欲求，但是，

---

① 《淮南鸿烈集解》卷二十一《要略》。
② 《淮南鸿烈集解》卷二十一《要略》。
③ 《淮南鸿烈集解》卷十五《兵略训》。
④ 《淮南鸿烈集解》卷八《本经训》。

社会财富毕竟有限，无法普遍满足人类的物质需求，而人类社会内部又往往因各种原因而导致社会物质财富分配上的不公，更是激化了社会矛盾，最终引起战争的爆发："人有衣食之情，而物弗能足也，故群居杂处，分不均，求不澹，则争。争，则强胁弱而勇侵怯。"① 由此可见，《淮南子》的作者，是着眼于人的物质欲望与物资不足的内在矛盾关系，来说明战争的起源问题的，这无疑是一种富有科学理性精神的卓越识见。

第二，"兵之胜败本在于政"的战争制胜理念。《淮南子》的作者认为，政治清明，上下和谐，内部团结，有共同的奋斗目标，有共同的价值取向，心往一处想，劲往一处使，那么克敌制胜就有了政治上的保证。"兵之胜败，本在于政。政胜其民，下附其上，则兵强矣。民胜其政，下畔其上，则兵弱矣。故德义足以怀天下之民，事业足以当天下之急，选举足以得贤士之心，谋虑足以知强弱之势，此必胜之本也。""修政于境内，而远方慕其德，制胜于未战，而诸侯服其威，内政治也。"反之，如果政治黑暗混乱，那么就不免由强转弱，由多转少，由胜转败："地广人众，不足以为强；坚甲利兵，不足以为胜；高城深池，不足以为固；严令繁刑，不足以为威。为存政者，虽小必存；为亡政者，虽大必亡。"这种政治为军事胜负的前提，《淮南子》的作者将它理解为"道"："得道之兵……因民之欲，乘民之力而为之，去残除贼也，故同利相死，同情相成，同欲相助。顺道而动，天下为向；因民而虑，天下为斗。"因此，要"积德"，要"畜怒"："善为政者积其德，善用兵者畜其怒。德积而民可用，怒畜而威可立也。故文之所以加者浅，则势之所胜者小；德之所施者博，而威之所制者广。威之所制者广，则我强而敌弱矣。故善用兵者，先弱敌而后战者也，故费不半而功自倍也。"在此基础上，《淮南子》的作者进而区分了战争的基本性质，即"义战"与"不义战"，认为战争的宗旨，当是追求"正义"："古之用兵者，非利土壤之广而贪金玉之略，将以存亡继绝，平天下之乱，而除万民

----

① 《淮南鸿烈集解》卷十五《兵略训》。

之害也。"为此，其急切倡导"义战"，认为"义兵之至也，至于不战而止"。①

普鲁士卓越的军事学家克劳塞维茨说："如果说流血的屠杀是残酷可怕的，那么这只能使我们更加严肃地对待战争，而不应该使我们出于人道让佩剑逐渐变钝，以致最后有人用利剑把我们的手臂砍掉。"② "萧条异代不同时"，克劳塞维茨可谓是刘安诸人的异代知己！

第三，"乘众人之智"的将帅素质论。克劳塞维茨说："如果我们进一步研究战争对军人的种种要求，那么就会发现智力是主要的。战争是充满不确实性的领域。战争中行动所依据的情况有 3/4 好像隐藏在云雾里一样，是或多或少不确实的。因此，在这里首先要有敏锐的智力，以便通过准确而迅速的判断来辨明真相。……战争是充满偶然性的领域。人类的任何活动都不像战争那样给偶然性这个不速之客留有这样广阔的活动天地……要想不断地战胜意外事件，必须具有两种特性：一是在这种茫茫的黑暗中仍能发出内在的微光以照亮真理的智力；二是敢于跟随这种微光前进的勇气。前者在法语中被形象地称为眼力，后者就是果断。"③ 他还说："军事行动要求人们必须具备的智力和感情力量的各种表现。智力到处都是一种起主要作用的力量，因此很明显，不管军事行动从现象上看多么简单，并不怎么复杂，但是不具备卓越智力的人，在军事行动中是不可能取得卓越成就的。"④ 若米尼就强调指出："一个统帅的高超指挥艺术，无疑是胜利的最可靠的保证之一，尤其是在交战双方的其他条件都完全相等时，更是如此。""有关支配军队的制度是政府军

---

① 《淮南鸿烈集解》卷十五《兵略训》。

② ［德］克劳塞维茨著，中国人民解放军军事科学院译：《战争论》，第 289 页。

③ ［德］克劳塞维茨著，中国人民解放军军事科学院译：《战争论》，第 51—53 页。

④ ［德］克劳塞维茨著，中国人民解放军军事科学院译：《战争论》，第 69—70 页。

事政策中最重要的组成部分之一。一支精锐的军队，在才能平庸的司令官指挥之下，能够创造出奇迹。而一支并非精良的军队，在一位伟大的统帅指挥之下，也能创造出同样的奇迹。但是如果总司令官的超人才能还能再加上精兵，就一定能创造出更大的奇迹。"①

　　这在中国，则是被生动地表述为"兵熊熊一个，将熊熊一窝""千军易得，一将难求""置将不善，一败涂地"。将帅是军队的灵魂，是军队的大脑，关系着全军上下的生死、国家社稷的安危，这乃是古代兵家的共识。《淮南子》的作者在这方面也没有例外，他们对将帅的素质提出了具体的要求，强调身为将帅者要具备"独见独知"，即拥有"见人所不见""知人所不知"的高于普通人的认识能力与睿哲智慧。② 但是，这种"独见独知"的能力，绝对不是自以为是、独断专行，而是能够做到开诚布公，集思广益，虚怀若谷，海纳百川，即所谓"乘众人之智""用众人之力"。如同孙子提倡要辩证看待将帅"美德"问题，避免片面性，超越了"度"就可能走向反面，成为"覆军杀将"的"五危"祸因一样，《淮南子》作者也富有另类思维，善于在正常中发现不正常，合理中找到不合理，主张不要过于在乎所谓的将帅个人"美德"，避免走极端。为此，他强调"兵以道理制胜，而不以人才之贤"："夫仁、勇、信、廉，人之美才也，然勇者可诱也，仁者可夺也，信者易欺也，廉者易谋也。"③ 这与孙子所说的"廉洁，可辱也；爱民，可烦也"④ 显然是一样的辩证认识，异曲同工，百虑一致。

　　第四，重"权"任"势"的作战指导原则。《淮南子》的作者，在作战指导思想的阐释上，也不乏高明的识见。他们认为，作战的

①　［瑞士］A. H. 若米尼著，刘聪、袁坚译：《战争艺术概论》，解放军出版社，1986 年，第 62—63 页。

②　《淮南子·兵略训》言："夫将者，必独见独知。独见者，见人所不见也；独知者，知人所不知也。见人所不见，谓之明；知人所不知，谓之神。神明者，先胜者也。"

③　《淮南鸿烈集解》卷十五《兵略训》。

④　《孙子兵法新注·九变篇》。

宗旨与作战样式必须随历史的进步而不断变革，及时创新，切忌墨守成规，僵化保守，画地为牢，不思进取："古之伐国，不杀黄口，不获二毛。于古为义，于今为笑。古之所以为荣者，今之所以为辱也。古之所以为治者，今之所以为乱也。"① 即高明的作战指导者在对敌作战过程中，必须根据敌情的变化，随时调整兵力部署，改变作战方式，始终保持主动，由用兵的"必然王国"进入用兵的"自由王国"。否则，即便熟读兵书，满腹韬略，也不免食古不化，胶柱鼓瑟，纸上谈兵，到头来终究逃脱不了丧师辱国、身败名裂的悲剧下场，所谓"法有定论，而兵无常形。一日之内，一阵之间，离合取舍，其变无穷，一移踵瞬目，而兵形易矣。守一定之书而应无穷之敌，则胜负之数戾矣"②。

《淮南子》注重创新的兵学观，也可以得到近现代西方军事学理论的佐证。毫无疑问，西方军事学家同样高度重视作战指导上的灵活应变，创新发展，也反对抱残守缺、墨守成规，强调要随着军事技术的变化和发展，针对不同的作战对象，根据不同的作战条件与环境，不断地改变战法，灵活地运用战术。这方面，富勒在其《装甲战》一书中的许多观点是具有代表性的。首先是武器装备的进步，一定会带来作战方式的变革，"十五、十六世纪火药的出现，十九世纪蒸（气）［汽］动力和化学科学的发展，均引起当时军队编制装备的改变；同样，在当今年代，油料、电力、高爆炸药、蒸（气）［汽］动力和化学的发展，必然会引起战争的全面改变，以至建立新的军事体制"，"新式武器的投入使用不能不引起条件的变化，而条件的每次变化又都会要求军事原则应用的变更"。其次，制胜的关键在于灵活应变、便宜从事："除攻城战外，各种作战的成功秘诀不仅是作战方法，更重要的是机断行事。因此，指挥官的作战计划必须简明扼要，并具有灵活性。计划应留有充分余地，使下属指挥官能

---

① 《淮南鸿烈集解》卷十三《氾论训》。
② 何去非：《霍去病论》，曾枣庄、刘琳主编：《全宋文》卷二五六五《何去非二》，上海辞书出版社、安徽教育出版社，2006 年。

机断行事""不能以一成不变的思想来制（订）[定] 计划，而必须用灵活机动的思想来制定计划，也就是说，计划必须包括若干个预备方案"。①

《淮南子》的作者主张用兵打仗要拥有"三势""二权"，即"气势""地势""因势"以及"知权""事权"，其核心内涵，是要根据己方高昂的士气、有利的地形和部队的实际状况，积极创造和运用有利的作战态势，针对敌方的实际情况，灵活用兵，因敌变化，致人而不致于人，从而克敌制胜。而要做到这一点，《淮南子》的作者认为，关键在于做大做强自己，牢牢立于不败之地："盖闻善用兵者，必先修诸己，而后求诸人，先为不可胜，而后求胜。修己于人，求胜于敌，己未能治也，而攻人之乱，是犹以火救火，以水应水也，何所能制！"同时要"先计而后战""谋定而后动"，不打无准备之仗，不打无把握之仗，牢牢立于不败之地，而不失敌之败也，"胜于易胜"："权势必形，吏卒专精，选良用才，官得其人，计定谋决，明于死生，举错得失，莫不振惊。故攻不待冲隆云梯而城拔，战不至交兵接刃而敌破，明于必胜之攻也。故兵不必胜，不苟接刃；攻不必取，不为苟发。故胜定而后战，铃县而后动。"②

值得注意的是，《淮南子》的有关兵学论述，在文字上亦颇有特色，可谓优雅生动，与兵学原则本身交相辉映，相得益彰。如《淮南子·兵略训》有言："夫五指之更弹，不若卷手之一挃；万人之更进，不如百人之俱至也。"阐释"集中兵力""并敌一向"的哲理，可谓形象生动，比喻鲜活。《淮南子·兵略训》又言"分合为变"的道理："兵静则固，专一则威，分决则勇，心疑则北，力分则弱。故能分人之兵，疑人之心，则锱铢有余；不能分人之兵，疑人之心，则数倍不足。"排比、对偶、联珠等各种修辞方法都用上了，美不胜收。再如言隐蔽作战企图，从而达到神出鬼没、出敌不意的用兵上乘境界："兵贵谋之不测也，形之隐匿也，出于不意，不可以设备

①　[英] 富勒著，周德等译：《装甲战》，第2、113、11—12、63页。
②　《淮南鸿烈集解》卷十五《兵略训》。

也。谋见则穷，形见则制。故善用兵者，上隐之天，下隐之地，中隐之人。隐之天者，无不制也。"① 其文字亦可谓行云流水，错落有致。而在这形式美的背后，则是其兵学观念中的辩证思维精神得以淋漓尽致地展示，让人们在千载之后，仍得以分享其深邃无际的思维理性之光，领略其永恒的魅力！

第五节　李广"数奇"所反映的汉代战略方针变革

在中国历史上，西汉时期的名将李广无疑是一位充满浓厚悲剧色彩的人物。他一生与匈奴七十余战，为二千石吏四十余年，却至死未得封侯，给后人留下了"李广难封"的浩叹。司马迁《史记》中一篇《李将军列传》，对李广的遭遇寄予了无限的感慨和同情，令后人一掬"萧条异代不同时"之热泪。尤其是那段总结文字——"《传》曰'其身正，不令而行；其身不正，虽令不从'。其李将军之谓也？余睹李将军悛悛如鄙人，口不能道辞。及死之日，天下知与不知，皆为尽哀。彼其忠实心诚信于士大夫也？谚曰'桃李不言，下自成蹊'。此言虽小，可以谕大也"②，更是情文并茂、声泪俱下，使李广的人格魅力永垂青史，感天动地！然而，它在很大程度上是司马迁个人情绪化的宣泄，掺杂着太多的私人喜怒爱憎因素，并没有真正地反映历史的真实，也歪曲了造成李广悲剧的深层次原因，更误导了后人的认识和评价，像王维《老将行》"卫青不败由天幸，李广无功缘数奇"③ 之类意气用事、不着边际的诗句，初唐诗人王

---

① 《淮南鸿烈集解》卷十五《兵略训》。
② 《史记》卷一百九《李将军列传》。
③ 王维：《老将行》，王维著，赵殿成笺注：《王维诗集》卷六，上海古籍出版社，2017 年。

勃《滕王阁诗序》"时运不齐，命途多舛。冯唐易老，李广难封"①的感慨，就都是这方面的典型。

平心而论，李广的悲剧命运是注定了的。这既有时代背景的原因，更有其个人的因素。李广所处的时代，正是西汉国防战略方针发生重大转折的关键时期。雄才大略的汉武帝登基后，变"无为而治"为"有为进取"，秉行《春秋公羊传》"大复仇"的指导原则，一改汉高祖以来在与匈奴和战问题上的消极防御国策，对匈奴的侵扰采取积极反击的措施，集中全国上下的财力、物力与人力，提升国防力量，特别是根据汉匈战争的需要，强化主力兵种的建设，大规模发展骑兵，运用骑兵集团纵深突袭的战法，对匈奴贵族势力实施歼灭性打击。

我们知道，骑兵在秦汉时期称为"骑士"，是当时军队主力兵种之一。它的发展又以汉武帝反击匈奴为界，划分为两个阶段。汉武帝之前，骑兵与车兵、步兵的地位相近，甚至还要稍低一些；但是从汉武帝时代起，骑兵得到了极迅速的发展，中国古代骑兵完成了向战略军种的转变，成为军队中的第一主力兵种。古代兵家认为骑兵作战的特点是"急疾捷先"，"驰骤便捷，利于邀击奔趋"②。从此以后，汉军便能够以机动对付敌之机动，可以远程奔袭，能够实施迂回、包围、分割、围歼，赢得战场上的主动。正是在这样的历史条件下，汉武帝坚决发动了前后五次大规模反击匈奴的战役，取得了汉匈战略决战的决定性胜利。由此可见，骑兵的发展及其在作战中的突出地位，是秦汉时期兵种建设上最大的特色，它标志着中国古代兵学文化史上骑兵时代的到来。在这一重大战略转变形势面前，李广、程不识等作为在对匈奴消极防御环境下成长起来的将领，显然"江郎才尽"，无力承担统率汉军大规模反击匈奴的重任，只好眼睁睁地看着以卫青、霍去病为代表的新生代将领脱颖而出，后来居

---

① 王勃：《滕王阁诗序》，王勃著，谌东飙校点：《王勃集》卷五，岳麓书社，2001 年。
② 《阵纪注释》卷四《骑战》。

上，建功立业，尽占风头。"人事有代谢，往来成古今"，"长江后浪推前浪，一代更比一代强"，历史的规律就是这样无情，汉朝廷战略方针的演变成为"李广难封"的一个重要原因。

当然，李广抑郁不得志更在于他个人军事才能的局限。作为一名久历战阵的将领，李广长于战斗指挥，骁勇善射，在战术上灵活机智，有勇有谋，敢于打硬仗、打恶仗，射术之精堪称一绝，威震匈奴各部，被匈奴畏誉为"飞将军"。唐代诗人卢纶曾如此颂扬李广的神箭无敌："林暗草惊风，将军夜引弓。平明寻白羽，尽在石棱中。"[①] 该诗可谓栩栩如生地刻画了李广高明的箭艺与气概。然而这种近敌格斗上的剽悍骁勇，终究掩盖不了李广拙于战役和战略指挥的根本缺陷。李广曾先后担任骁骑将军、前将军等重要军职，五次率精兵参加反击匈奴的作战，应该说杀敌立功、晋爵封侯的机遇多多，可是他不是无功而返，就是大败亏输、损师折将，根本没有表现出"飞将军"的风采，给人一种"盛名之下，其实难副"的感觉。常言道："一之谓甚，其可再乎！"[②] 连续五次机会，李广都不曾把握住，这就不是单纯地用"偶然性"所能解释的了。

当然，我们并不否认，这中间有来自汉武帝以及卫青等人的掣肘因素在产生作用，但是，在简单的表象背后，我们认为还有本质的问题与症结存在，即，这也在某种程度上说明了一个残酷的事实：李广只是一名斗将，而非真正大将之才。他明显缺乏战略战役指挥上的大智大勇，尤其不善于指挥大规模骑兵集团远程奔袭，机动作战，而这一点正是身为汉武帝时代高级将领的致命弱点，也是他一生不得封侯的最主要原因。

李广的战功固乏可陈，而他治军的做法也多有弊端。的确，在他身上，爱兵如子、身先士卒的优点殊为突出，"宽缓不苛"使得"军中自是服其勇"，以至他自尽后，"一军皆哭"，连普通百姓也

---

① 箭镞入石之事，《史记·李将军列传》记载："广出猎，见草中石，以为虎而射之，中石没镞，视之石也。因复更射之，终不能复入石矣。"

② 《春秋左传正义》卷十二《僖公五年》。

"皆为尽哀"。可是，他治军上放任自流，不讲求以法治军、严格管理也是不争的事实。具体表现为，行军时"无部伍行阵"，止舍时"人人自便"，连必要的警卫都不设置，"不击刀斗以自卫"，在幕府中则无"文书籍事"。① 这种把严格要求和关心士卒对立起来的做法是根本不可取的，它无法做到"令行禁止""旅进旅退"，也不可能真正形成强大的军队战斗力。孙子说："令之以文，齐之以武，是谓必取。"② 又说："厚而不能使，爱而不能令，乱而不能治，譬若骄子，不可用也。"③ 李广违背了这一治军的基本原则，无怪乎会劳而无功，际遇坎坷了。

讲到这里，我们不禁要对所谓优秀将领的标准问题做出更合理的界定。一位将领是否优秀，不是只看爱护士卒方面做得如何，关键在于他能否在战场上克敌制胜。能打胜仗，便是名将；不能打胜仗，那么他再怎么爱兵如子，再怎么与士卒同甘共苦，赢得部下的信赖，则依旧是庸将。一句话，胜败是衡量一位将领合格与否、优秀与否的唯一标准。以此为坐标考察李广，我们不得不对李广说一声："将军，你并不是像卫青、霍去病那样的杰出的军队栋梁！"

至于李广的性格与气度，看来他也不是一个能成就大事业的人物。有言道："海纳百川，有容乃大。"真正优秀的名将，是能够做到襟怀坦荡，虚心容物的。可是很显然，李广并不是那类人，这从他对待霸陵尉一事便可以看得很清楚。李广被闲置期间，曾在蓝田南山一带射猎，打发时间。有一次他带一名随从乘夜色外出，喝得醉醺醺后信马由缰踏上归程，途中经过霸陵亭。负责该地治安的霸陵尉正好也喝得有几分醉意，见了李广未免不够恭敬和客气，大声呵斥李广不该违禁夜行。李广的侍从上前申明这是"故李将军"（意谓退休将军李大人），希望借此免去李广违禁夜行的责罚，谁知霸陵尉仗着酒劲并不买账，声称："现任将军尚且不得夜行，更何况

---

① 《史记》一百九《李将军列传》。
② 《孙子兵法新注·行军篇》。
③ 《孙子兵法新注·地形篇》。

是什么退休将军！"于是按规章将李广扣留在其办公地点整整一个晚上。应该说，霸陵尉的态度虽然有些粗暴，不怎么通人情世故，不怎么让人感到舒服，但毕竟是秉公执法，照章办事，并无大错，李广不检讨自己的违禁之过，反而对严格守法与执法的霸陵尉怀恨在心，伺机报复。自己出任右北平太守后，第一件事便是找霸陵尉的晦气，取其项上的首级："即请霸陵尉与俱，至军而斩之。"① 如此小肚鸡肠，睚眦必报，又焉能成就大事？可见，李广的悲剧，不在于时运不济，而在于他自身弱点。所以，对他的分析和评价，也应该少一点道德上廉价的同情，多一分历史上冷峻的思考。

当然，历史自有其吊诡的地方。历史的真相与历史的价值判断，有时候是让人匪夷所思的。在历史的真实中并不特殊优秀的人物，经常会因种种机缘，而以完美的化身融入后来人们的历史认知，关羽如此，郭子仪如此，李广亦复如此。这让人不能不佩服历史重构的强大力量。我认为，这可以理解为历史对人物或事件的重新塑造功能。这一点，在后世人们对人物的再评价上，有非常突出的表现。所以，宋朝杀了一个功臣岳飞，其主事者宋高宗赵构、宰相秦桧就被永远钉上了历史的耻辱柱；而动辄大规模屠戮功臣与士大夫的皇帝，却大多被后人轻轻放过，甚至还被千方百计加以淡化或开脱。这不能不让人惊诧于历史的复杂性！

在李广的身上，我们同样能见到这种历史人物重新被塑造的景象。借助于司马迁《史记》文字的魅力，李广成为受委屈的历史人物之象征，久而久之，人们基于同情的心理，又将李广升华为中华民族的百战名将乃至民族长城的图腾了。换言之，到了后世，尤其从唐代以降，李广的形象就转化成为人们抗击外侮时，追慕英雄再世的精神寄托了。唐代王昌龄《出塞》一诗就是这方面具有标志性意义的鲜明例证："秦时明月汉时关，万里长征人未还。但使龙城飞

---

① 《史记》卷一百九《李将军列传》。

将在，不教胡马度阴山！"① 而高适的《燕歌行》，则更是将李广幻化为针砭当时军队建设之弊端，寄托人们呼唤与寻找军魂、国魂的希冀了："汉家烟尘在东北，汉将辞家破残贼。男儿本自重横行，天子非常赐颜色。摐金伐鼓下榆关，旌旆逶迤碣石间。校尉羽书飞瀚海，单于猎火照狼山。山川萧条极边土，胡骑凭陵杂风雨。战士军前半死生，美人帐下犹歌舞！大漠穷秋塞草腓，孤城落日斗兵稀。身当恩遇常轻敌，力尽关山未解围。铁衣远戍辛勤久，玉箸应啼别离后。少妇城南欲断肠，征人蓟北空回首。边庭飘飖那可度，绝域苍茫无所有！杀气三时作阵云，寒声一夜传刁斗。相看白刃血纷纷，死节从来岂顾勋？君不见沙场征战苦，至今犹忆李将军。"②

一句"君不见沙场征战苦，至今犹忆李将军"，道尽了人们心目中的无限期待、无穷追慕！李广是不幸的，生前征战一辈子，连一个侯爵也未得到；李广又是幸运的，身后流芳数千年，其荣耀令多少曾经辉煌一时的帝王将相也瞠乎其后！

第六节　卫青"和柔自媚于上"与秦汉时期君将关系的演变

汉武帝反击匈奴之战大获全胜，一雪百年之耻，第一号功臣，当推大将军卫青。

今天看来，卫青的确算是生逢其时，所谓"时来天地皆同力"，这位卫青大将军乃是幸有与焉。卫青生活的时代，正是西汉王朝国防战略的重大转折时期。雄才大略的汉武帝登基后，凭借前人励精图治而积累的雄厚经济基础与强大军事实力，立即改变自汉高祖刘

---

① 王昌龄：《出塞一》，李云逸注：《王昌龄诗注》卷四，上海古籍出版社，1984 年。

② 高适：《燕歌行》，刘开扬：《高适诗集编年笺注》第一部分，中华书局，1981 年。

邦"白登之围"以来，在与匈奴和战问题上的卑辞厚赂、曲意和亲为主干的消极防御国策，对匈奴贵族好战分子的内侵骚扰，采取以硬碰硬、死缠烂打、积极反击、寸步不让的措施。在这一重大的军事战略转变的形势面前，西汉王朝那些在对匈奴消极防御环境下成长起来的将领，如程不识、李广等人，虽然辈分很高，名头极大，但已属英雄迟暮，明日黄花，再也无力承担统率汉军大规模反击匈奴的重任。汉武帝是明白人，也是有决断的人，他当然不会做论资排辈，以致丧师辱国的蠢事，而是秉行"有非常之功，必有非常之人"的原则，破格提拔和重用具有新思维、适应新形势的年轻将领。"陛下用群臣如积薪耳，后来者居上"①，汲黯的话说得真是到位，而卫青正是汉武帝一眼发现的大将之才。

卫青走上反击匈奴的战争舞台后，果真没有让汉武帝失望。他曾先后7次统率汉军精锐骑兵，主动出击袭扰汉朝边境的匈奴贵族，"每出辄有功"，共计斩杀、俘虏敌人5万余名，为平定匈奴边患，保卫华夏地区的核心农耕文明圈，巩固西汉王朝的统一，维护国家和民族的长远利益做出了极其重要的贡献。其中河南之战中的战略迂回，侧翼奇袭，漠北之战中的长途奔袭，捣敌腹心，更是卫青一生中杰出军事指挥艺术的辉煌之作，也成为中国战争历史上的经典范例。由此可见，卫青的成功，并不是靠他与汉武帝的裙带关系，而是凭借其出色的军事才能。

不过，卫青这个人物之所以有其特殊性和代表性，倒并非因为他的赫赫战功，而更多的是由于他的为将风格。这种风格，从好的方面讲，是"顾大局，能谦虚"，平易随和，谨言慎行；但是，从另一个角度看，则是十足的"圆滑"，曲意逢迎，见风使舵。总的来说，卫青是一个缺乏鲜明个性、刚毅气质的大将，汉武帝会高度信任他，不仅因为他会打仗，善指挥，更是因为他驯服顺从、忠诚听话。事实正是如此，卫青既不因战功卓著而轻狂自大，忘乎所以，也不因为身为皇亲、位极人臣而骄横跋扈，趾高气扬，而是始终小

---

① 《史记》卷一百二十《汲郑列传》。

心谨慎，圆滑随和，"为人仁善退让"，做到了"奉法遵职"。这种既有很强的办事能力，又不会对皇权构成任何威胁的将才，汉武帝自然满意，自然欣赏。

反映卫青"圆滑"的最典型的例子，莫过于他处理自己麾下败军之将苏建的谨慎方式。汉武帝元朔六年（前123），卫青以大将军的身份率领公孙敖、公孙贺、赵信、苏建、李广等六将军兵出定襄，反击袭掠朔方一带的匈奴骑兵。苏建、赵信所部在进军途中恰好与单于所统率的匈奴主力相遇。双方大战一日有余，汉军死伤惨重，血流成河，几乎全军覆灭。赵信一看形势危急，遂带着800骑兵向单于投降，苏建见势不妙，"三十六计，走为上"，脚底抹油，丢下部众，只身狼狈逃回汉军大营。

打了败仗，损兵折将，大丢汉军的面子，大伤朝廷的威仪，自然要严肃执行军法，严厉惩处有关责任者，以儆效尤。卫青于是召集军正闳、长史安和议郎周霸，向他们询问相关的处置意见："苏建大败而归，法当何罪？"议郎周霸是个非常直率、坦诚的君子，第一个发言："今建弃军，论律当斩，以明您大将军之威。"闳和安两人则持不同意见，以为应该多考虑当时战场上的实际情况，抱同情之理解，高抬贵手，放苏建一马，暂且饶恕其死罪："今建以数千当单于数万，力战一日余，士尽，不敢有二心，自归。自归而斩之，是示后无反意也。不当斩。"①

卫青仔细地倾听了双方的辩论后，沉吟半晌，然后缓缓道出了自己的真实看法：我属于皇亲国戚，身份相当特殊，而且深受皇上本人的信任，完全不必担心在军中没有威信，周霸所提出的用斩杀苏建来树立大将军威信的建议，实属节外生枝、无事生非，断不可取。作为大将军，我执军法绝对不能自专，在当今天下，皇上才是军中法律的最高主宰："且使臣职虽当斩将，以臣之尊宠而不敢自擅专诛于境外，而具归天子，天子自裁之，于是以见为人臣不敢专权，

① 《史记》卷一百一十一《卫将军骠骑列传》。

不亦可乎？"① 毕恭毕敬以仰皇帝的最高权威，借以表明自己发乎内心深处的恭谦顺从天子之心迹，这真是聪明伶俐、世故圆滑到了家。

卫青手下的军官自然也不糊涂，他们对卫青的良苦用心心领神会，便一致表示赞同。卫青于是将苏建押上囚车，送往京师长安，让汉武帝本人去发落。汉武帝见卫青如此明晓事理，知所进退，内心的喜悦自不必说，于是便益发信任和重用卫青了。

对卫青的"圆滑"，他同时代的人，大历史学家司马迁就颇不以为然，并毫不留情地加以辛辣的挖苦，予以相当尖刻的批评和责备。司马迁斥责卫青"以和柔自媚于上"，以致"天下未有称"②，在人格上卑劣低下，实无可取。这一批评当然成立，然而司马迁没有想到卫青的"圆滑"实际上恰好折射出古代治军特点的历史性变化，这就是皇权与将权关系的本质性演变。

我们知道，在先秦时期，无论是兵书所提倡的理论，还是实际生活中所反映的实践，统军的大将都拥有专杀犯法部下的大权。孙子就明确主张"君命有所不受"，一再强调"将能而君不御者胜"，"战道必胜，主曰无战，必战可也；战道不胜，主曰必战，无战可也。故进不求名，退不避罪，惟人是保，而利合于主"③；《六韬》也提倡"军中之事，不闻君命，皆由将出"④；《淮南子》认为"无天于上，无地于下，无敌于前，无主于后"⑤。正是在这样的理论的指导下，才有孙子吴宫教战斩美姬立威、司马穰苴辕门立表诛庄贾肃军这一类事情发生，而吴王阖闾、齐景公也胸襟开阔，并不以此为忤逆。

然而到了汉代，随着封建专制的全面强化，《公羊传》"君亲无将，将而诛焉"⑥观念的确立，"将在外，君命有所不受"的传统遂

①　《史记》卷一百一十一《卫将军骠骑列传》。
②　《史记》卷一百一十一《卫将军骠骑列传》。
③　《孙子兵法新注·地形篇》。
④　《六韬》卷三《龙韬·立将》。
⑤　《淮南鸿烈集解》卷十五《兵略训》。
⑥　《春秋公羊传注疏》卷九《庄公三十二年》。

受到根本性的冲击。将帅个人完全成了皇帝的附庸，不复有在前敌战场上机断指挥的权限和专执军法的条件，这是历史的必然，也是历史的无奈。

当然，这一历史变化也是一个缓慢而曲折的过程。汉文帝时，周亚夫细柳治军，尚能够强调"军中但闻将军之令，不奉天子之诏"，敢于把汉文帝的车驾阻挡在军门之外，从而成为治军史上的一则佳话。不过，这毕竟是"君命有所不受"的回光返照，是天鹅濒临死亡时的绝唱。汉文帝是厚道之明君，他能容忍周亚夫的行为，可是后来的汉景帝天性忮刻凉薄，便不能允许了，所以留给周亚夫的，也只有一条不归之路可走：入狱自杀。卫青遇上了更难对付的汉武帝，自然只好变得尽可能地"圆滑"，恭行"人臣奉法遵职"的准则，以求得君臣相安，永保富贵。

这种变化，也在当时的将帅素质问题上有鲜明的体现。众所周知，在孙子的将帅素质"光谱序列"上，紧随"智"而居第二位的是"信"。这应该是孙子合乎逻辑的选择。"信能赏罚"，梅尧臣这样解读，还是狭窄了一些。"信"是为人处世最可贵的情操与道德，是最高的伦理准则。所谓"言必信，行必果""人而无信，不知其可也"，① 也是经国安邦或沙场竞雄的重要保证："小信未孚，神弗福也。"② 孔子认为，一个国家要巩固和发展，需要有三个基本要素：强大的国防，"足兵"；丰厚的经济基础，"足食"；百姓的信任，"民信之"。如果迫不得已只能留下一个最重要的，那也唯"信"而已："自古皆有死，民无信不立。"③ 因此，孔子一再强调："言忠信，行笃敬，虽蛮貊之邦行矣，言不忠信，行不笃敬，虽州里行乎哉？"④ 孙子也认为，作为将帅，必须讲信用，守承诺，切忌出尔反尔，朝令夕改，食言而肥！威信，意味着统帅所拥有的崇高威

① 《论语注疏》卷十三《子路》、卷二《为政》。
② 《春秋左传正义》卷八《庄公十年》。
③ 《论语注疏》卷十二《颜渊》。
④ 《论语注疏》卷十五《卫灵公》。

望乃是建立在其讲信用、守诺言的基础之上的，真正做到了赏信罚必，言出必行，剑及屦及。另外，孙子突出"信"的地位，将它置于将帅"五德"序列中的第二位，也恰好从一个侧面透露出《孙子兵法》一书的成书年代当在春秋后期。当时贵族精神尚未泯灭，"信"是贵族立身处世的核心伦理准则，所谓"成列而鼓，是以明其信也"①。而进入战国时期，社会文化气质和精神风貌遂有了根本的变化，顾亭林《日知录》卷十三"周末风俗"条云"如春秋时犹尊礼重信，而七国则绝不言礼与信矣"②，就是对这种历史文化嬗变现象的洗练概括。那种建立在贵族精神上的荣辱观彻底颠倒，是非心、感恩心、敬畏心几乎荡然无存，代之而成为社会普遍风尚的，是功利之心，"泯然道德绝矣！……贪饕无耻，竞进无厌，国异政教，各自制断，上无天子，下无方伯，力功争强，胜者为右，兵革不休，诈伪并起"③。正是在这种背景下，"信"相对被边缘化，不再像春秋时期那样，是贵族安身立命所普遍奉行的最高道德伦理准则。虽然后世儒家所倡导的"五常"之中，尚有"信"的一席之地，但位置已是在最后，算是忝陪末座了。故孟子言"四端"，只涉及"五常"中的"仁，义，礼，智"："恻隐之心，仁之端也。羞恶之心，义之端也。辞让之心，礼之端也。是非之心，智之端也。"④根本无视"信"的存在。对"信"的重视程度之别，其实说到底就是春秋与战国时代文化精神之别，而在秦汉时代，"信"的边缘化，更成为不可逆转的趋势了。

换言之，因时代政治生态、文化氛围的改变，将帅综合素质养成的具体纲目，也要做合乎逻辑、顺应现实的调整。这个进程，肇始于战国中后期，在孙子那里，将帅综合素质的五个要素为"智，

---

① 《司马法》卷上《仁本》。
② 顾炎武著，黄汝成集释，栾保群、吕宗力校点：《日知录集释》（全校本）卷十三《周末风俗》，上海古籍出版社，2006 年。
③ 《战国策笺证·刘向书录》。
④ 《孟子注疏》卷三下《公孙丑上》。

信，仁，勇，严"。《六韬·龙韬·论将》也把将帅应该具备的基本素质概括为五项，所谓"将有五材"，纲目数量虽然仍为五项，但是具体内容却有了较大的差异，成了"勇，智，仁，信，忠"了。"勇"成为"五材"之首，另外，又用"忠"取代了"严"，"勇则不可犯，智则不可乱，仁则爱人，信则不欺，忠则无二心"。① 应该指出，这种调整，不是偶然的，而是战国新型政治生态在将帅综合素质养成方面的曲折体现。众所周知，学术界一般将《孙子兵法》视为成书于春秋后期的著作，《六韬》的成书年代，专家们的基本观点是它为战国晚期的典籍。② 而春秋至战国，政治生态有了根本性的变化，即春秋时期的贵族联合执政，到了战国时期，基本上为君主专制集权所取代。在这种"惟辟作威，惟辟作福"的专制集权体制之下，将帅行施机断指挥的相对独立性当然是日趋式微。他们的身份已完全依附于君主本位，他们扮演的角色，其实也就是中央君主专制集权体制这架高速运转机器中的一颗螺丝钉而已。这样的新型政治生态，决定了"智"不可能被列为"五材"之首，因为足智多谋，只会让大权独揽的君主有芒刺在背的感觉，只会让君主很不放心，寝食难安！同样的道理，《六韬》也不可能将"仁"置于"五材"的首要位置，将帅汲汲于"爱兵恤民"，这在君主眼里，迹近收买人心，有沽名钓誉、分庭抗礼的潜在威胁。所以，在专制集权的君主看来，将帅最重要的素质，就是不怕死，敢于冲锋陷阵，能够骁勇善战，因此，勇，就成了身为将帅的第一"美德"。至于"忠"被列入"五材"，也完全是专制集权体制赋予将帅对君主毫无保留输诚纳忠的义务，绝对不允许有任何其他的想法，所谓"忠则无二心"的谜底，正在这里。这也与当时整个社会倡导"臣之事君，义也，无适而非君也"，最终形成"无所逃于天地之间，是之谓大

---

① 《六韬》卷三《龙韬·论将》。
② 参见孔德骐：《先秦兵学集成之作：〈六韬〉导读》，军事科学出版社，2000 年，第 8 页。

戒"① 的政治生态相一致。在普遍的"臣下闭口，左右结舌"② 的肃杀氛围里，当"臣毋或作威，毋或作利，从王之指；毋或作恶，从王之路"③ 的认知成为最大的政治正确，忠诚自然成为将帅素质养成中的重要组成部分。

　　从这个意义上说，从孙子和《六韬》所列的将帅综合素质内涵与次序的微妙差异上，我们能够观察到将帅素质的构成和变化。换言之，概念或范畴的提出或取舍，一定会隐晦而曲折地折射出不同历史时期之政治生态的鲜明特征。

　　《唐太宗李卫公问对》卷下有一段文字非常有意思。唐太宗曾对李靖说，古代出兵作战任命主帅时，君主都必须事先斋戒三日，然后举行隆重的仪式，将象征权威的大钺授予将帅，并宣布："从这里上至九天，一切事情都由将军裁决。"又把象征生杀予夺之权的大斧授给将帅，并宣布："从这里下至九地，一切事情均由将军裁决。"然后又推动将帅乘坐的车子，宣布："军队的进攻或退却，都必须做到适时，恰到好处。""既行，军中但闻将军之令，不闻君命。朕谓此礼久废，今欲与卿参定遣将之仪，如何？"④

　　李靖是何等精明聪慧之人，他知道唐太宗恢复古代"遣将之仪"，其实是一种试探，是对自己忠诚的考验，说到底，是唐太宗给他挖了一个大坑，等着他去跳。怎么可以贸然让唐太宗"引蛇出洞"之计轻易得逞？

　　于是他提出了否定性的意见：臣窃以为，古代圣贤制定在宗庙举行斋戒仪式的规则，这是为了假借神灵的威力；授予将帅斧钺和推动将帅的车子，这是为了赋予将帅以机动指挥的权力。如今陛下您每当出师作战时，都必定先同大臣们商议，并祭告于宗庙，然后再遣将出征，这样，假威于神灵的礼仪已经完全做到了。每当陛下您任命大将，总让他们机断处置，便宜从事，这样赋予将帅的权力

---

① 《庄子集释》卷二中《人间世》。
② 许富宏：《慎子集校集注·慎子佚文》，中华书局，2013 年。
③ 《韩非子集解》卷二《有度》。
④ 《唐太宗李卫公问对》卷下。

也已经足够充分了。这与古代的斋戒及推扶将帅座车又有什么区别呢？完全合乎古代命将出征的礼仪，其意义是完全一样的。因此，李靖的结论是，根本不必"走老路"，搞形式主义，去恢复古礼："尽合古礼，其义同焉，不须参定！"唐太宗要的就是李靖这个政治表态，李靖的回答正中唐太宗的下怀，他满意了，开心了，忍不住大声称"善"！接着便顺坡下驴，说道："乃命近臣书此二事，为后世法。"①

等到了宋代，事情越发糟糕。大将出征，只好以皇帝事先所颁发的陈图为具体的作战方案，画地为牢，绝对不敢逾越雷池一步，于是兵愈众而国愈弱，在与辽、金、西夏，乃至后来的蒙古军队的交锋中，军队几乎是望风披靡，每战必败，损兵折将，丧师辱国，酿出一缸又一缸的历史苦酒。

从这个意义上讲，卫青的所作所为，并不是单纯的卫青个人品质问题，而是时代打下的烙印，反映的是一种治军管理实践上专制集权色彩日趋浓厚的兵学文化新现象。

第七节　《盐铁论》所反映的西汉中期兵学观念分歧

西汉中叶昭帝年间，曾举行过一次著名的国策辩论会议——盐铁会议。会议由丞相车千秋主持，参加者以御史大夫桑弘羊、丞相史、御史为一方，60 余名贤良文学为一方，对汉武帝以来所实行的基本国策进行针锋相对的论战。其主题集中在盐铁官营政策，对匈奴和战问题，儒、法家理论评价，德治与刑法关系等四个方面。其中有关匈奴和战问题的不同认识，集中反映了当时统治集团内部在兵学文化上的尖锐对立观点。

---

① 《唐太宗李卫公问对》卷下。

一、论战的背景

这场论战的发生，并非空穴来风，而是当时的社会政治矛盾的产物。从现实因素看，它是汉武帝长期进行战争的结果在当时政治生活中的必然反映；从思想渊源考察，它又是以"王""霸"为中心的有关战争观的分歧、冲突的集中爆发。

汉武帝自元光二年（前133）起，开始了对匈奴持续39年的战争，其间又平东瓯、南越，通"西南夷"。这场旷日持久的战争，在当时历史条件下，具有正义性和必要性，基本上实现了汉武帝所确定的，摧毁匈奴赖以发动骚扰战争的军事实力，使其无力对汉王朝构成巨大军事威胁的宏伟战略目标；同时也为汉王朝加强和巩固边防建设，促进中国与中亚、西亚各国人民的友好往来创造了条件，开辟了道路。汉武帝在反击匈奴的同时，实行了移民垦边政策。公元前127年，在河南筑朔方城，置朔方、五原郡，从内地徙民10万人到那里安家落户。公元前119年，又一次移民70余万，与边地的屯戍部队几十万人一起，加强北部边防。在对匈奴的战争过程中，汉朝为了争取与国，"断匈奴之右臂"，曾派遣张骞等人通西域，扩大了中外交流。而对匈奴战争的胜利，则帮助东北、西北各少数民族解除了匈奴的威胁，传播了汉族先进的农业、手工业技术，促进了各族人民的通商和友好往来，推动了边疆少数民族的发展和民族间的融合。

但是，长时间的战争给社会带来的巨大后遗症，也是不容忽视的。这表现为：一、军队元气大伤，战马丧失殆尽，在其后期战争中，任用李广利等纨绔子弟统率军队，以致多次丧师辱国；二、财力、物力损失惨重，造成"海内虚耗，户口减半"的严重局面，引起阶级矛盾日趋尖锐，农民起义此起彼伏；三、造成统治集团内部的分化和对立，为了保证战争的顺利进行，汉武帝采取了许多强制性的经济措施，如实行盐铁官营，推行算缗告缗，等等，这样就严重地限制和打击了商人地主阶级，大大激化了统治阶级内部的矛盾。

汉武帝晚年，对战争的消极后果已有所认识。公元前89年他颁布"轮台罪己诏"，就是这种国策转折的一大标志。"由是不复出军，而封丞相车千秋为富民侯，以明休息，思富养民也。"① 但是，战争的影响绝非一朝一夕能够消弭廓清，它必然会在其继承者制定国策上顽强地表现出来，成为新统治者无可回避的政治遗产。

正因为汉武帝所进行的战争具有正反两方面的影响，所以统治集团内部不同势力的代表，都可以从自己的立场和角度，对它做出截然不同的评价，并由此引申出自己对战争问题的基本观点。如果着眼于战争的积极后果，自然会得出肯定的结论，并倡导继续对匈奴进行征战。倘若只看到战争的消极后果，势必会得出否定的结论，在对匈奴问题上，主张以和亲替代征战。当时，朝廷中以桑弘羊等人为代表的主战势力虽仍占有一定的优势，但是民间地主阶级主和的呼声也在日益高涨，并得到朝中的实权派霍光等人的默许和鼓励。在这样的复杂背景下，对武帝战争的意义进行评价，对西汉军事方略的重新筹划，也就成为统治者议事日程上的重要题目，盐铁会议正是这样的历史产物。

西汉中叶有关战争问题的论战背景，除了上述的现实社会政治生活前提之外，还有深厚的思想文化冲突根源。自春秋战国"百家争鸣"以来，关于战争观有明显的分歧，按基本倾向分析，主要有两种对立的立场。一种以儒家（包括道家）为代表，他们的着眼点落在战争的残酷后果上，因而对战争采取基本否定的态度，认为"兵者，不祥之器"，"有道者不处"，主张"善战者服上刑"，提倡以德服人，反对以力服人。另一种观点则以法家（部分兵家也有同样倾向）为代表，认为战争是一定历史条件下的必然产物，是夺取政权、巩固政权的必要手段，因此肯定战争的必要性和合理性，主张富国强兵，"以战止战"，提倡用战争来"禁暴除害"，统一天下。这两派观点长期以来针锋相对、互相辩驳，逐步加深了人们对战争问题的认识，并为统治者制定统治方略、开展军事活动提供了重要的理论基础。

---

① 《汉书》卷九十六下《西域传下》。

西汉王朝是在秦王朝的基础上建立起来的，秦王朝成功的经验和失败的教训，给西汉统治者提供了宝贵的借鉴和启示，在战争问题上也是一样。尽管他们对战争这一阶级社会的特有产物还没有也不可能做出科学的分析，但已经认识到要稳定统治秩序、巩固边防，不能不重视和进行战争。同时，他们也认识到一味穷兵黩武也会重蹈亡秦之覆辙，必须文武双管齐下，才能保证自己的统治长久。所谓"汉家自有制度，霸王道杂用之"，实际就是这层含义。然而，自汉武帝采纳董仲舒"罢黜百家，独尊儒术"之日起，儒家学说在形式上已经成为专制集权统治的主导思想。这样一来，儒家的战争观似乎也应顺理成章地成为统治者的指导思想。但是，在实际政治生活中，儒家关于战争问题的理论并未为当时的统治者所采纳，他们更热衷的是法家的战争理论，并用于指导实践，以实现其安定内部、制止边患的目的。正是这种外儒内法的矛盾做法，使得当时的思想界对战争问题的阐述依然纷纭对立，论战无已。

盐铁会议上，桑弘羊等人实际上是法家战争观的继承者，他们主张用战争的手段"胜残去杀"，巩固边防。由于兵学理论与西汉王朝的实际军事指导思想相一致，所以他们敢于在会议上坚持主战反和的意见，敢于蔑视贤良文学的建议和批评。至于贤良文学们，则是正统儒学战争观的鼓吹者，他们提倡"仁义道德"，贬斥战争，反战主和，批判武帝的战争。由于他们的主张符合儒家的战争理论，而儒学在当时已被钦定为统治思想，所以，他们坚持自己的主张，敢于与桑弘羊这样的权贵相抗衡，毫不留情地揭露、批判现实军事活动中的弊端。由此可见，正是长期对峙交锋的不同战争观的延续和发展，为盐铁会议有关战争问题的论战提供了理论的温床；而汉朝统治者理论上独尊儒学与实践中采用法家政治的矛盾行为，则成为这场大论战爆发的深层契机。

二、论战的中心议题

在盐铁会议上，桑弘羊等人和贤良文学们在战争问题上的大论战，主要是在两个层次上具体展开的。首先，是关于对匈奴和战问题的辩论，其中包括对武帝对外战争以及历史上其他战争的评价。
其次，是有关战争基本问题的看法之阐述。前者旨在对具体战争活
动的意义和影响做出自己的说明，并试图回答现实政治生活所提出
的课题；后者则是论战双方用以证明自己主张的合理性的理论根据。

　　对匈奴和战问题的不同主张，是论战的关键。桑弘羊派主张继
承汉武帝武力打击匈奴的战略方针，继续对匈奴积极用兵，从而实
现"匡难辟害，以为黎民远虑"① 的政治目的。他们认为，匈奴在
当时虽然已趋衰微，但其骚扰中原之心未死，一有机会便会卷土重
来，"反复无信，百约百叛"②。所以要趁匈奴"孤弱无与""困亡之
时"，实施军事打击，从而永息边患，一劳永逸。反之，如果变战争
为和亲，那等于是"譬如为山，未成一篑而止"。这样做，实际上
"是弃与胡而资强敌也"。桑弘羊等人进而认为，匈奴之所以未能剿
灭，就是贤良文学等儒生的论调扰乱了视听、松懈了斗志："然匈奴
久未服者，群臣不并力，上下未谐故也。"③

　　为了实现军事打击匈奴的战略意图，桑弘羊等人强调加强边地
的军事建设，巩固对匈奴作战的战争胜利成果，为继续用兵创造条
件。他们认为，中原地区和边境的关系，相当于人的"肢体"与
"腹心"的关系，"夫肌肤寒于外，腹心疾于内"。边境不安宁，中
原就会遭受灾祸，"无边境则内国害"④；反之，倘若边防巩固，则
中原地区也可求得安宁，"边境强，则中国安"。所以，当务之急是
要"据河险，守要害"，以"保士民"。⑤ 为此，他们主张增加"奉
边之费"，建设强大的边防。

　　贤良文学的主张则与桑弘羊等人完全相左。他们认为，对匈奴

---

① 《盐铁论校注》卷八《结和》。
② 《盐铁论校注》卷八《和亲》。
③ 《盐铁论校注》卷八《伐功》。
④ 《盐铁论校注》卷八《诛秦》。
⑤ 《盐铁论校注》卷四《地广》。

进行战争只有害处，"用军于外，政败于内"①，"不能弱匈奴，而反衰中国也"②。指出对匈奴的战争使得军队大量伤亡，百姓负担沉重："甲士死于军旅，中士罢于转漕。"③ 它造成严重的社会政治危机："黎人困苦，奸伪萌生，盗贼并起。守尉不能禁，城邑不能止。"④ 对稳定统治秩序十分不利。所以应该当机立断，改变基本国策，以和亲替代战争，以德化替代力服。为此，他们竭力主张"偃兵休士，厚币结和亲，修文德"⑤；提倡"去武行文，废力尚德，罢关梁，除障塞，以仁义导之"，希望通过仁义道德来争取匈奴归服，认为这样做的结果是，"北垂无寇虏之忧，中国无干戈之事"⑥。从此，天下太平，帝业永固。

贤良文学对边境安危与中原关系的看法，也完全同桑弘羊等人相对立。他们认为边境地区是些"不毛寒苦之地"，汉王朝大举实边戍边，实无必要："苦师劳众，以略无用之地，立郡沙石之间，民不能自守。"为了戍守边境，汉廷动用大量民力"发屯乘城，挽辇而赡之"⑦，结果造成"中国困于徭役，边民苦于戍御"的后果，实在是得不偿失。所以进而主张改变实边备胡政策，减少边防费用，减轻国家和民众的负担。

对匈奴的反击战争，是雄才大略的汉武帝一生中的主要业绩之一。盐铁会议上两派有关对匈奴和战政策的论战，自然会涉及对武帝对外战争的评价问题。桑弘羊等人充分肯定武帝反击匈奴战争的正当性和必要性，从而给予高度的评价，认为这是"功勋絜然，著于海内，藏于记府"⑧ 的伟大成就。他们列举了汉武帝的殊世军事

---

① 《盐铁论校注》卷七《备胡》。
② 《盐铁论校注》卷八《伐功》。
③ 《盐铁论校注》卷七《击之》。
④ 《盐铁论校注》卷八《西域》。
⑤ 《盐铁论校注》卷七《击之》。
⑥ 《盐铁论校注》卷八《世务》。
⑦ 《盐铁论校注》卷八《结和》。
⑧ 《盐铁论校注》卷八《结和》。

建树，"先帝兴义兵以征厥罪，遂破祁连、天山，散其聚党，北略至龙城，大围匈奴，单于失魂，仅以身免，乘奔逐北，斩首捕虏十余万……则长城之内，河、山之外，罕被寇蕾"①，赞颂汉武帝的武功是大汉帝业得以维系之柱石。同时，他们也热情肯定了历史上其他战争的合理性："黄帝以战成功，汤、武以伐成孝。"② 显然，桑弘羊等人的意图，是要借助论述武帝对外战争以及历史上征伐战争的正义性，来佐证自己主战意见的合理性。

贤良文学方面对汉武帝反击匈奴战争的评价基点，则完全建立在战争的某些消极后果之上。他们强调对匈奴战争给人民带来的灾难，"刻急细民，细民不堪，流亡远去"，造成"田地日荒，城郭空虚"③。集中攻击战争的残酷性、破坏性，"祸纷拿而不解，兵连而不息"，认为"言之足以流涕寒心，则仁者不忍也"④。明确指出这场战争"非社稷之至计也"，表示自己对武帝战争事业的基本评价只能是"窃见其亡，不睹其成"⑤。推而广之，他们对春秋年间的争霸战争、战国七雄的兼并战争、秦灭六国的统一战争，也一概采取完全否定的态度。贤良文学否定武帝的战争业绩以及历史上兼并统一战争意义的用意，也在于为自己的和亲弛边主张张目。

盐铁会议在对匈奴和战问题上的截然对立，归根结底是由于论战双方对战争本身存在着不同的认识和态度。桑弘羊等人是外儒内法的人物，他们的基本观点实质上是法家战争理论在汉代的翻版，所以充分肯定战争的意义："列羽旄，陈戎马，所以示威武"⑥；"力多则人朝，力寡则朝于人"⑦。明确指出，"兵革者国之用，城垒者

①　《盐铁论校注》卷八《诛秦》。
②　《盐铁论校注》卷八《结和》。
③　《盐铁论校注》卷三《未通》。
④　《盐铁论校注》卷八《和亲》。
⑤　《盐铁论校注》卷八《结和》。
⑥　《盐铁论校注》卷七《崇礼》。
⑦　《盐铁论校注》卷八《诛秦》。

国之固也"①；"有备则制人，无备则制于人"②。认为只讲文德，忽视武备，必然会导致国削身亡的结局："昔徐偃王行义而灭，鲁哀公好儒而削。知文而不知武，知一而不知二。故君子笃仁以行，然必筑城以自守，设械以自备，为不仁者之害己也。"③ 为此，他们尖锐地批评了儒家理论的迂腐，"儒者之安国尊君，未始有效也"④，认为其大言凿凿，却于事无补，远不如自己的见解切合实际。

与之相反，贤良文学对战争的认识和态度完全源于正统的儒家学说，是儒家军事思想在汉代思想界的集中体现。贤良文学们崇尚以德服人，反对恃力逞武，对战争持基本否定的态度。他们声称"古者，贵以德而贱用兵"⑤，强调"数战则民劳，久师则兵弊"⑥；"地广而不德者国危，兵强而凌敌者身亡"⑦。他们坚持认为"地利不如人和，武力不如文德"⑧，"文犹可长用，而武难久行也"⑨；竭力主张"去武行文，废力尚德"。在这些儒生的心目中，只要推行德政，提倡仁义教化，就可以轻而易举地安国定邦，长治久安。"其仁厚，其德美，天下宾服，莫敢交也"⑩；"诚以仁义为阻，道德为塞，贤人为兵，圣人为守，则莫能入"⑪。至于具体军事事务，他们是不屑一顾的，因为既然仁义能使天下太平，自然是"兵设而不试，干戈闭藏而不用"了。贤良文学的论点，虽然脱胎于孟子的军事思想，并无多大新意，却适应了他们从理论高度论证自己和亲弛边主张的需要。

---

① 《盐铁论校注》卷八《和亲》。
② 《盐铁论校注》卷九《险固》。
③ 《盐铁论校注》卷八《和亲》。
④ 《盐铁论校注》卷二《论儒》。
⑤ 《盐铁论校注》卷一《本议》。
⑥ 《盐铁论校注》卷一《复古》。
⑦ 《盐铁论校注》卷七《击之》。
⑧ 《盐铁论校注》卷九《险固》。
⑨ 《盐铁论校注》卷九《繇役》。
⑩ 《盐铁论校注》卷八《世务》。
⑪ 《盐铁论校注》卷九《险固》。

三、对论战的基本评价

盐铁会议关于和战问题的激烈论战，实际上是对汉武帝征伐匈奴的功过和其国防政策得失的评价，也是对当时国防建设基本发展方向的深入探讨。我们认为，今天评价这场论战，至少有两点值得引起注意。

第一，无论是桑弘羊派，还是贤良文学，其对战争问题的认识都既有合理的因素，又有偏颇的一面。他们都提出了某些正确的见解，然而由于观察问题的片面性，特别是对战争还缺乏科学的认识，因此都未能恰当地回答当时军事建设的时代课题。

桑弘羊等人充分肯定汉武帝反击匈奴侵扰的历史功绩，主张加强边地军事建设，这无疑是非常正确的。事实也是如此，如果没有汉武帝坚决反击匈奴的侵扰，汉朝的边患就无法解除，人民正常的生产活动就无法获得保证，汉朝的版图就无法得到巩固。如果边地的军事建设不予以加强，也就无从根除边患，实现长治久安的目的。但是，他们无视已经变化了的形势，讳言对匈奴战争的某些客观不良后果，继续原封不动地推行武帝后期的基本国策（其实武帝最后几年已经对政策做了必要的调整），单纯注重军事手段，忽视用物质文化交流手段争取少数民族的归附，全盘否定和亲的意义，这显然是不足为取的。

贤良文学们对战争问题的认识，明显地受儒学教条的束缚，表现出"迂远而阔于事情"的特点。他们只看到战争的消极方面，进而对反击匈奴的战争横加指责，这就完全抹杀了这场战争的正义性和必要性，可谓"一叶障目，不见森林"。同样，他们对边防建设的见解也非常幼稚可笑。但是，他们所指出的民族战争另一方面的后果，的确也是武帝继承者在当时应该引起重视的。从这个意义上说，他们的见识还是有可取之处的。同时，他们提倡仁义，崇尚德服，主张和亲，反对穷兵黩武，在一定程度上弥补了单纯依靠战争的不足。

桑弘羊等人和贤良文学们在战争问题上的论战，给予我们一个深刻的启示，就是必须把握事物的本质，以全面的辩证的观点进行观察，防止表面化和片面化。盐铁会议上论战双方之所以都陷于偏颇片面的窠臼，说到底，是他们仅仅把握了部分真理，并不恰当地加以夸大，没有也不可能从对方的意见中汲取合理的因素，用以完善、丰富自己的认识，使之能够圆满地解决现实课题。这一历史经验教训值得引起重视。

第二，盐铁会议对有关问题展开正确和充分的论战，对于决策者全面听取不同意见，在反复比较各自的优劣长短基础上，综合吸取其合理内涵，从而做出切合实际的战略抉择，指导社会实践，具有十分重大的意义。

盐铁会议上关于战争问题的论战，是十分尖锐、完全对立的。但会议的实际操纵者霍光等人，在会议进行过程中并没有表现出明显偏袒一方的态度，而是让论战双方充分亮出自己的观点，然后有选择地批判性吸取双方观点中的合理成分。事实的发展也是如此，霍光等人没有按照桑弘羊的方案去指导汉王朝的军事活动，因为在当时国民生计凋敝、匈奴边患基本被抑制的历史条件下，再一味主战，就会进一步激化阶级矛盾，导致统治秩序的严重不稳。同时，霍光也并未根据贤良文学的意见，放弃军队和边防建设，因为照此办理，就会造成边防松弛、军队战斗力瓦解的严重恶果。霍光等人的高明之处就在于能够虚心听取各种不同意见，从中发现其正确的成分，结合当时的实际情况，最终制定出对待匈奴问题的符合实际的战略方针。这就是根据汉武帝对匈战争的实际后果，结合西汉王朝当时的政治、经济需要，在屯军戍边、对匈奴小规模入侵进行必要反击的同时，稳妥持重，不再主动出击匈奴，贯彻"知时务之要，轻徭薄赋，与民休息"① 的方针，从而造就了"始元、元凤之间，匈奴和亲，百姓充实"② 的清明政治局面。

---

① 《汉书》卷七《昭帝纪》。
② 《汉书》卷七《昭帝纪》。

第八节　赵充国的治边方略

赵充国是西汉中期著名军事统帅与杰出战略家，生于公元前137年，卒于公元前52年，字翁孙，上邽（今甘肃天水）人。他自幼生长于边郡，身上洋溢着尚武精神并嗜读兵书战策，早年曾为普通的骑士，后因"善骑射"而入选为羽林军。汉武帝天汉二年（前99），他以假司马之职跟随贰师将军李广利兵出酒泉进击匈奴右贤王，因军功晋升车骑将军长史并拜为中郎，在军事上开始崭露头角。

汉昭帝元凤元年（前80），赵充国以大将军护军都尉的身份随军出征，平定武都地区的氐人反叛，晋升为中郎将。在经历了一段时间的上谷郡边防屯戍后，他奉调回长安，担任水衡都尉一职，负责管理皇家池苑、税收与铸钱事务，开始进入朝廷权力中枢。不久，他又领兵征伐匈奴，擒获匈奴西祁王，得以升任负责西北边防的后将军，同时继续兼任水衡都尉。本始元年（前73）正月，因拥立汉宣帝有功而被赐封为营平侯。

神爵元年（前61），西羌起兵反汉，年已77岁的赵充国自告奋勇，担任汉军统帅，领兵出征。在平叛过程中，赵充国采取安抚为主、征剿为辅的战略方针，文武并用，恩威兼施，仅用一年多的时间即平定羌变。次年，赵充国在后将军兼卫尉的岗位上退休，告老还乡。致仕后，赵充国依然关心军国大事，"朝廷每有四夷大议，常与参兵谋"。甘露二年（前52），赵充国以86岁的高龄辞世，谥为"壮侯"。赵充国不仅是一位骁勇善战的名将，更是一名深富韬略、睿智杰出的兵学理论家。史载他"少好将帅之节而学兵法"，主持西北边务之后，更能注意从战争中学习战争，不断总结作战的经验教训，从而做到了"通知四夷事"，在边防建设问题上形成了一系列的独到见解。这些见解集中体现在他有关制止羌患、安边抚民、实施屯田的三个奏疏中，这三个奏疏，被概括称为《屯田制羌疏》。《屯田制羌疏》产生的背景，是汉宣帝神爵元年平定羌变之后的战略决策选择的分歧。在赵充国政治优抚为主、军事打击为辅的正确方针指导下，汉军的平乱之举进展十分顺利，很快达成了预期的战略目标。接下来该怎么办，朝廷内部发生了严重的分歧，许多大臣主张继续用兵，除恶务尽，对羌人实施犁庭扫穴，大创聚歼。赵充国力排众议，提倡"罢骑兵屯田，以待其敝"，为此，他反复上书皇帝，力陈自己的立场与观点，于是遂有这《屯田制羌疏》的面世。①

通观赵充国的《屯田制羌疏》，其要点大致有以下几点：

第一，"慎战"是战争的出发点，上兵伐谋为最佳的战略手段。赵充国的兵学造诣源自《孙子兵法》，孙子的"慎战"观念与"全胜"战略原则对他有极其深刻的影响。为此，他一再强调"慎战"与"贵谋而贱战"的基本理念，认为"兵者，国之大事"，"兵者，所以明德除害也，故举得于外，则福生于内，不可不慎"。既然战争关系到国之安危、军之死生、民之祸福，那么必须高度重视，谨慎对待，切忌好大喜功，穷兵黩武，重蹈当年汉武帝晚年对匈奴战争的覆辙，"海内虚耗，户口减半"②。为此，他主张战争以计为本，"全胜"至上："兵以计为本，故多算胜少算"，"帝王之兵，以全取胜，是以贵谋而贱战"③。指出用兵的最高境界是"用谋"，上兵伐谋乃是最佳的战略手段，因为这代价最小，效益最大，后患最少。只有"多算"，算无遗策，才能够以最小的代价换取最大的胜利，最终实现"兵不顿而利可全"的"全胜"战略目标。显而易见，"贵谋"致"全胜"，乃是赵充国提倡"屯田制羌"之策的思想理论基础。

需要指出的是，正如《易经》中说的"天下同归而殊涂，一致

---

① 《汉书》卷六十九《赵充国辛庆忌传》。

② 《汉书》卷七《昭帝纪》。

③ 《汉书》卷六十九《赵充国辛庆忌传》。

而百虑"①，钱锺书先生引用宋人陆九渊的话说"东海西海，心理攸同"②，西方军事学家也普遍强调战争必须有所节制，不可率意妄为。这方面，英国军事学家富勒的观点具有代表性，他说："战争可分为两大类：具有有限政治目的的战争，和具有无限政治目的的战争。只有第一种战争给胜利者带来利益，而决非第二种。"③"作战的最终目标是歼灭敌人这种有害的信条，在理论上否定了战争的真正目的，即建立更加美好的和平生活。……要实现战争的真正目的，就必须终止使用破坏性手段。这就是说，战争必须逐步地由武力争斗发展到智谋与士气斗争的阶段，换言之，指挥艺术必须基本上代替暴力，用瓦解士气或精神上的打击，代替武力争斗或肉体的攻击。"④"在战争中的野蛮行为是不合算的，这是一个少有例外的真理。另外，不要使你的敌人陷入绝望，尽管你会赢得战争，但是那样几乎会拖延战争，这对于你是不利的。"⑤

　　第二，充分阐释"先为不可胜"的立场与军事屯田的意义。从"全胜"战略的层面考虑，赵充国认为这正是"先胜"原则的必有之义。在赵充国看来，《孙子兵法》的相关军事哲理是历久弥新、超越时空的，所谓"战而百胜，非善之善者也"，战略上的成功，战争中的取胜，关键在于能够做到"先为不可胜，以待敌之可胜"。具体落实到平羌问题上，这个原则依然是屡试不爽，即为当时叛羌的情况和边防的全局计，"先胜"的唯一选择，便是适时调整战略方针，改弦更张，另起炉灶，变出兵讨伐为屯田守备，以静制动。其原因，既有战争成本过于沉重巨大的问题，出兵讨伐，其人力物力的耗费至为巨大，是个填不满的无底洞，旷日持久，朝廷与广大民众实在承负不起，"难久不解，徭役不息"。同时也有一个战略上陷于两线

①　王弼、韩康伯注，孔颖达正义：《周易正义》卷八《系辞下》，阮元校刻：《十三经注疏》，艺文印书馆，2001 年。

②　钱锺书：《谈艺录》，生活·读书·新知三联书店，2007 年，第 1 页。

③　［英］富勒著，绽旭译，周驰校：《战争指导·前言》，第 4 页。

④　［英］富勒著，周德等译：《装甲战》，第 54 页。

⑤　［英］富勒著，绽旭译，周驰校：《战争指导·前言》，第 4 页。

作战的严重后果，朝廷不免左支右绌，顾此失彼，捉襟见肘，疲于奔命，具体地说，就是削弱对匈奴、乌桓等族的防御能力："恐它夷卒有不虞之变。"反之，如果能实行战略中心的转变，改出兵征讨为屯田守卫，则举重若轻，从容主动："内有亡费之利，外有守御之备。骑兵虽罢，虏见万人留田为必禽之具，其土崩归德，宜不久矣。"① 赵充国认为，这才是真正的对羌人"不战而自破之册也"。这样，赵充国就从战略的高度，论证了"屯田"的合理性与必要性。

第三，系统阐述"屯田得十二便"的优点，将"屯田"的战略意义加以理论上的全面论证。其中心观点就是强调，边境屯田不仅可以节省军费，减少徭役，而且有利于保护当地居民开展正常的经济活动，强化边防的建设，迫使敌人不战而自溃，其价值是全方位的。具体地说，其利益有十二个方面：

（1）此举既可"以为武备"，又能"因田致谷"，所谓"威德并行"，一石二鸟；（2）能将羌人挤迫到贫瘠荒凉之地，使之因贫困而发生内乱，"以成羌虏相畔之渐"；（3）帮助边地民众安心生产，"不失农业"；（4）战马一月之食相当于屯田兵士一年之口粮，罢骑兵可节省数额可观的军费开销；（5）有利于腾出兵员到前线对敌进行战略威慑，"视羌虏，扬威武"，即孙子所谓的"伐交"屈敌；（6）屯卒可以利用农闲间隙修缮邮亭，充实金城，完善边防设施；（7）可以迫使羌人逃"窜于风寒之地"，而罹"霜露疾疫"之患，减弱战斗力，确保汉军"坐得必胜之道"；（8）汉军可得以免受征战死伤之害；（9）屯田既不失军威，又不给对手以任何可乘之机；（10）屯田手段温和，不会惊动河西之南的大开部、小开部羌人，激起他们的反抗；（11）屯田有助于汉室拓展势力，可以利用屯田兵卒修治湟狭中道桥梁，通至鲜水，便于汉师行军，以控制西域；（12）有利于防止不测事件的发生，保持战略上的主动权。总之，赵充国的最终结论十分明确，"留屯田得十二便，出兵失十二利"。②

---

① 《汉书》卷六十九《赵充国辛庆忌传》。
② 参见《汉书》卷六十九《赵充国辛庆忌传》。

在中国历史上，赵充国是第一位从战略的高度系统论述在边地实施军事屯田的战略家，其有关军事屯田的观点，高屋建瓴，切中肯綮，提纲挈领，要言不烦，具有重大的兵学理论价值，在中国兵学思想发展史上占有突出的地位。其战略思路与策略举措，为后世的政治家、军事家所高度重视，充分借鉴，引以为守边固防之良策。唐代陆贽有言："《军志》曰：虽有石城千仞，汤池百步，无粟不能守也。故晁错论安边之策，要在积谷；充国建破羌之议，先务屯田。"① 明代的商辂也指出："夫且耕且守，古人如汉赵充国、诸葛亮，晋羊祜，皆已行之，明效大验，著在史册。今日守边之要，莫善于此。"② 这些评述，实可谓是赵充国的异代知音！

---

① 陆贽著，王云五主编：《陆宣公奏议》卷三《请减京东水运收脚价于缘边州镇储蓄军粮事宜状》，台湾商务印书馆，1972 年。
② 商辂著，孙福轩编校：《商辂集·边务疏》，浙江古籍出版社，2012 年。

第八章　秦汉兵学的实用理性
与学术建树（下）

第一节　光武帝刘秀"驭将之道"所
体现的政治智慧

从秦王嬴政横扫六合、统一天下，登基成为古今第一位皇帝，到清朝小皇帝宣统逊位，封建帝制寿终正寝，其间两千余年，大大小小、形形色色的皇帝多如过江之鲫。可是，他们中间真正有所作为的却少得可怜，能够既有功于历史的发展，勋业卓著，名垂青史，又宽厚仁慈，不为后人所诟病的，更是凤毛麟角。东汉开国皇帝光武帝刘秀算是首屈一指。他开创的"光武中兴"辉煌业绩，令后人追慕不已，称颂有加。明末清初思想界巨擘王夫之的评价，就非常典型地反映了人们这一共识："三代而下，取天下者，唯光武独焉，而宋太祖其次也。不无小疵，而大已醇矣。……自三代而下，唯光武允冠百王矣！"①

刘秀（前5—57），字文叔，南阳蔡阳（今湖北枣阳西南）人。他在王莽"新政"破产、社会动荡、农民起义风起云涌之际，顺应"百姓思汉"的时代潮流，与家兄刘縯在舂陵起兵，逐鹿中原，终结新莽，夷灭群雄，重建汉朝，继而"收拾旧山河"，整顿、改革前朝弊政，安定社会秩序，恢复和发展社会经济，为历史的发展做出了

---

① 《读通鉴论》卷六《光武》。

不可抹煞的贡献。

刘秀能够芟夷群雄，成为逐鹿中原斗争中笑到最后的胜利者，并在平定天下后及时完成政治的成功转型，使得东汉王朝迅速崛起，原因当然很多，包括时代的际遇、民心之所向、方略的高明、措施的适宜，这些早已有人进行过总结。然而，笔者以为有一个因素更不能忽视，这就是刘秀的雅量与睿智，这既是他道德的境界、人格的魅力，更是他制胜的源泉、成功的秘诀。

凡是读过《道德经》的人，大概都还记得其中的"柔弱胜刚强"、以退为进的论述。这是许多人推崇备至的"君王南面之术"，刘秀对其精髓的理解和把握可谓是入木三分。史称其"（生）性谨厚"，这样的个性特征，决定了刘秀统治上的根本特点是"以柔道理天下""泛爱容众"，善于争取人心，凝聚众意。这就是他本人表白的："吾理天下，亦欲以柔道行之。"① "'柔能制刚，弱能制强。'柔者德也，刚者贼也，弱者仁之助也，强者怨之归也。"② 这一点即便是雄才大略如汉武帝、唐太宗之辈，也难以望其项背。

正因为刘秀有过人的雅量，所以他在待人接物上表现出难能可贵的宽容与仁慈。对士人（也就是今天通常所说的知识分子）的尊重厚遇就是这方面显著的标志。自从孔老夫子提倡士人"不可不弘毅，任重而道远"以来，中国的士人即以中华文化传统的承荷者自居，喜欢以社会良知的体现者清议政治、指点江山、臧否人物，汲汲于治学问道的同时，实现自己的人生价值。但这在封建"家天下"的时代里，很容易招致统治者的猜忌和厌憎。若碰到稍为开明的统治者，是我行我素，不去理会士人的聒噪；一旦遇上昏庸、暴虐的独夫民贼，则大事不妙，免不得蹲大狱、掉脑袋。汉末的党锢之祸，南宋的"伪学"风波，明末的东林党之禁，以及历朝历代的文字狱等等，就是例子。由此可见，是否能妥善处理与广大士人的关系，笼络和争取他们为己所用，使得他们能够放下身段，半推半就挪移

---

① 《后汉书》卷一下《光武帝纪下》。
② 《后汉书》卷十八《吴盖陈臧列传》。

到前台替自己帮闲，乃至帮忙，乃是考验统治者有无雅量、有无智慧的重要标志之一。

刘秀不愧为读书人出身的皇帝，对士人的微妙心态与深层次意愿洞若观火，体察入微。他不仅舍得花费大量金钱投资不能马上显现经济效益的文化教育事业，开设太学，搜集图书，延聘博士课授生徒，自己也身体力行，投戈讲艺，息马论道，认真读书学习。他十分重视知识分子，敬贤尊才，达到了"求之若不及，相望于岩中"的地步。南阳宛城人卓茂，是当时著名的儒生，精通《诗》《书》、历法等，待人宽厚，深受众人敬仰。刘秀刚刚坐上皇帝的宝座，就把当时年已七十有余的通儒硕学卓茂请到朝廷，亲自接见，任为太傅，封褒德侯，赐予食邑二千户。不久卓茂老死，刘秀素服车驾，为卓茂送葬。刘秀用这么高的礼遇规格优待这样一位老读书人，目的很清楚，就是希望通过它向普天下民众显示自己对读书人的重视态度，为百废待兴的建设事业奠定基础。事实证明，刘秀的这个优雅姿态产生了重大影响，一大批读书人，包括当时一些十分著名的宿学大儒，如宣秉、杜林、张湛、王良、范升、陈元、郑兴、卫宏、刘昆等，感觉到刘秀真的爱贤若渴，尊儒真诚，遂认定刘秀是可以完全信赖的"中兴之主"，纷纷归附了刘秀，成为东汉文化复兴中的重要角色。

当然，并不是每一位读书人都热衷于出仕博取功名，任何时代都有一些士人乐意隐逸山林以示自己的清高，这在东汉初年也不例外。对于这一类不愿为五斗米折腰，对新王朝有意识保持一定的距离，甚至于持不合作态度的士人，明太祖朱元璋的哲学是砍掉他们的脑壳。道理很是简单，有才华而不肯为朝廷所用，即等同于抗拒皇命，与犯上作乱无异，所以只好让他们去死！刘秀可不同，他很能理解他们的志趣，以惊人的雅量宽待这些对新王朝态度消极，不肯与自己合作的读书人。太学生出身的周党，学问渊博，名高一时，刘秀称帝后即慕名而辟征他出仕为官，可周党死活不干。后来不得已，就穿着短布单衣，用树皮包着头去见朝廷大员，刘秀却亲自召见了他。按礼节，士人被尊贵者召见，必须自报姓名，否则便是不尊重对方。周党见了刘秀，不通报姓名，只说自己的志趣就是不愿做官，刘秀也没有强迫他。博士范升上书，说周党在皇帝面前骄悍无礼，却获得了清高的名声，应治"大不敬"罪。刘秀坚决不同意，特地下诏说："从古以来，即使明王圣主出世，也会有不宾之士……人各有志，何必强求。"于是赏赐周党绢帛四十匹，让他带着家小回老家隐居。

严光是刘秀的老同学，当年求学长安京师时，两人朝夕过从，情同手足。刘秀登上九五之尊后，曾多次礼聘他出仕为官，担任谏议大夫的要职，可是不管刘秀怎样好吃好住款待他，他就是不愿意干，整个儿"流水下滩非有意，白云出岫本无心"的潇洒作派。刘秀无可奈何，只好放这位性情怪僻、行事乖异的老同学离开洛阳回富春江畔垂钓，潇洒自在了却余生。东汉初年，这种"义不与帝王为友"的读书人还有牛牢、逢萌、井丹等多人，刘秀尊重他们的意愿，都不曾以帝王的权势去为难他们。

正是由于刘秀具有宽宏的雅量，能以宽容的态度对待读书人，来者不拒，去者不究，所以争取到更多的读书人为他效劳。从这个意义上说，刘秀不愧为"万古一帝"，真正做到了其股肱邓禹所主张的"延揽英雄，务悦民心"①。这不仅仅体现在他治国统军上的杰出英明，也反映为他道德修养上的卓荦不群，从而成为后代统治者的一面镜子。可惜的是，历史上的统治者绝大多数都不乐意照这面镜子，这也正是中国数千年来，上演的悲剧众而喜剧寡的原因之所在。

如果说，对读书人的宽容和接受还不算太困难的事情，那么对功臣宿将的信任和优待则是为君者所面临的真正考验。读书人的牢骚、怪话或故作清高、拒不合作，虽说让人不舒服，但毕竟不对自己的皇位构成直接的威胁，常言道，"秀才造反，十年不成"，别看那些读书人伶牙俐齿，"笔锋常带感情"，折腾得欢，到头来还不是事过境迁。然而，功臣宿将却不同了，他们手握重兵，韬略高深，威望素孚，倘若真的萌生异志，反将起来，那可不是闹着玩的，搞

---

① 《后汉书》卷十六《邓寇列传》。

不好江山改姓、社稷易主、人头落地、富贵东流真的转眼之间成为现实。祸不旋踵，命若朝露，这危险的前景让人一想就不寒而栗，寝食难安。所以说，慰抚读书人，至多不过是个面子问题，而优容功臣宿将，这才是一个切切实实的权术问题。

所幸的是，刘秀在这方面同样做得天衣无缝，独步天下。后人对刘秀的评价如此之高，在相当程度上是推崇他在处理功臣问题上妥善恰当，既保全了功臣又稳定了统治，避免了血腥残杀悲剧的重演。皇上固然为圣主明君，功臣宿将亦不失为忠臣贞士，共保富贵，同享安乐，君臣相得，皆大欢喜。唐卫国公李靖称："光武虽藉前构，易于成功，然莽势不下于项籍，寇、邓未越于萧、张，独能推赤心用柔治保全功臣，贤于高祖远矣！以此论将将之道，臣谓光武得之。"[1] 宋人叶适道，刘秀"能宽以待臣，使各尽力，其臣亦自检饬，赴功不挠，法度过高祖文景时远矣"[2]。这些评论，都不约而同点明了刘秀"将将之道"的高明之处与"柔治"特色，恰如其分，洵无虚辞。

对待功臣宿将，刘秀总的原则是恩宠优渥，多方笼络，视之为腹心而不人为地假设敌人、制造异己，同时限制其实际参与朝政、把持兵权，免得君臣互不相安，诱生嫌隙，这就是所谓的"保全功臣，不任以吏事"。在这个原则的指导下，刘秀手下的那些功臣勋将，没有重演"高鸟尽，良弓藏；狡兔死，走狗烹"式的历史悲剧，这是刘秀政治上的最大成功之处。

刘秀能够保全功臣，有几个环节非常关键，值得引起我们注意。

一是能做到推心置腹，以诚待人。他心胸豁达，对自己有充分的自信，所以对于那些功臣宿将，敢于坦诚相待，用人不疑。在这方面，他对待冯异长镇关中、威名甚炽一事所采取的态度，可谓典型。

冯异是刘秀手下的一员大将，他文武双全、韬略超伦，用兵持

---

① 《唐太宗李卫公问对》卷下。
② 叶适：《习学记言序目》卷二十四《后汉书一》，中华书局，1977 年。

重又"能御吏士",战功卓著,威信素孚。刘秀根据他的能力,曾委派他镇守关中地区。冯异到任之后,"威权至重,百姓归心",很快稳定了关中这一战略要地的局面,声名鹊起,被关中当地的广大民众称为"咸阳王"。有人劝谏刘秀对冯异要有所戒备,以防止其拥兵自重,尾大不掉。刘秀凭自己对冯异的了解,否决了这个建议。冯异本人得悉这一情况后,心里自然也不怎么踏实,立即上书表明心迹,并申请尽快调离关中,以避嫌疑,杜绝流言蜚语。刘秀对冯异的举动颇不以为然,认为冯异未免神经稍稍脆弱了一些,不要听到风便是雨,应懂得"谣言止于智者",难道朕还会不相信将军这样的亲信心腹吗?于是立即复书宽慰冯异,让他完全放宽心,切不可想入非非:"将军之于国家,义为君臣,恩犹父子。何嫌何疑,而有惧意。"① 一下子彻底打消了冯异的顾忌,使之更好地为自己效忠尽力。如此推心置腹、以诚待人的雅量,在中国古代封建帝王之中可真的找不出几个来。

二是重赏轻罚,笼络人心。刘秀不仅对众功臣高度信任,而且处处优渥有加,恩宠备至。这反映为他赏赐功臣宿将不惜血本,丰厚无比。刘秀知道,功臣宿将当年毁家纾难追随自己起兵打天下,干的是把脑袋拴在裤腰带上的危险之事,没有他们的全力翊戴,自己就不会有今天位居九五之尊、主宰天下的机会。知恩图报方为君子,忘恩负义乃是小人,刘秀当然愿做君子而不欲为小人,所以认为理当对功臣宿将予以应有的报答。既然"国之利器"不可与人,兵权不能授予他们,朝政不便交付他们,那么也就只好在经济上提供最大的好处,生活上给予优厚的照顾,使得这些功臣宿将感到当年的冒险投资是正确的选择,心满意足享受浴血奋战所换来的成果。在这样的认识制约下,刘秀给诸功臣创造了舒适优雅的生活环境。

建武二年(26)正月庚辰,刘秀"封功臣皆为列侯,大国四县,余各有差"②。功臣食邑最多达四县之多,大大突破了功臣食邑

---

① 《后汉书》卷十七《冯岑贾列传》。
② 《后汉书》卷一上《光武帝纪上》。

不得超过百里之地的古法，这种封赏是亘古所无的优渥，所以有人感到这么做是出格了，对此表示了不赞同的意见。如博士丁恭就奏议道："古帝王封诸侯不过百里，故利以建侯，取法于雷，强干弱枝，所以为治也。今封诸侯四县，不合法制。"刘秀听了却大不以为然，不客气地反驳说，"古之亡国，皆以无道，未尝闻功臣地多而灭亡者"①，毫不动摇地坚持了重奖厚赏的做法。功臣宿将既蒙信任，又得实惠，感激涕零，实属正常，于是自然而然效忠尽力，为刘秀打江山、坐江山而出生入死，勇往直前了。即便被剥夺了兵权，也因经济上得到丰厚报偿而尽释嫌疑，不抱任何的怨望。到头来，从中真正获利的还是聪明豁达的刘秀。要知道，锱铢必较，是没有出息，难成大事的表现；高瞻远瞩，收放自如，才是治国安邦的大智慧、大手笔。

值得注意的是，刘秀在优待功臣问题上，防止了只做一锤子买卖的倾向，而重视根据需要，不断增添新的内容，追加新的成分，以长期维系君臣之间的融洽感情，使功臣宿将们感受到皇帝始终未曾忘却他们的功劳，皇恩浩荡，滔滔不绝，漫无涯际，永恒长久。

刘秀对功臣的赏赐是层层加码的。建武十三年（37）夏四月，吴汉统领大军平定公孙述割据势力后，从蜀地凯旋，回到京城洛阳，至此，全国终于完成统一，东汉统一战争画上圆满的句号。刘秀非常高兴，大开华宴，慰问将士，以示庆祝。有战功的，一律以策书记其功勋。这是一次大规模的策勋封功活动，共有365人增加食邑，更改封号，"大飨将士，班劳策勋。功臣增邑更封，凡三百六十五人"②，功臣的待遇因此而得到大幅度提高。如贾复，"定封胶东侯，食郁秩、壮武、下密、即墨、梃［胡］、观阳，凡六县"，盖延"增封定食万户"，陈俊"增邑，定封祝阿侯"，臧宫"增邑，更封鄻侯"。③ 很明显，功臣的食邑，比建国初年增加了很多，其生活更为

① 《后汉书》卷一上《光武帝纪上》。
② 《后汉书》卷一下《光武帝纪下》。
③ 《后汉书》卷十七《冯岑贾列传》、卷十八《吴盖陈臧列传》。

优裕舒适了。刘秀还让功臣们自己提要封什么地方，只要可能，他都尽量满足他们的愿望。功臣们纷纷提出要求分得京城附近和南阳等富饶郡县的土地，致使这些地方差不多被封光了。刘秀对功臣宿将的优待，于此可见一斑。

刘秀对功臣的优待，还表现为他宽恕功臣所犯的小错误，以及平时生活上的关心备至。按照刘秀治国的一贯原则，官员如果犯错，他一般是不予宽恕的。但功臣宿将们犯些小错误，他却不过分计较，大多予以原谅。远方进贡来的物品，他情愿自己不吃不用，也要遍赐列侯，让功臣享受，"虽制御功臣，而每能回容，宥其小失。远方贡珍甘，必先遍赐列侯，而太官无余"①，以便让功臣宿将处处感受到来自皇帝的亲切关怀。同时刘秀还以"奉朝请"名义，把功臣宿将征调到京城洛阳，一方面了解掌握他们的动态，有效地予以控制，另一方面又更好地在生活上妥为关心照顾。刘秀对功臣的这种优厚供养政策，既可以使他们同刘秀保持深厚真挚的情感联系，又能够使他们安于现状，保住自己的福禄，其结果，是功臣们"不任以吏职，故皆保其福禄，终无诛谴者"②。东汉明帝永平年间，在洛阳南宫云台画像记功的二十八将，得以全身名传，就是他们遵循刘秀"功成身退"策略的结果。明清之际的王夫之评论说：光武帝没有任将帅以宰辅的重任，诸将也各自安于现状而不作非分之想，光武的用意是非常深远的。自古以来，君臣能相交尽其美的，也只有东汉此时为盛啊！应该说王夫之的评述，是恰如其分的。刘秀对功臣宿将的供养政策，对于维持东汉初年政治局面的稳定，的确是行之有效的。

当然，刘秀对功臣的政策，并不是一味优容。他是两手都硬的坚定实践者，在关系到功臣权力分配的重大原则上，刘秀绝对没有任何动摇，他把剥夺功臣兵权，防止功臣参与朝政作为强化中央集权、巩固自己统治的当务之急来一一加以落实。在这一点上，他与

---

① 《后汉书》卷二十二《朱景王杜马刘傅坚马列传》。
② 《后汉书》卷二十二《朱景王杜马刘傅坚马列传》。

后世赵匡胤"杯酒释兵权"的做法没有什么区别。这也正是他能够优待功臣宿将的基本前提，反映了他的高度政治警觉和驾驭全局的能力。这恰如叶适所言："光武以绳墨待诸将，诸将亦能以绳墨从之，千里外如对面，无蹉跌者……高帝（刘邦）时不能及也。"①

刘秀对功臣权力的限制乃至剥夺，是从两个途径来进行的。首先，他通过及时向功臣敲警钟，鼓励功臣学儒家经典，统一思想，认识君臣尊卑关系永恒性等方式，帮助功臣宿将在思想上筑起不掌兵权、不参政议政的堤坝，为限制并进而剥夺功臣宿将的实际权力营造出一种政治氛围，使其感到唯有如此，才是天经地义、合乎原则的。如他一方面不吝封侯赏赐，一方面又下诏告诫功臣宿将：人心要知足，不要只顾一时的放纵快活，而忘记法纪刑罚。诸位将军功劳很大，享受富贵是应该的。但要想代代相传，就应当如临深渊，如履薄冰，战战兢兢，不可一日大意。光武帝又说道："在上不骄，高而不危；制节谨度，满而不溢。敬之戒之。传尔子孙，长为汉藩。"② 这是勉励鞭策，也是对功臣不要干政的严肃警告。

东汉开国功臣同西汉大为不同，清人赵翼说："西汉开国，功臣多出于亡命无赖，至东汉中兴，则诸将帅皆有儒者气象，亦一时风会不同也。"③ 东汉的功臣宿将，如邓禹、冯异、贾复、王霸、耿纯、刘隆、景丹等人，大多数都受过儒学的熏陶，具有很高的文化素养，所以他们与刘秀亲密无间，志趣相投。正因为如此，他们就不像西汉初年的功臣那样不便于驾驭。这也正是刘秀能够以和平的方式剥夺功臣实权的原因之一。从这个意义上说，刘秀能够保全功臣，也有功臣自身素质高、知进退、懂处世的重要因素在起作用。

由于东汉功臣大多研习儒学，这就给刘秀控制和利用他们带来了很大的便利。例如，贾复知道刘秀"欲偃干戈，修文德，不欲功

---

① 《习学记言序目》卷二十四《后汉书一》。

② 《后汉书》卷一上《光武帝纪上》。

③ 赵翼著，王树民校证：《廿二史劄记校证》卷四《东汉功臣多近儒》，中华书局，1984 年。

臣拥众京师","乃与高密侯邓禹并剽甲兵，敦儒学"①，因而得到了刘秀的赞许。可见刘秀积极倡导功臣读经，是试图通过这一方式，使功臣宿将明白"君君臣臣"的天意，懂得"神器不可妄窥"的道理，用俗话讲，便是"命中只有八合米，走尽天下不满升"，从而自觉自愿放弃权力，更安于现状。其目的就是从思想上进一步束缚功臣，这的确是极其高明的一招。

其次，刘秀通过剥夺功臣的军权，不授功臣以实职等途径，来彻底消弭功臣干政、篡权的危险，确保自己统治的万无一失、铁打铜铸。

刘秀在进行全国统一战争时，为了适应战争的需要，曾设置过许多将军，这些官职基本上都是由功臣担当的。建武十三年（37），全国统一最终实现，刘秀根据战略形势的根本变化，遂决定开始"罢左右将军官"。这实际上是让功臣交出军权。刘秀不想学汉高祖，他的功臣也不想做韩信、彭越，双方一磨合，解除功臣军权的工作便得以顺利进行了。从该年起，除了少数特殊情况外，大部分功臣都陆续上交将军印绶，解除了兵权，其中包括邓禹、耿弇等宿将元勋。功臣既解除了兵权，那么以兵逼宫的威胁也就不复存在。在这样的背景下，刘秀当然可以保全功臣，不必动刀子杀人，多此一举了。

解除功臣兵权，对于刘秀消除功臣干政威胁还只是第一步。接着他又把不授功臣实际官职作为彻底消除功臣干政危险的关键步骤提上议事日程。他的总的原则，是不任用功臣担任国家的重要官职，一般不许功臣参与政事。开始时尚有邓禹、李通、贾复三人例外，曾参与商议国家大事，后来则连这三个例外也予以取消了："退功臣而进文吏，戢弓矢而散马牛，虽道未方古，斯亦止戈之武焉。"② 刘秀不任用功臣，其冠冕堂皇的理由是"天下既定，思念欲完功臣爵

① 《后汉书》卷十七《冯岑贾列传》。
② 《后汉书》卷一下《光武帝纪下》。

土，不令以吏职为过，故皆以列侯就第也"①，所谓"读点好书充腹笥，省些闲事养精神"。但真正的意图，乃是防止功臣掌握的权力过重，从而影响到他自己的专制集权统治。这叫作"宜未雨而绸缪，毋临渴而掘井"。

综上所述，可见在处理功臣问题上，刘秀是封建社会中做得最好、后遗症最少的皇帝。他找到了一个两全其美的办法，一方面给功臣以高爵厚禄，供养起来，另一方面又不让他们拥有兵权，也不让他们干预政事，只许他们以尊荣的身份和地位享受豪华安逸的生活。前者是对功臣的保护，后者则是对功臣的限制。这两者相互结合、互为弥补，就达到了他的理想追求：既加强了中央集权，又使得功臣宿将们满意安心。从而开创了妥善安置开国功臣的先例，提供了正确解决皇权与将权矛盾的途径，同时，也为东汉王朝的全面迅速崛起创造了必要的条件。

从刘秀的政治实践看，不依赖于屠杀的手段而解决功臣问题是完全可以做到的。这中间的关键，就是要求君主与功臣宿将都具有起码的政治诚信，君主应承认和感激功臣的辅佐之功，以经济赎买的方式予以报答；功臣也应顺从和拥戴天命之所归，至少为避免苍生再罹兵燹之祸起见，放弃对权力的贪婪追求，功成身退，泯灭非分之想。"大德可回天，君子能安命"，即一方以财宝收回权力，一方以功勋挣得享受，如此便可以君臣相安，共保富贵了。

可见，这是一个"非不能也，是不为也"的问题。遗憾的是，人对权力的无限制崇拜与争夺，使得刘秀的高明做法总是曲高和寡。于是乎，历史上的功臣们不得不长叹，君主为什么只能同患难，而不能共富贵？而君主们也不得不犯愁，功臣为什么不功成身退，知足常乐？彼此相怨，遗恨无穷！

刘秀的明君风范，使刘氏汉家天下走向繁荣，实现了"光武中兴"。

---

① 刘珍等著，吴树平校注：《东观汉记校注》卷九《贾复》，中华书局，2008年。

第二节　邓禹"取天下策"所反映的战略思维

南宋奇士陈亮曾说："自古中兴之盛，无出于光武矣。奋寡而击众，举弱而覆强，起身徒步之中甫十余年，大业以济，算计见效，光乎周宣。此虽天命，抑亦人谋也！何则？有一定之略，然后有一定之功，略者不可以仓卒制，而功者不可以侥幸成也。"① 而献策定此"一定之略"者，正是谋士邓禹。

邓禹，字仲华，南阳新野（今属河南）人。少年时曾受业于长安的太学，与刘秀相识，遂结为莫逆之交。更始元年（23），刘秀奉命平定河北时，他从南阳赶赴河北追随刘秀，提出了"延揽英雄，务悦民心，立高祖之业，救万民之命"② 的方略。其后不断为刘秀举荐人才，如荐寇恂为河内太守，认为："昔高祖任萧何于关中，无复西顾之忧，所以得专精山东，终成大业。今河内带河为固，户口殷实，北通上党，南迫洛阳。寇恂文武备足，有牧人御众之才，非此子莫可使也。"③ 又随刘秀镇压了铜马等农民起义军，消灭王朗等割据势力，并乘赤眉与刘玄火并之机，率军西征，夺取河东，乘胜由河东入关中，使刘秀处于战略主动。其智谋超人，气度恢宏，深明以弱胜强、以柔胜刚之道，使敌人由强而骄，由锐而怠，"知所以骄而怠人之术"，成为东汉开国名臣。

宋代军事理论家何去非曾将邓禹视为刘秀成就帝业的关键人物，比之为西汉的萧何："昔者汉光武被命更始，安集河北，始得邓禹于徒步之中。恃之以为萧何者，以其言足以就大计，其智足以定大业，

---

① 　陈亮：《陈亮集》卷五《酌古论·光武》，中华书局，1987 年。

② 　《后汉书》卷十六《邓寇列传》。

③ 　《后汉书》卷十六《邓寇列传》。

且非群臣之等夷也。遂以西方之事委之，而禹亦能胜所属任，所向就功。"① 陈亮也说其"起身徒步，仗策军门，一见光武，遂论霸王大略，陈天下之大计，此其胸中固有大过人者矣。连兵西讨，所当者破，既定河东，复平关中，威声响震，敌人破胆"②。

邓禹《图天下策》的高明之处，就在于他所筹划的战略方针为刘秀理清了如何在乱世和身处弱势的情况下夺取天下的思路，为刘秀的最后胜利制定了明确的努力方向和长远计划。

其一，洞察全局，把握枢纽，正确分析形势，及时捕捉良机，先立根本，徐图大业。邓禹分析了王莽改制引起天下大乱后的形势，认为天下纷争混战无主的局势，正可利用来建立大有为之业。当时，全国独霸一方、称王称帝的有十多个势力集团。王莽的残余势力拥有从洛阳到长安的地盘，但王莽倒台后，更始帝及所属绿林军由湖北经河南进入关中，山东的赤眉正从青州、徐州向中原和关中进发。中原及关中正是四战之地，各方势力势必在这一核心地带杀得你死我活，正所谓"四方分崩离析，形势可见"③。而刘秀在更始入关时，被委以"破虏将军"，并利用刘氏宗室的身份前往河北招安各地势力，虽失去了随更始帝入关分享胜利果实的机会，但得到了发展的良机。因为这恰恰使得刘秀可以独立发展自己的势力，避免在羽翼未丰时被他人打垮。邓禹的"深虑远图"与刘秀的志在天下可说是不谋而合，所以邓禹劝刘秀珍视这一难得的良机，重视河北这一新兴地区的战略地位。陈亮说："使燕赵未平而光武西取关辅，则遂与（隗）嚣、（公孙）述为敌，而赤眉无所骋其锋矣。与嚣、述为敌，则欲徇燕赵而彼乘其虚；赤眉无所骋其锋，则已服郡县而或罹其毒。是燕赵未可以卒平，关辅未可以卒守，河北、河内未可以卒保，而天下纷纷，将何时而一也！"④ 陈亮认为这是刘秀最高明之

① 何去非：《邓禹论》，曾枣庄、刘琳主编：《全宋文》卷二五六五《何去非二》。
② 《陈亮集》卷七《酌古论·邓禹》。
③ 《后汉书》卷十六《邓寇列传》。
④ 《陈亮集》卷五《酌古论·光武》。

"一定之略",而"致之有术,取之有方"的方略正出自邓禹。

其二,力避过早成为矛盾之焦点,沉着等待时机,广泛招揽人才,积极争取民心,致力于河北这一根据地的经营,利用处于各种势力边缘的机会,发展壮大实力,待各方势力自相削弱后再出面收拾残局,以弱胜强,席卷天下,争取事半功倍之效。这是典型的以弱自处、以柔胜刚之术。邓禹认为,更始皇帝虽然强大,但为人寡谋少断,缺乏一套妥善的治理国家的措施,朝廷中的文武大臣,尤其是带兵的将军,大部分是庸庸碌碌之辈,这些新贵是不能治理天下的,所以刘秀如果想夺天下,当务之急必须是争取民心。要做到争取民心,具体办法有两个:一是招揽储备人才,治理已经控制的州县,巩固根据地,打起恢复汉室的旗号,争取更多的支持,即"于今之计,莫如延揽英雄,务悦民心,立高祖之业,救万民之命"①;二是像汉高祖刘邦在汉中建立根据地一样,颁布几条切实可行的法律,使百姓安居乐业。这样,人心所向,天下归顺,四分五裂的局势不出几年就可以归于一统。刘秀正是依此策略,冷眼观望群雄的火并。到了公元 25 年,羽翼丰满,遂即皇帝之位,号令天下。其后赤眉进入长安,更始帝投降后被杀,绿林势力被排除。而赤眉在与绿林的争战火并后,亦大伤元气,加之关中残破无粮,又西向陇右发展,及至无所得再返长安,几已为强弩之末。刘秀这时候出来收复洛阳、关中,已是水到渠成,毫不费力,终于稳控关中和中原。至此,统一全国不过是早晚之事了。当代学者黄仁宇先生在其《赫逊河畔谈中国历史》中也说这是"用南北轴心作军事行动的方针,以边区的新兴力量问鼎中原,超过其他军事集团的战略"②。

英国现代著名战略家李德·哈特在其名著《战略论》中总结古代到第一次世界大战前西方的历次重大战争经验教训时,提出了"间接路线"的理论,认为战略是一种恰当分配和运用军事手段以求

---

① 《后汉书》卷十六《邓寇列传》。
② 黄仁宇:《赫逊河畔谈中国历史》,九州出版社,2015 年,第 43 页。

达到政治目的的艺术。战略的成功取决于对"目的"和"手段"的正确计算、结合和运用，并认为最完美的战略是不经过残酷战斗而能达成目的的战略。他认为，从古至今，在战争中除非所采取的"路线"（approach）是具有某种程度的"间接性"（indirectness），以使敌人感到措手不及，难以应付，否则很难获得有效的结果。这种"间接性"常常也是物质性的，但一定总是心理性的。从战略方面来说，最远和最弯曲的路线，常常也就是一条真正的"捷径"。这些累积的经验明白地告诉我们，若是一个人沿着敌人所"自然期待的路线"（line of natural expectation），"直接"向他的精神目标或物质目标进攻，则所产生的常常都是负面的结果。① 纵观刘秀取天下战略的成功，其关键也正在于此。王夫之称其"以柔取天下"，正窥透了个中信息。可以说，刘秀本人以及为其谋划大业的邓禹等人，均是循着这一战略思路才成就一代大业的。

第三节　来歙的《平陇蜀策》

统一战争的战略预案往往分为两个层次：一种是全局性的，它一般贯穿于该场统一战争的始终，有着纲领性的指导意义（尽管也经常存在补充、修改、调整的现象，但总体方向通常不会改变），另一种是局部性的，它一般作用于统一战争进程中某个特定的时期，在达成一定的战略目标后即会淡出乃至终止。前者体现的是全过程性与整体性，而后者体现的则是阶段性与不完整性，两者既有联系，更有区别，互为前提，互为补充，共同作用于统一大业的顺利推进。

正如有的军事学者所指出的那样，"不确定性是战争中最活跃的

---

① ［英］李德·哈特著，钮先钟译：《战略论》，内蒙古文化出版社，1997年，第5—6页。

因素之一"①。所谓不确定性，是指战争中那些对一方或双方在一定条件下而言无法明确的因素，它往往会对战争的进程与结局产生微妙但又实际的影响。作为战略指导者，怎样认识这种客观存在，怎样利用这种客观存在，是否能通过主观能动作用，使有利于己不利于敌的因素成为现实，使有利于敌不利于己的因素消失或减弱，无疑是衡量其战略指导是否高超、是否成熟的一个重要依据。

"战略指导是战略家在敌我双方对立运动的动态中，在不断变化的战争形势和存在许多不确定因素的条件下进行的，因而很难始终如一地做到主客观一致。"②当战争爆发后，你会发现，原先的战略预案几乎没有一个是完全符合战争的客观实际发展的，这时，做适当的调整乃是毋庸置疑的事情。换言之，从战争指导的认识论来说，依据战前诸多基本因素而制定相应的战略预案，是认识的第一个过程；战争展开之后，依据新的情况，构成新的判断，对原来的计划和部署进行调整、补充、修正，使之适应新的形势和要求，乃是认识的第二个过程，它的重要性一点也不亚于第一个过程。

统一战争是全局性的战争，它往往要经历漫长的战略准备与战争实施，长期性、曲折性、复杂性、变化性是它们的共性问题。元人郝经云："故自汉、唐以来，树立攻取，或五六年……晋之取吴，隋之取陈，皆经营比侦十有余年，是以其术得成，而卒能混一。"③说的正是这层意思。在这样的背景之下，战略预案随着战争的进程而做适当的充实或调整，便是非常正常又十分必要的。因为只有如此，方能克服战争中的种种不确定因素，使战略预案更符合战争活动的实际，从而推动统一大业不断由胜利走向胜利。这正如李德·哈特在其名著《战略论》的序言中所言："战略学告诉我们，最重要的，就是一方面经常保持着一个目标，而另一方面在追求目标时，却应该适应环境，随时改变路线。"④

---

①　李际均：《军事战略思维》，军事科学出版社，1998年，第82页。

②　李际均：《军事战略思维》，第107页。

③　宋濂等：《元史》卷一百五十七《郝经列传》，中华书局，1976年。

④　[英]李德·哈特著，钮先钟译：《战略论》，第6页。

在秦汉历史上诸多局部性的统一战略预案之中，东汉初年来歙为刘秀拟制的以"联陇制蜀，各个击破"为主旨的《平陇蜀策》，最为鲜明地体现了局部服务于全局、阶段服务于全程的特色，成为刘秀完成统一战争大业的一个不可或缺的重要环节。①

来歙（？—35），字君叔，南阳新野（今属河南）人。刘秀起兵后，投刘秀麾下，出任太中大夫，多次出使陇西，劝说拥兵割据的隗嚣归顺东汉，促成了隗嚣与刘秀的联盟，为刘秀致力于关东解除了后顾之忧。后隗嚣反叛，他亲率 2000 人伐山开道，讨伐隗嚣，在陇西之战中立下大功。此后又率军击溃西羌，指挥了讨伐公孙述的战争，为统一全国做出了杰出贡献。

来歙的《平陇蜀策》是刘秀夺取两京后，如何再接再厉削平群雄、统一全国的阶段性战略预案。当时刘秀已击灭赤眉军，扼杀了西汉末年的农民起义，初步奠定了统一全国的基础。但是，削平各地割据势力，夺取全国的统一还有漫长的道路要走。

刘秀从建武二年（26）开始展开消灭各个割据势力的斗争。当时全国的形势对刘秀并不十分有利，他仅控制黄河南北的中原地带，在全国十三个州中，仅据有冀、豫、并、司隶四州（今河北、河南、山西、陕西大部分地区），即所谓"今四方豪杰各据郡国，洛阳地如掌耳"②，其余各州则处于各割据者的控制之下。其中他的东面有青州（今山东淄博）的张步、东海（今山东郯城）的董宪、睢阳（今河南商丘睢阳）的刘永、庐江（今安徽庐江）的李宪；南面有南郡（今湖北江陵）的秦丰、夷陵（今湖北宜昌）的田戎；西面有成都的公孙述、天水（今甘肃通渭西北）的隗嚣、河西（今甘肃兰州、武威、敦煌一带）的窦融等几股强大势力；北面的渔阳（今北京一带）则有彭宠。以当时天下形势论，刘秀处于中原四战之地，被割据势力四面包围着。

根据当时的战略形势，刘秀在其谋臣的辅佐下，权衡利害，制

①　《后汉书》卷十六《邓寇列传》。
②　《后汉书》卷十七《冯岑贾列传》。

定先关东、后陇蜀，先东后西、由近及远，集中兵力、各个击破的战略方案。应该说，这样的战略方案是符合当时的客观形势的，因而也是正确可行的。

其一，关东的刘永称帝于睢阳，与刘秀的势力中心洛阳近在咫尺，而且刘永本人也是西汉帝室近亲，与刘秀相比，与刘氏皇室有着更为亲近的血缘关系。他在起兵后，同样以"兴复汉室"相号召，有与刘秀争夺天下的实力与资本，先予以铲除自属理所当然的事情。而南方南阳、夷陵一带的邓奉、秦丰也直接威胁着洛阳与长安，同样是刘秀集团的心腹之患，如不及早消灭，势必动摇刘秀的地位。相反，陇右的隗嚣、四川的公孙述与中原遥相悬隔，一时难以危及刘秀。同时，早在此前，刘秀已派大将冯异进据关中形胜之地，构成洛阳的战力前哨，更使刘秀处于战略主动的地位。

其二，要集中力量解决东方的问题，必须以保证西方无事为基本前提，否则关中不稳，中原的局势势必随之动荡。尤其要重视的，是必须防止关陇与四川联盟，趁机夺取关中。所以刘秀非常关心这一问题，特意向熟悉陇右情况的来歙询问："今西州未附，子阳（公孙述）称帝，道里阻远，诸将方务关东，思西州方略，未知所任，其谋若何？"① 来歙对此胸有成竹，建议刘秀对陇西的隗嚣和四川的公孙述进行分化瓦解，"联陇制蜀，各个击破"。这一战略预案显然是可行的，因为隗嚣和公孙述各有各的小算盘。隗嚣对公孙述信疑参半，曾派遣手下重臣马援出使四川打探虚实。可惜公孙述妄自尊大，对老友马援未予应有的尊重，马援对此十分不满，以"子阳井底蛙耳，而妄自尊大，不如专意东方"② 为辞，向隗嚣汇报。加之隗嚣本来就对近邻公孙述怀有戒心，生怕其北上侵吞自己的地盘，陇、蜀遂失去了联盟的机缘，隗嚣遂决定通过联合刘秀以压制公孙述，来保证自己独霸一方。而刘秀对隗嚣的使臣马援竭诚相待，予以争取，进一步促进了洛阳与陇西的联盟。这样，联陇制蜀之战略

---

① 《后汉书》卷十五《李王邓来列传》。
② 《后汉书》卷二十四《马援列传》。

预案遂成现实，其结果既使得陇蜀互相攻伐，有力地打击了公孙述，又削弱了隗嚣的势力，同时又保证了刘秀自己可专力东向而无后顾之忧，坐收一石三鸟之效。

刘秀联陇制蜀的成功还得力于对马援的成功策反。马援年轻时，识见不俗，在"四方兵起"，天下未定之时，先是依附西北的隗嚣栖身，得到信任，参与军机，与决筹策。后来公孙述在四川称帝，与刘秀抗衡，隗嚣派其入川观察形势，以决定何去何从。马援与公孙述同乡，本以为到了以后会"握手欢如平生"。结果公孙述摆起皇帝的架子，马援十分瞧不起他，回到西北后，对隗嚣说："子阳井底蛙耳，而妄自尊大，不如专意东方。"建议与东方的刘秀讲和。马援出使到洛阳后，刘秀以款诚相待，使马援十分感动。西汉末年，王莽为乱，旧的政治秩序被打破，新的秩序尚未建立，有实力、有地盘的各路豪杰纷纷划地为王，群雄并列，干戈四起。当时，光武帝刘秀并不是最具实力以成就统一天下大业者，常常是无以立足，有见识的马援却决定追随他，认为"当今之世，非独君择臣也，臣亦择君矣"①，最终在联陇制蜀斗争中发挥了决定性作用。由此可见，对马援的争取并取得成功，是来歙"联陇制蜀"之策得以奏效的关键环节。

显而易见，来歙的"联陇制蜀"之策是刘秀从事统一大业过程中具有阶段性、局部性意义的战略预案。它的核心内容，是在面对各个对手的复杂情况下，区分轻重缓急，确定最主要的打击对象，暂时放过或稳住次要或威胁较小的敌手，首先孤立和打击最具威胁的敌人，从而避免出现多面树敌、多个方向作战的被动，使自己循序渐进地对各方势力各个击破。在当时情况下，公孙述的政治野心较大，实力强盛，并已公开与刘秀为敌，自然要毫不留情地予以掣肘和打击，将其对刘秀进行关东、关中统一战争所构成的威胁降低到最低的程度。相对而言，西边的隗嚣实力稍逊，更多地热衷于陇西一隅的割据和自保，对刘秀暂不构成直接紧迫的威胁，加之他与

①　《后汉书》卷二十四《马援列传》。

蜀地的公孙述存在着矛盾与嫌隙，可资利用，所以可以暂且不作为打击的对象，而且还可利用一切机会，通过各种手段进行积极的争取。在予以安抚，稳住其势力的同时，借助其存在和力量来牵制和抗衡公孙述，从而使东汉方面左右逢源，获取战略上的最大利益，确保刘秀在展开东线的统一战争时没有任何后顾之忧，为日后最终解决西线问题，完成全国的统一赢得必要的缓冲时间。这就是所谓的用空间换取时间。应该说，在一定的时间内，这"联陇制蜀"的战略预案是没有其他方案可以取代的。历史发展也证明，刘秀正是按照这一战略预案，瓦解了陇蜀合作对付东汉的图谋，消弭了来自西线的直接威胁，为彻底平定东方创造了良好的战略环境。

当然，需要指出的是，"联陇制蜀"之策不是刘秀整个统一战争的全局性战略，而只是特定时间内具有阶段性和特殊性的战略方案，是整个统一方略中的有机组成部分，因而具有一定的时效性和相对的适应范围。当刘秀彻底平定东方之后，将主力兵锋西指之时，"联陇制蜀"战略就自然要作出相应的调整。这时，陇与蜀都成了要打击的对象。陇、蜀在战略地理上本是互为表里的，平陇即为灭蜀之前奏，不平定陇右而用兵四川，则面临侧背的极大威胁，若对陇、蜀同时用兵，则两面作战，兵力分散，加之山地作战，不便协同配合。而平定陇西之后，即可绕过秦岭南下，直趋阳平关，大军行动便利，可以确保统一全国事业的成功。所以，对西线的战争必须根据形势作出由近及远、由弱及强、先陇后蜀的战略抉择。至此，来歙的"联陇制蜀"之策完成了它的历史使命，新的阶段性统一战略谋划也随之制定和付诸实施，刘秀的统一大业遂进入了崭新的也是最后的阶段。

尽管如此，我们也应该充分看到，没有前期的"联陇制蜀"，便谈不上后来的"先陇后蜀"。"联陇制蜀"是整个东汉统一大方略中一个必不可少的环节，是最终彻底解决陇、蜀问题的必要铺垫，它对于刘秀完成统一大业至关重要，意义殊为显著。

需要进一步加以指出的是，"联陇制蜀"战略预案中所体现的抽象原则，如"分化瓦解""集中力量""各个击破"等，在刘秀进行统一战争的最后阶段仍得到了充分的继承和发扬。从这一意义说，"联陇制蜀"战略预案的生命力又不是暂时的，而是永恒的。

第四节　王符《潜夫论》的边防军事思想

一、王符治边思想提出的时代背景

东汉后期，朝廷最大的边患来自西北方向。由于东汉朝廷的政治日趋腐败黑暗，推行的民族政策偏激紊乱，导致了周边少数民族，尤其是散居凉州（治陇县，今甘肃张家川）的羌族对东汉统治的仇视与反抗。自汉安帝、汉顺帝以降，这种矛盾更是日益加剧与激化，双方之间不断爆发战争，多达百起以上，具有战争发生频率高、时间久、地域广、此起彼伏的鲜明特点。战争的普遍性、残酷性，集中体现在羌人的三次大规模反抗战争的如火如荼、惨烈无比。对此，黄今言等人在《中国军事通史》第六卷《东汉军事史》的相关章节中有详尽的记叙，兹不赘述。

羌人反抗战争的爆发，原因错综复杂，但有一点毫无疑问是极为重要的因素，即东汉王朝对羌人的统治政策和管理方式出现了严重的错误。《后汉书·西羌传》在总结"羌患"的原因时指出"朝规失绥御之和，戎帅骞然诺之信"。具体而言，就是东汉朝廷一反西汉行之有效的对西羌的属国统治方式，在湟中等羌人集中之处，一意孤行，硬性推广郡县体制，将降服归顺的羌人不加区别，直接纳入中央集权的行政统治之下，从而与羌人原有的社会组织、传统文化、生产方式、生活方式、风俗习惯发生了严重的冲突。降羌被纳入郡县统治之后，边疆汉族豪强、统兵将吏普遍视羌人为东汉王朝的贱民与奴仆，对羌人肆意欺压和凌辱，"时诸降羌布在郡县，皆为吏人豪右所徭役，积以愁怨"①。羌人深受民族与阶级的残酷压迫。

羌人所遭遇的凌辱与压迫，大致有以下几个方面。（1）被任意强迫迁徙、安置。如和帝永元十三年（101），汉军破烧当羌迷唐部，"降者六千余口，分徙汉阳、安定、陇西"②。强制迁徙羌人于郡县，不仅使他们脱离了他们所熟悉的传统生产方式、环境，而且也打断了他们之间原有的部落联系，造成了羌人难以承受的"跳跃式"的社会过渡。羌人非常不满，一有机会，就举兵反抗。（2）被迫承受极其沉重的兵役、徭役负担。"以夷制夷""以夷攻夷"是东汉王朝的重要边防策略，朝廷利用羌人骁勇好斗的性格特征，挑动"羌胡相攻"，以取"县官之利"。因此在征西域、击羌胡的战争中，汉廷往往不加节制征发郡县降羌人伍作战。沉重的兵役、徭役于是成为羌人进行反抗战争的导火线。（3）被虐杀成为常态。郡县将吏和豪强对待羌人的手段极其凶狠与血腥。如章和元年（87），护羌校尉张纡，假意接纳迷吾投降，却"设兵大会，施毒酒中，羌饮醉，纡因自击，伏兵起，诛杀酋豪八百余人……复放兵击在山谷间者，斩首四百余人"③。著名的刽子手段颎，更是残杀羌人无数："凡破西羌，斩首二万三千级"，"凡百八十战，斩三万八千六百余级"④。与此同时，豪强、将吏还将大量的羌人没为奴隶，并肆无忌惮地将羌人的牧场、田地占为己有。所有这些胡作非为，都导致了羌人对中央朝廷的愤懑和仇恨，矛盾激化到一定程度，最终就引发羌人的大规模反抗战争，造成东汉王朝的严重边患，并动摇了中央集权的统治基础。

羌人的武装反抗战争，以及随之而来的朝廷血腥镇压之举，导致了东汉后期十分严重的边地危机，各种社会矛盾日益尖锐，并日趋激化。战争给社会生产力造成极大的破坏。在战争过程中，屠杀

---

①　《后汉书》卷八十七《西羌传》。

②　《后汉书》卷八十七《西羌传》。

③　《后汉书》卷八十七《西羌传》。

④　《后汉书》卷六十五《皇甫张段列传》。

成了最显著的手段，其中尤以段颎为典型。在第三次羌人大规模反抗战争中，段颎率兵镇压，大开杀戒，使羌人"陷击之所歼伤，追走之所崩籍，头颅断落于万丈之山，支革判解于重崖之上，不可校计。其能穿窜草石，自脱于锋镝者，百不一二"①。可谓惨绝人寰，残忍之极。

与此同时，广大汉族民众同样蒙受了极大的灾难。因将吏作恶、兵燹所过或被迫迁徙而导致死亡者，亦不可胜数："千万之家，削身无余，万民匮竭，因随以死亡者，皆吏所饿杀也。其为酷痛，甚于逢虏。寇钞贼虏……或覆宗灭族，绝无种类；或孤妇女，为人奴婢，远见贩卖，至令不能自活者，不可胜数也。""民既夺土失业，又遭蝗旱饥匮，逐道东走，流离分散，幽、冀、兖、豫、荆、扬、蜀、汉，饥饿死亡，复失太半。边地遂以丘荒，至今无人。原祸所起，皆吏过尔。"②使得甘肃这一带，生产凋敝，人口锐减！多年的汉羌战争，也造成物质财富的极大破坏。汉军不得已"驰骋东西，奔救首尾，摇动数州之境，日耗千金之资"，"兵连师老，不暂宁息。军旅之费，转运委输"③，军费开支数额巨大，使朝廷财政入不敷出。据《西羌传》等史料统计，三场大规模的汉羌战争，共消耗军费高达360亿钱之多。而转输徭役，也完全打乱了国家的正常经济活动，社会生产遭到严重破坏，社会矛盾激化，内地也纷纷爆发民间武装起义，猛烈冲击着东汉王朝的统治。在战争过程中，大量的丁壮被强制入伍，或处于汉王朝的专制统治之下，实际上为日后黄巾大起义埋下了伏笔。而汉军在镇压羌人反抗战争过程中，将吏的拥兵自重，为日后军阀混战与割据创造了条件，朝廷所暴露的治边无能与色厉内荏、外强中干，所谓"徒见王师之出，不闻振旅之声"④，

① 《后汉书》卷八十七《西羌传》。
② 《潜夫论笺校正》卷五《实边》。
③ 《后汉书》卷八十七《西羌传》。
④ 《后汉书》卷六十五《皇甫张段列传》。

"每战常负，王旅不振"①，则也在一定程度上诱发了军阀们的野心，为分裂割据提供了契机。正是在汉羌厮杀到难解难分，东汉西北边境地区边患迭至，边疆危机愈演愈烈的大背景下，王符在其著述《潜夫论》中，就迫在眉睫的治边问题，提出了他自己的独到见解，形成了他注重实用、针对性极强的有关边疆问题的系统化兵学思想。

二、王符边防思想的要点

王符（约85—162），东汉中后期著名思想家、哲学家、政论家，字节信，安定临泾（治今甘肃镇原南）人，"少好学，有志操"，与当时著名学者马融、张衡、窦章、崔瑗等人相友善，生性耿介正直，不屑于趋炎附势，故终身未仕，隐居著书，"以讥当时失得，不欲章显其名，故号曰《潜夫论》"。②

《潜夫论》全书现存共十卷三十六编（含叙录），大约成于汉桓帝时期，其版本以清代汪继培笺注本为善。当代相关研究著作，以中华书局1985年出版的彭铎《潜夫论笺校正》为善。

《潜夫论》的主体内容是王符有关治国安民的政治思想与反对谶纬神学的哲学观点，兵学思想亦是王符整个思想体系中的重要组成部分。这方面的观点与主张，主要集中在《劝将》《救边》《边议》与《实边》等四篇，它们针对当时西北边疆地区边患迭起、积重难返的现实情况，着重论述了加强防御、战胜边患、恢复边疆地区安宁的战略与策略，反映了王符本人治边安边的理性认识。其荦荦大端，大致有以下几点：

第一，亟言当时西北边地的严峻形势。王符指出，自羌变发生以来，东汉朝廷一直处于被动困厄的处境，边患愈演愈烈，形势危急。边军进战则兵败，退守则城陷，"今兵巧之械，盈乎府库，孙、吴之言，聒乎将耳，然诸将用之，进战则兵败，退守则城亡"，"军起以来，暴师五年，典兵之吏，将以千数，大小之战，岁十百合，

① 《后汉书》志第二十八《百官五》注引应劭《汉官》。
② 《后汉书》卷四十九《王充王符仲长统列传》。

而希有功"，而羌乱则不可抑制，日益严重，"东寇赵、魏，西钞蜀、汉，五州残破，六郡削迹"①，一发而不可收拾！

第二，深入分析了西北边患产生的原因。在充分列举西北羌变所造成的惨痛现状之后，王符进而具体地分析了导致这一后果的诸多原因。他认为这首先是因为后方朝臣苟且偷安，无所作为，既无近虑，更无远谋，"彼此之情，不闻乎主上，胜负之数，不明乎将心，士卒进无利而自退无畏"②。"今苟以己无惨怛冤痛，故端坐相仍，又不明修守御之备，陶陶闲澹"，面对"寇钞祸害""百姓灭没"的严酷现状、严峻形势，毫无同情之心，熟视无睹，抱着一种大事化小、自欺欺人的态度来搪塞，"谈者皆讳之"，"欲令朝廷以寇为小，而不蚤忧"，甚至"示懦敌寇"，主张主动放弃抵抗，"不厉武以诛虏，选材以全境，而云边不可守，欲先自割"，"公卿师尹咸欲捐弃凉州，却保三辅"，致使寇焰日益炽烈，民众惨遭涂炭。③

第三，前敌将帅不明战略，不谙战术，畏葸惧战，无所担当，赏罚失度，训练松弛，"胜负之数，不明乎将心"，"将不明于变势，而士不劝于死敌也。其士之不能死也，乃其将不能效也，言赏则不与，言罚则不行，士进有独死之祸，退蒙众生之福。此其所以临阵亡战，而竟思奔北者也"。"既无断敌合变之奇，复无明赏必罚之信，然其士民又甚贫困，器械不简习，将恩不素结"，其结果当然只能是屡战屡败，惨不忍睹了："夫将不能劝其士，士不能用其兵，此二者与无兵等。无士无兵，而欲合战，其败负也，理数也然！"④ "诚多蔽暗，不识变势，赏罚不明，安得不败？"⑤

第四，朝廷治边的政策出现重大过错。放任那些边郡的长官畏敌怯战，争相内迁："太守令长，畏恶军事，皆以素非此土之人，痛

---

①　《潜夫论笺校正》卷五《劝将》。

②　《潜夫论笺校正》卷五《劝将》。

③　《潜夫论笺校正》卷五《救边》。

④　《潜夫论笺校正》卷五《劝将》。

⑤　《潜夫论笺校正》卷十《叙录》。

不著身，祸不及我家，故争郡县以内迁。"边地郡县官吏横征暴敛，边地军队纵掠横行，"又放散钱谷，殚尽府库，乃复从民假贷，强夺财货"，"至遣吏兵，发民禾稼，发彻屋室，夷其营壁，破其生业，强劫驱掠"①。边民被迫背井离乡，陷入流离失所的困境。官民关系日趋恶化，社会矛盾不断激化，这样的背景下，哪里还谈得上同心协力、团结一致应对羌变的局面？

第五，提出比较系统全面的治边方略与对策。（1）主张早定战守之策。王符认为面对严重的边患，一味退让与妥协是没有任何出路的，边疆的稳固直接关系到国家的安危，"地〔不可〕无边，无边亡国。是故失凉州，则三辅为边；三辅内入，则弘农为边；弘农内入，则洛阳为边。推此以相况，虽尽东海犹有边也"②。退无可退，只能坚决守住。所以，王符强调"救边"，"救边乃无患。边无患，中国乃得安宁"，呼吁及时平乱，反对示弱寇敌、"竟割国家之地以与敌"的错误做法。③ 这样，就从战略的高度，确立了治边的基本原则。（2）选拔与重用"明于变势"的优秀将帅。瑞士军事学家若米尼说："一个统帅的高超指挥艺术，无疑是胜利的最可靠的保证之一，尤其是在交战双方的其他条件都完全相等时，更是如此。"④ 这个道理，古今一律。王符曾一再强调"诸有寇之郡，太守令长不可以不晓兵"，主张选拔睿智英明、深富韬略者来担任将帅，"选诸有兵之长吏，宜踔跞豪厚，越取幽奇，材明权变，任将帅者"。在此基础上，王符进而对为将者的素质、品德、修养、才干提出了十分明确的要求："孙子曰：'将者，智也，仁也，敬也，信也，勇也，严也。'是故智以折敌，仁以附众，敬以招贤，信以必赏，勇以益气，严以一令。故折敌则能合变，众附爱则思力战，贤智集则英谋得，赏罚必则士尽力，勇气益则兵势自倍，威令一则惟将所使。

① 《潜夫论笺校正》卷五《实边》。
② 《潜夫论笺校正》卷五《救边》。
③ 《潜夫论笺校正》卷五《边议》。
④ ［瑞士］A. H. 若米尼著，刘聪、袁坚译：《战争艺术概论》，第62页。

必有此六者，乃可折冲擒敌，辅主安民。"① 有了这样优秀的将帅，在平息羌变、安定边疆过程中，自然能牢牢把握主动权，左右逢源，收放自如。（3）以"利"激励广大士卒奋勇杀敌，一往无前。王符认为，人性有个共同点，即趋利避害，而当时在边地作战过程中，之所以"士不劝于死敌"，乃是由于"士卒进无利而自退无畏"，因此，必须强调信赏必罚，使广大士卒令行禁止，旅进旅退，"必顺我令乃得其欲"。② （4）迁徙内地民众实边固防。王符正确地理解了"实边"与"固内"之间的内在辩证关系，认为只有充实边疆，加强边防，才能够有力地巩固内地，与之相应，也只有内地巩固，才能够使边防建设得到有力的保障，"更相恃仰，乃俱安存"。在这一认识的基础上，王符提出了具体的"实边"策略，强调土地为民生之本。边境地区地广人稀，"不可久荒以开敌心"，应该从人稠地少的内地迁徙民众实边，使得"土地人民必相称"，并提供相应的帮助与支持，使实边之民获得补偿，"君子小人各有所利，则虽欲令无往，弗能止也"。③ 总之，要"崇利显害以与下市，使亲疏、贵贱、贤鄙、愚智，皆必顺我令乃得其欲"④。这样，"实边"就能真正发挥"均苦乐，平徭役，充边境"的积极作用，乃是最佳的"安中国之要术也"。⑤

综上所述，可见王符《潜夫论》的相关兵学论述具有鲜明的针对性和切实的可操作性，充分体现了东汉的时代精神与文化特征，是对东汉中后期历史命题的积极呼应，其中某些观点，独具慧眼，不乏新意，也颇具启示的价值，不无借鉴的意义。

① 《潜夫论笺校正》卷五《劝将》。
② 《潜夫论笺校正》卷五《劝将》。
③ 《潜夫论笺校正》卷五《实边》。
④ 《潜夫论笺校正》卷五《劝将》。
⑤ 《潜夫论笺校正》卷五《实边》。

第五节　何休与今文经学家的兵学观念

何休本人并不是军事家，因此他的军事思想带有浓厚的理想主义色彩。儒生论兵，难免存在"迂远而阔于事情"的本色，但同时又具有联系政治，将军事与政治、经济、文化作通盘考虑的优点。大致而言，何休有关军事问题的理性认识，集中体现为以下几个层次：

第一，从何休总的思想倾向来看，他对战争持基本否定的态度。在他的眼里，历史上和现实中频繁发生的战争，其性质大多是非正义的，是统治者为了满足个人攫取土地、财富和权力等私欲的产物，是"天下无道"的表现。即便是人们所津津乐道的齐桓公打着"尊王攘夷"旗号的争霸战争，也应该受到批评。《春秋公羊传解诂》（简称《解诂》）在注解《春秋·庄公十三年》经文"夏六月，齐人灭遂"时就指出："（遂）不会北杏故也。不讳者，桓公行霸，不任文德而尚武力，又功未足以除恶。"[①] 这与荀子所持的"仲尼之门人，五尺之竖子言羞称乎五伯……（齐桓公）外事则诈邾，袭莒，并国三十五。其事行也若是其险污淫汏也，彼固曷足称乎大君子之门哉"[②] 的看法一致。对于"争地以战，杀人盈野；争城以战，杀人盈城"的兼并掠夺战争，何休更是坚决加以反对："灭日者，甚恶诸侯不崇礼义以相安，反遂为不仁，开道强夷灭中国，中国之祸连蔓日及，故疾录之。"[③]

何休对战争持否定的态度不是偶然的。他主要是从价值衡量的尺度而对战争持否定态度的。在他看来，战争是凶事，是灾祸，曾

---

① 《春秋公羊传注疏》卷七《庄公十三年》。
② 《荀子集解》卷三《仲尼篇》。
③ 《春秋公羊传注疏》卷十九《襄公十年》。

给民众带来深重的灾难，违背天理，逆反人性，是社会生活中的莫大弊端，不能不痛加斥责。《解诂》中，何休曾借注疏史实多处表达了自己的这一看法：

> 入者，以兵入也。已得其国而不居，故云尔。凡书兵者，正不得也。外内深浅皆举之者，因重兵害众。兵动则怨结祸构，更相报偿，伏尸流血无已。时诸侯擅兴兵。不为（之）［大］恶者，保伍连帅，（本）［未］有用兵征伐之道。①

> 古者，师出不逾时，今宋更年取邑，久暴师苦众居外，故书以疾之。②

> 出当复反，战当必胜。兵，凶器；战，危事，不得已而用之尔。乃以假人，故重而不暇别外内也。称师者，正所乞名也。乞师例时。③

> 秦称师者，闵其众，恶其将。本秦之忿，起殽之战。今襄公、缪公已死，可以止矣。而复伐晋，恶其构怨结祸无已。④

由此可见，何休反对战争，既是出于道义的驱使，也是基于利害的衡量，特别是立足于战争给人民生命财产造成灾难的基本性质。

第二，受儒家军事文化传统的影响，何休主张兴义兵，希望通过吊民伐罪的方式，为推行儒家的政治理想扫清道路，创造条件。儒家虽然反对不义之战，可是并不全盘否定一切军事活动，对于反抗暴政或保家卫国的正义战争，他们是持肯定态度的。早在孔子那

---

① 《春秋公羊传注疏》卷二《隐公二年》。
② 《春秋公羊传注疏》卷三《隐公六年》。
③ 《春秋公羊传注疏》卷十二《僖公二十六年》。
④ 《春秋公羊传注疏》卷十五《宣公二年》。

里，这一立场即已确立。周敬王三十四年（前486），齐国发兵侵犯鲁国。孔子闻讯后即号召其弟子挺身而出，共赴国难："夫鲁，坟墓所处，父母之国，国危如此，二三子何为莫出？"①认为即使是为之奉献生命，也是无上光荣的。孔子的学生冉有在对齐军作战中用长矛攻陷敌阵，孔子把这称为"义"，即合乎道义的行动。②何休秉承了儒家的这一原则立场，把"善录义兵"作为自己军事思想的重要命题："道为齐诛意也。称侯而执者，伯讨也。月者，善录义兵。"③

何休认为，凡是反抗敌国的侵略，保卫社稷，维护民众安宁生活的军事行动，都具有正义的性质，值得肯定和支持：

> 战者，敌文也。王者兵不与诸侯敌。战乃其已败之文，故不复言师败绩。鲁不复出主名者，兵近都城。明举国无大小，当戮力拒之。④

> 吴子欲伐楚，过巢不假途，卒暴入巢门。门者以为欲犯巢而射杀之。君子不怨所不知，故与巢得杀之，使若吴为自死文，所以强守御也。书伐者，明持兵入门，乃得杀之。⑤

这些都是何休赞同正当防卫、保家卫国，用正义之战反对非正义之战思想的曲折流露，也是他所提倡的"义战"理论中合理性的体现。

何休主张"义战"，在很大程度上是《公羊》学"大复仇"理论的应有之义。《公羊》学肯定对敌方进行复仇，认为是合乎道义的，作为子孙，对先辈所遭受的耻辱，有义务和责任加以洗雪。这

---

① 《史记》卷六十七《仲尼弟子列传》。
② 杨伯峻：《春秋左传注·哀公十一年》，中华书局，2018年，第1452页。
③ 《春秋公羊传注疏》卷二十二《昭公四年》。
④ 《春秋公羊传注疏》卷五《桓公十年》。
⑤ 《春秋公羊传注疏》卷二十一《襄公二十五年》。

固然是先民社会血亲复仇传统的孑遗，更是两汉现实政治生活客观
实际在人们思想观念上的折射，直接服务于汉武帝反击匈奴侵扰的
时代需要。何休生长于东汉末年，当时民族关系的基本状况与西汉
中期相比已有了很大的不同，然而《公羊》先师所主张的"大复
仇"思想，却仍为他所继承下来，其在《解诂》中曾不止一处阐发
这项《公羊》学的原则：

> 礼，父母之仇不同戴天，兄弟之仇不同国，九族之仇不同
> 乡党，朋友之仇不同市朝。称人者，使若微者不没公，言齐人
> 者，公可以见齐微者，至于鲁人，皆当复仇，义不可以见齐
> 侯也。①

> 同门曰朋，同志曰友，相卫不使为仇所胜。时子胥因仕于
> 吴为大夫，君臣言朋友者，阖闾本以朋友之道为子胥复仇。②

既然要复仇，那么运用武力乃是必要的手段之一，这样在逻辑
上势必推导出战争不可避免的结论，从而使儒家在这一问题上陷入
两难的境地。为了克服这一矛盾，何休等《公羊》学家不得不强调
"义战"的概念，肯定"义兵"在社会政治生活中的特殊作用。

当然，何休所倡导的"义战"，是有其特定的范畴的，即遵循儒
家的根本宗旨，将"义战"界定为拯民于水火之中，吊民伐罪，为
实施仁政开辟道路的军事行动。这样的"义战"，从本质上说是
"德化"的另一种表现形式，即所谓以"文德优柔服之"，它能达到
军事上的效果，却没有战争本身的祸患。为此，何休高度评价齐桓
公在伐楚之举中的表现："时楚强大，卒暴征之，则多伤士众。桓公
先犯其与国，临蔡，蔡溃。兵精威行，乃推以伐楚。楚惧，然后使
屈完来受盟，修臣子之职。不顿兵血刃，以文德优柔服之。故详录

---

① 《春秋公羊传注疏》卷六《庄公四年》。
② 《春秋公羊传注疏》卷二十五《定公四年》。

其止次待之。善其重爱民命，生事有渐，故敏则有功。"①

在何休看来，"义战"的本质有如麒麟这种"仁兽"，实际上是有武备而不为害："（麒麟）状如麐，一角而戴肉，设武备而不为害，所以为仁也。"② 其最大的特色是以德不以力，为公不为私，据义不据利。如果背离了这一宗旨，就是非义之战，就应该受到谴责："不先以文德来之，而便以兵取之，当与外取邑同罪。"③ 这一观点是与孟子"今又倍地而不行仁政，是动天下之兵也"④ 的见解完全一致的。所以何休严厉地批判了齐桓公联合诸侯征伐郑国、围困新城的行径（时在鲁僖公六年）："恶桓公行霸，强而无义也。郑背叛本由桓公过陈不以道，理当先修文德以来之，而便伐之，强非所以附疏。"这说明何休所谓的"义战"说到底是"非战"，是理想主义的摆设。

"义战"的对立面是"诈战"，"诈战"的主要特点是运用权谋诡诈的方式，去夺取战争的胜利，只要能达到这一目的，那么手段是否卑鄙就可以不计，这正是兵家一贯的主张，并被战争实践证明是正确可行的。然而何休对此并不以为然，在他的眼里，"诈战"违背了"礼乐""仁义"的原则，是使天下陷于混乱，民众遭受灾难的本源，必须坚决反对，彻底制止。《解诂》中这方面的论述充斥于字里行间，构成了何休"义战"观念的又一个显著特色：

　　　　诈战不言战。⑤

　　　　诈谓陷阱奇伏之类。兵者，为征不义，不为苟胜而已。十三年诈反不月，知此不蒙上月，疾略之尔。⑥

① 《春秋公羊传注疏》卷十《僖公四年》。
② 《春秋公羊传注疏》卷二十八《哀公十四年》。
③ 《春秋公羊传注疏》卷二十二《昭公元年》。
④ 《孟子注疏》卷二下《梁惠王下》。
⑤ 《春秋公羊传注疏》卷九《庄公二十八年》。
⑥ 《春秋公羊传注疏》卷二十七《哀公九年》。

前宋行诈取郑师，今郑复行诈取之。苟相报偿，不以君子正道，故传言诈反。反犹报也。①

总之，“诈战”与“义战”形同水火，是对行“义战”的极大妨碍，必须摈弃不用。

第三，基于“义战”至上的立场，何休阐述了儒家军事思想的某些原则，比较系统地形成了自己有关战争指导问题的基本看法，从而进一步丰富了儒家军事文化的内涵。

首先是强调用兵作战的基本前提为清明政治、顺应民心、敬修德义。《解诂》在解释《春秋·僖公二十八年》经文“春，晋侯侵曹”时对这一点曾多有发挥：

曹有罪，晋文公行霸征之，卫雍遏，不得使义兵以时进。故著言侵曹，以致其意。所以通贤者之心，不使雍塞也。宋襄公伐齐，月。此不月者，晋文公功信未著，且当修文德，未当深求于诸侯，故不美也。②

“当修文德”，何休一语道破了军事与政治的内在联系，将政治条件列为实施战争指导的先决条件。

其次是主张加强军事训练，树立国防意识，为行“义兵”创造必要的物质条件。《司马法·仁本》有云：“故国虽大，好战必亡；天下虽安，忘战必危。”又说：“诸侯春振旅，秋治兵，所以不忘战也。”为此它一再强调“士不先教，不可用也”。③ 何休在这一问题上秉承了《司马法》等先秦典籍的有关观点，按照自己“义战”思想的逻辑结构，就军事训练与教育申明了基本看法，并把它上升到

①　《春秋公羊传注疏》卷二十八《哀公十三年》。

②　《春秋公羊传注疏》卷十二《僖公二十八年》。

③　《司马法》卷上《天子之义》。

增强国防的高度加以认识：

> 《春秋经·桓公六年》："秋，八月壬午，大阅。"《公羊
> 传》："大阅者何？简车徒也。何以书，盖以罕书也。"《解诂》
> 云："孔子曰：'以不教民战，是谓弃之。'故比年简徒，谓之
> 蒐；三年简车，谓之大阅；五年大简车徒，谓之大蒐。存不忘
> 亡，安不忘危。不地者，常地也；蒐例时，此日者，桓既无文
> 德，又忽忘武备，故尤危录。"①

> 《春秋经·庄公八年》："春，王正月……甲午，祠兵。"
> 《公羊传》："祠兵者何？出曰祠兵，入曰振旅。其礼一也，皆
> 习战也。"《解诂》云："言与祠兵礼如一。将出不嫌不习，故
> 以祠兵言之；将入嫌于废之，故以振讯士众言之，互相见也。
> 祠兵，壮者在前，难在前；振旅，壮者在后，复长幼，且卫
> 后也。"②

总之，在何休的心目中，蒐狝、祠兵等活动是国防意识的具体
体现，是教育与训练军队，在此基础上从事"义战"的重要环节：
"禽兽多则伤五谷。因习兵事又不空设，故因以捕禽兽所以共承宗
庙，示不忘武备。又因以为田除害。"③

再次是主张制定正确的战略战术，确保自己立于不败之地，从
而实现"义战"取胜的目的。如反对四面树敌，多方出击：

> （鲁）北败强齐之兵，南侵强宋，南北有难，复连祸于大
> 国，故危之……（齐、宋）二国才止次，未成于伐。鲁即能败
> 宋师，齐师罢去，故不言伐，言次也。明国君当强，折冲当远。

---

① 《春秋公羊传注疏》卷四《桓公六年》。
② 《春秋公羊传注疏》卷七《庄公八年》。
③ 《春秋公羊传注疏》卷四《桓公四年》。

鲁微弱，深见犯，至于近邑，赖能速胜之，故云尔。①

又如提倡根据实际情况灵活用兵，把握作战的主动权：

> 礼，兵敌则战，不敌则守。君师少不如守，且使臣下往。②

> 兵不敌不敢进也。不言止次——如公次于郎——以刺之者，量力不责，重民也。③

再如肯定"君命有所不受"的原则，要求给予前敌将帅以机断指挥的权限：

> 礼，兵不从中御，外临事制宜，当敌为师，唯义所在。士匄闻齐侯卒，引师而去，恩动孝子之心，义服诸侯之君。是后兵寝数年，故起时善之。言乃者，士匄有难重废君命之心，故见之。言至穀者，未侵齐也。④

综上所述，何休军事思想的内在逻辑层次是清晰可辨的，所蕴含的内容也是比较丰富的，其价值取向更是非常鲜明的。对于战争，他和其他儒家学者一样持基本否定的态度，但同时又继承先秦儒家的传统，提倡充满理想主义的"义战"。为了保证"义战"能够真正实施并赢得胜利，他又针对"诈战"的弊端提出了有关国防、军事训练、战争指导等方面的一系列具体原则，从而对《公羊》学家的军事学说做出了有意义的总结，为后人留下了一份值得借鉴的军事文化遗产。当然，何休的军事思想也存在着比较明显的缺陷，这就是综合前辈儒家的意见有余，而个人独创之处不多。这或许同

---

① 《春秋公羊传注疏》卷七《庄公十年》。
② 《春秋公羊传注疏》卷八《庄公二十四年》。
③ 《春秋公羊传注疏》卷二十《襄公十五年》。
④ 《春秋公羊传注疏》卷二十《襄公十九年》。

《春秋公羊传解诂》一书的注释性质有关。对此，我们不能以今人思维水准来衡量，也不宜按真正军事理论家的要求来苛求，而只能从儒生议兵的角度进行实事求是的归纳和评判。

第九章　秦汉时期的统一战略及其相关问题

第一节　秦汉时期统一战略的思维方法与特色

如果说"大一统"理念为秦汉时期统一战略的制定确立了明确的坐标的话，那么，中华文化的求实精神与辩证思维就为这些战略的实施提供了方法上的指导。前者所体现的是统一战略的原则性与坚定性，后者所体现的则是统一战略的灵活性与随宜性。两者互为条件，互相补充，使秦汉时期的统一战略建立在最雄厚的历史文化积淀之上。换言之，中华文化为秦汉统一大势的形成与发展提供了强大的智力资源。在秦汉统一大势不断巩固和发展的过程中，博大精深、与时俱进的中华文化不但起到了团结各族人民、促进国家统一的重要作用，而且为合理化解统一道路上所遇到的各种矛盾提供了重要的思想方法。[①] 这种作用突出地表现在以下三个方面。

一、"用中适时"与统一大势的认识

中国文化讲求"用中适时""随时以行"，要求人们把国家统一视为一个长期复杂的历史过程。在中国优秀传统文化中，"用中适时""随时以行"是人们认识和处理各种事物的思想方法论，所谓"极高明而道中庸"，正是这种理性精神的集中体现。这种文化理念

---

① 参见黄朴民：《论中华文化与国家统一》，《光明日报》2003 年 5 月 27 日。

决定了人们在对待国家统一的问题上，能够秉持现实客观、理性冷静的态度，既充分肯定大一统的历史合理性与逻辑必然性，又冷静看待实现大一统的任务艰巨性与道路曲折性。

对于统一大略的制定者而言，尤其要注重统一基本条件的创造与统一有利时机的把握。对时机的准确判断和把握是战略决策的基本前提，常言道："识时务者为俊杰。"可见"识时务"是判断统一大略决策水平的试金石。"静作得时，天地与之；静作失时，天地夺之。"① 这个"时"，就是历史发展的趋势、方向。人们可以认识它，顺应它，但不能违背它，"时不至，不可强生；事不究，不可强成"②。对于不同的时势只能采取不同的策略，否则只能是事与愿违，南辕北辙。

所谓"审时"，就是要认清时机；所谓"度势"，就是要把握历史运动规律，把握历史的进程和发展趋势。因此，对于统一大业的实施者来说，应该首先把统一作为最终的目标不懈追求。要考虑到历史的发展有一个过程，时机的成熟也有一个过程，并不是说追求统一就应该马上付诸具体的军事行动，绝不能只看到自己方面的强大与决心，而忽视了各种各样不利于立即统一的条件。换句话讲，在一些特定的形势之下，要敢于面对暂时分裂的现实，率先完成局部的统一，并且实事求是地肯定局部的统一对于最终实现国家统一的必要性，努力为将来的大一统局面的形成创造条件。战国七雄争战之于秦统一，楚汉战争之于西汉统一，刘秀率先平定河北之于东汉统一，魏蜀吴三国鼎立之于西晋统一，等等，在当时不少政治家、思想家看来，这些都是走向国家大一统的必要环节，是"分久必合"的重要前提。

在这个时候，对于当时的战略决策者而言，关键是做好充分的准备，繁荣经济，改良政治，培育人才，增强军力，从而在统一时机成熟之际，运用军事、政治、经济、文化等各种手段，顺应民心，

---

① 《马王堆汉墓帛书：经法·十大经·姓争》，第66页。
② 徐元诰撰，王树民、沈长云点校：《国语集解·越语下》，中华书局，2002年。

一举结束分裂的局面，"宜当时定，以一四海"①。与此相反，如果昧于时势，急功近利，企冀在各方面条件尚不成熟之时，"毕其功于一役"，则必然事与愿违，不但无法实现大一统，而且还可能导致更加严重的分裂局面。如赤壁之战中，曹操急欲在时机尚不具备之时挥师南下，攻灭孙权政权，统一天下，踌躇满志，忘乎所以，结果让弱小的孙刘联军打得大败，"烈火张天照云海"，"赤壁楼船扫地空"②，丢盔弃甲，仓皇奔北，使自己统一中原后的战略优势与统一希望化为泡影。

应当指出的是，在中国传统文化中，所谓"天下大势，合久必分，分久必合"云云，绝不是简单地重复和循环，而是一个否定之否定的过程。"分"是为更高层次意义上的"合"做必要的铺垫和准备，"合"则是事物发展的必然结果。以中国国家统一的历史大势看，秦汉统一的规模胜过宗周礼乐文明的天下一统，隋唐统一的规模超越秦汉，有清一代的统一规模又远逾隋唐，这正是国家统一大势日趋增强的历史印证。因此，可以这么说，"用中适时""随时以行"的思想方法论，几千年来始终维系着人们对大一统的坚定信心，帮助人们克服历史上分裂与统一交替出现所带来的困惑，决定了统一战略的制定与运用高明得宜，推动着国家统一大业在曲折中不断向前迈进。而这种"极高明而道中庸""杂于利害""以迂为直"的战略思维传统，正是在春秋战国时期逐渐形成，趋于成熟，且在秦汉时期的统一战争具体实践中接受检验，并取得实际成功的。

二、"守经用权"与统一战略的运作指导

中国文化讲求"守经用权""和而不同"，强调国家的统一是一个富有层次的文化现象，要求人们稳步推进国家统一的历史进程，在制定和实施统一战略时既坚持宗旨，又注重变通。

"守经用权"指的是在处理实际问题的过程中，要坚持原则性与

---

① 房玄龄等：《晋书》卷三十四《羊祜传》，中华书局，1974 年。
② 李白：《赤壁歌送别》，《李太白集》卷七。

灵活性的有机统一，二者相辅相成；"和而不同"指的是要正确看待事物之间的共同点与差异性的关系，更好地实现"一"与"多"的辩证统一。按照"经权"原则，"大一统"是人们所必须严格遵循和不懈追求的"大经大法"。因此，建立"大一统"的政治秩序，既是包括秦汉王朝在内的历代王朝"一以贯之"的最高政治目标，又对国家的统一与发展具有非同寻常的意义。在这种思想文化观念的指导下，人们在坚守"统一"至高无上原则的同时，必须"守经用权"，通权达变，用孟子的形象比喻来说，便是"男女授受不亲"，然而"嫂溺援之以手者，权也"①，从而为更好地实现"大一统"这一基本目标铺平道路。而"和实生物，同则不继"②的文化观念，则为人们追求并完成国家的大一统提供了哲学上的依据。它提醒当时的人们，在国家统一大势的形成和发展上，在制定和实施统一战略的过程中，既要看到统一的必然性，又要承认统一的差异性。

因此，中华文化始终强调，所谓"天下"，乃是有中心与边缘之别的天下，是有层次的天下。早在战国时期，人们就已经充分意识到了这一点，"五服制"③的提出即是有力的证明。事实上，在中国统一的多民族国家的发展过程中，中国的土地上不仅有广大的农业区，而且还有广大的农牧业结合地带和纯粹的牧业区，地区差异很大，彼此的矛盾与冲突在所难免。在这样的背景下，要在全国范围内一致地推行"大一统"行政管理，显然是不切实际的。因此，传统的"经权""和同"思想正好为秦汉时期的统一政治实践提供了可操作的方法。这就是要坚持"大一统"之"经"，以建立大一统的政治秩序为目标，全面推行中央集权制、地方郡县制，积极经营

---

① 《孟子注疏》卷七下《离娄上》。
② 《国语集解·郑语》。
③ 五服制：古代王畿外围，每五百里为一区划，按距离的远近分为五等地带，承担对中央朝廷不同的义务。服，即服事天子之谓。其名称为侯服、甸服、绥服、要服、荒服。（参见《尚书正义》卷五《益稷》）

边疆，同分裂割据等违背中华民族整体利益的行为做坚决的斗争。

与此同时，承认统一的地区差异性、内外层次性，重视区域差别与文化多元，在统一实践上体现出"通权达变"的理性宽容精神，对不同地区、不同民族采取不同的政策和制度。如各个时代形形色色的"羁縻"体制及政策，就既赋予了"四夷"在"一体"中的角色，体现了"大一统"的原则，维护了中央的权威，又"适天地之情"，"各适其性"，"地移而事移"，照顾到了不同民族、不同地区生活方式和经济文化水平的差异，做到了因时、因地、因人而治。《史记》《汉书》《后汉书》等正史中的匈奴、东胡、西羌诸传，以及《淮南子》《盐铁论》《潜夫论》等重要典籍，对此均有具体的论述。① 具体地说，中央王朝的统治者要尊重边疆各族的风俗习惯，不管边疆地区是处于氏族部落制还是奴隶制、封建制，统治者都要尽量照顾到当地的现实，一般情况下不改变边疆氏族原有的生活方式、社会组织和生活习俗，不强行将边疆地区整齐划一地纳入郡县制的政治体系。比如汉朝的西域都护府虽为西域地区的最高管理机构，但除了军事、外交事务以外，一般不干预西域各政权的民政，也不征收赋税。应该说，这种"经权""和同"理论，无疑是秦汉时期国家统一的强大黏合剂，也是战略决策者在制定与实施统一方略时必须优先审慎考虑的。

三、"夷夏一体"与统一战略的民族意识

中国文化强调"王者无外""夷夏一体"，要求人们把国家统一视作民族大融合的一个和谐形态，在统一实践中追求各民族文化、经济、政治和社会的共同进步。

中国自古以来就是统一的多民族国家，因此，所谓"统一"，就不单纯是华夏汉族方面的问题，而是汉族与众多少数民族共同关注与积极参与的历史主题。换言之，统一的核心问题是如何消除国内

---

① 参见黄朴民：《"夷夏观"与"文明圈"——秦汉民族文化问题片论》，《浙江社会科学》2003 年第 1 期。

各个民族之间的畛域，实现民族大融合。这一历史特征，自然应该在制定与实施统一战略的过程中有鲜明的体现。

众所周知，中华文化有关民族问题的立场有两大支柱：一是所谓"夷夏之辨"，鼓吹"用夏变夷"；一是所谓"夷夏一体""王者无外"。就前者而言，它承认诸夏与夷狄之间有差别，但是，这种差别不以种族归属为标准，也不以地域远近为界限，而是以文明进化程度为标准。由于所处位置以及观察问题角度的不同，占主体地位的华夏民族自然认为诸夏代表着文明与先进，而夷狄则代表着野蛮与落后，历史的进程当以诸夏为中心，用诸夏的文明影响和改造所谓的夷狄，"用夏变夷"，使得夷狄逐渐向先进文明过渡，最终实现大同的理想，而国家统一的理想形态，也是统一在以诸夏为主导的旗帜之下，至少也要以诸夏的文化为鹄的。

当然，对这种诸夏本位观，少数民族不一定完全赞同。西汉时期的中行说与汉廷使节辩论时亟论匈奴风俗文化之优长，称"约束径，易行；君臣简，可久。一国之政犹一体也"[1]，就是证明。有些汉人也不乏类似的见解："（匈奴）事省而致用，易成而难弊……法约而易辨，求寡而易供。是以刑省而不犯，指麾而令从。嫚于礼而笃于信，略于文而敏于事。故虽无礼义之书，刻骨卷木，百官有以相记，而君臣上下有以相使。"[2] 这种博大宽宏的胸襟，实际上成为各民族交流与融合，实现国家统一的重要基础。秦汉时期正是这种民族观念真正完全形成，并作用于当时国家统一战略与安全战略之初始阶段。

就后者而言，"王者无外""夷夏一体"，意味着天下乃是"统一"的天下，"日月所照，舟舆所载"的普天之下、六合之内均为"皇帝之土"[3]。所以，华夏的天子不仅是汉族的天子，更是全"天

---

① 《汉书》卷九十四上《匈奴传上》。
② 《盐铁论校注》卷九《论功》。
③ 《史记》卷六《秦始皇本纪》。

下"的天子。所谓"王者博爱远施",故而"外内合同,四海各以其职来祭"①,"德行延及方外,舟车所臻,足迹所及,莫不被泽。蛮、貊异国,重译自至。方此之时,天下和同,君臣一德,外内相信,上下辑睦"②。按照这个逻辑,国内不同的民族自然可以各处其所,进而走向融合,统一于天子的号令之下。

这两种民族文化观念,从本质上说,是一个整体,彼此互为弥补,共同作用于民族融合与国家统一的历史进程。应该指出的是,"用夏变夷"的深层文化含义是视夷夏关系为可变的实体,而非不变的顽石。两者的区分,仅仅在于道德、政治方面,而与血缘种族、地域环境无涉,并不存在不可逾越的鸿沟,"诸侯用夷礼,则夷之;进于中国,则中国之"③,认为夷狄因文明程度提高而可以进为中国,中国也可以因文明的毁弃而退为夷狄。而何休的观点更在民族融合理论发展史上具有里程碑式的意义:"至所见之世,著治大平,夷狄进至于爵,天下远近小大若一,用心尤深而详。故崇仁义,讥二名。"④ 很显然,这是一种具有平等意识、视天下为一家的民族观。它大大丰富和发展了孔子与《公羊传》以道德水准、文明进化程度,而不以种族、血缘关系或地缘条件来区分"诸夏"与"夷狄"的进步民族思想,成为中国古代民族思想发展史上的光辉篇章。

至于"王者无外",则是致力于化解国内不同民族的对立与矛盾,使其认同"天下"统一的伟大理想,强调华夏与各少数民族的和谐相处,并在各方面时机、条件成熟之后一步步走向融合。这样,便为历史上开明的统治者推行"胡汉一家"的进步民族政策,维护大一统格局奠定了重要的思想基础。"王者中立而听乎天下,德施方外,绝国殊俗,臻于阙廷。凤凰在列树,麒麟在郊薮,群生庶物,莫不被泽。非足行而仁办之也,推其仁恩而皇之,诚也。范蠡出于

---

① 《盐铁论校注》卷九《险固》。

② 《盐铁论校注》卷八《世务》。

③ 韩愈:《原道》,韩愈著,马其昶校注:《韩昌黎文集校注》第一卷,上海古籍出版社,2014年。

④ 《春秋公羊传注疏》卷十四《隐公元年》。

越，由余长于胡，皆为霸王贤佐。故政有不从之教，而世无不可化之民。《诗》云：'酌彼行潦，挹彼注兹。'故公刘处戎、狄，戎、狄化之。太王去豳，豳民随之。周公修德，而越裳氏来。其从善如影响。为政务以德亲近，何忧于彼之不改。"① 中华文化这种增进各民族之间的沟通与联系的价值观，在促进民族融合、巩固和发展国家统一大业方面毫无疑问发挥了重要的作用。

这种民族问题上的普遍的思想文化观念对于秦汉统一战略思维的形成及运作，同样具有极其深远的影响。这首先体现在构思统一战略时视野的开拓、眼界的放大，能以整个中华民族的统一为努力方向，而不完全局囿于单个民族的利益思考问题。换言之，统一战略所要达到的最高境界，是以"天下"的统一为对象，而不以一国或一族的统一为终极目标。"海纳百川，有容乃大"，从这个意义上讲，秦汉时期成功的统一战略之气象恢宏、规模开阔、精神刚健，是非常显著的文化特征之一。其次，"夷夏"可变、"王者无外"的理念，决定了在统一战略制定或实施的过程中，主体究竟是谁的问题并不重要，暗示着不论是谁，只要具有道义的优势，佐之以实力，都有资格来统一，而无须过分计较他是华夏民族，还是少数民族。

第二节　地理环境与秦汉时期统一 战略的制定与实施

研究秦汉时期统一战略问题，就不能不考虑到中国的基本地理环境。道理很简单，地理条件是国家形成与发展的基本要素之一，它必然会在国家统一进程中打上特殊的烙印。换言之，统一价值观念的确立，统一战略方针的运作情况，都受制于一定的地理以及国家地缘的背景，离开了这个背景，便无法从深层次评估统一战略的

———————————

① 《盐铁论校注》卷八《和亲》。

合理性与可行性。①

从地理环境考察，我们认为中华民族追求国家统一的文化主体意识之形成是有其必然性的，在此基础上构思与实施国家统一战略也是理有固宜、势所必然的。秦汉时期国家走向"大一统"的历史也完全证明了这一点。

一、地理环境为秦汉统一提供了优越条件

从考古学的角度审视中华文明的起源，可知早在史前时期，中华大地上已长期存在着六个大的文化"区系"。这些大的文化区系各有自己的文化渊源、特征和发展道路，并且大致处于同步发展的状态。同时，文化区系之间以及文化区系内部的各个支系、类型之间，都存在着错综复杂、相互作用的关系。在这种复杂的纵横关系之中，各文化区系不断整合与重组，形成中国文化自史前起就构成的大致平衡、多元一体的格局。在这个过程里，地理上的阻隔与联系，对于六大文化区系的形成并呈示鲜明个性特色，乃是一个不容忽视的重要因素。

其中，以关中（陕西）、晋南和豫西为中心的中原华夏族因在物质文化与精神文化方面的高度发达，成为长期稳定的文明中心和政治中心。以黄帝为代表的所谓"五帝"，正是这一历史事实的文化象征。而同属于中华民族的其他各部族，也在中原之外其他区系的广阔地带形成一个部落共同体或政治单元，如蚩尤、三苗等等，并继续与中原互相激荡和影响。伴随着武力征服和政权的更迭，原来大

---

① 如美国学者科宁·格雷认为，自然地理很大程度上决定经济地理，进而影响人文地理，并对政治产生重大影响。（参见科宁·格雷：《超级大国的地缘政治》，美国肯塔基大学出版社，1988年，第43—44页）又如美国战略学家约翰·柯林斯把国力要素归纳为十个基本方面，即属于自然地理的有空间关系、主要的陆地形态、气候、天然植被，属于经济和人文地理的有资源、工业、人口的数量和分布、重要部门的分布、交通网和通信网，并认为这些因素构成了加强国家力量的地理成分，影响着政治力量、军事力量和其他各种形式的力量使用。（参见约翰·柯林斯：《大战略》，中国人民解放军军事科学院，1973年，第297—298页）

致同步发展的各文化区系出现了更多的重叠，并最终促成了原始社会向文明的突破，逐次形成统一的政权。① 经历春秋战国的兼并与融合，夏、商、西周三代以来的松散的统一遂有质的飞跃，发展为秦汉以降高度专制中央集权式的统一。

秦汉时期国家的统一就是在这个背景下展开的，它的平台则是相对稳定的自然地理环境。具体地说，就地理环境而言，古代中国处于亚洲大陆的东部，太平洋的西岸。西南是高山大川，世界屋脊青藏高原雄踞西部，"三北"（即西北、正北及东北）是茫茫大漠、高原及森林地带，东面、东南和南面则面对浩瀚无际的大海。广阔的陆地空间的存在，以及四周天然屏障造成的限隔，形成一个连续统一的地缘结构，构成中华各民族凝聚和发展为一个统一多民族国家的得天独厚的条件。而在这个地理大环境中，又以中国地势第二级阶梯和第三级阶梯为主体范围，有人把它形象地描绘为"四角四边一中腹"，即以关中、河北、东南和四川为其"四角"，以山西、山东、湖北和汉中为其"四边"，以中原为其"中央腹地"。这九大地域往往关系到天下的统一与分裂，关系到历朝历代的兴与衰，或者"在中原政权与塞外游牧民族之间的战争中关系到中原政权的存与亡"。②

这种独特的地理环境，对于秦汉乃至整个中国历史上统一大势的形成以及相关统一战略的成熟是具有深远影响的。它呈示了地理条件整体的统一性，而且影响"历史上政治形势的发展"，实具有"维系国家统一的一面"。③ 具体地说，首先，地理屏障使中国古代的疆域成为一个相对独立和安全的空间，不曾像其他古代文明那样处于民族迁徙的交通要道上，因而有一个民族关系相对稳定的客观

① 参见苏秉琦：《中国文明起源新探》，生活·读书·新知三联书店，1999年，第161—163页。
② 参见饶胜文：《布局天下：中国古代军事地理大势》，解放军出版社，2002年，第1页。
③ 白寿彝总主编：《中国通史》第一卷，上海人民出版社，2004年，第145页。

环境。这就构成了中国统一多民族国家赖以存在的自然条件。

其次，独特的地缘环境又为国家统一规模的扩大、统一层次的提高，提供了优越空间与强大后劲。因为，广阔的地理空间内，天然疆界和地缘核心的存在，使中国在地缘上具有极强的内聚性。而与地缘核心（中原）相连的地区性中心的存在，又使得人们在整个地理空间往来无阻。这不仅有利于中原地区的统一，而且也决定了中华文明本身具备向心力，有使各族走向融合的可能。毕竟，在东、南濒海，北有沙漠，西南与西部为高山大川的地理条件下，周边少数民族向内地发展比向外发展更为容易，由此形成北、西、南三个方向向中原辐辏的趋势。这种自然环境的内向性与建立在较周边更发达的物质基础上的凝聚力的结合，成为各民族联系的重要纽带。正因为如此，中华文明的发展方式表现为中心与周边的良性互动，即一个以向心凝聚为主流，外向辐射运动与内向凝聚运动相统一的互动过程。① 所以，同世界文明史上出现过的其他国家，如亚历山大帝国、罗马帝国、拜占庭帝国、奥斯曼帝国的侵略扩张相比，中国基本上是靠着对天然疆界以内的地区的不断开发而发展起来的，"走的是一条内涵式的发展道路"。② 美国学者沃勒斯坦将这种方式视为"内部扩张"，③ 这个比喻虽不尽准确，但也部分说明了中国历史上随着农耕文明的推进，国家疆域不断得到开拓的实际情况。这一发展方式是独具中国特色的。因为尽管在世界文明历史上，各大文明中心都产生于大河流域，都遇到过民族迁徙问题，但除中国以外，其他几个文明都产生于开放型的大河流域，缺乏地缘条件上的整体统一性，这导致其文明运动方式主要表现为"平流"，离心力相对突出。譬如，历史上的古希腊就因为连绵不断的山脉将陆地分隔

---

① 参见孙建民：《中国传统治边理念研究》，黑龙江教育出版社，2015 年，第33 页。

② 宫玉振：《中国战略文化解析》，军事科学出版社，2002 年，第85—86 页。

③ ［美］沃勒斯坦著，罗荣渠等译：《现代世界体系》第一卷，高等教育出版社，1998 年，第43 页。

成小块，结果造成"希腊人没有天然可作为地区合并基础的地理政治中心"①。同样，地跨欧、亚、非三大洲的罗马帝国，虽然有"内湖"地中海连接帝国各地，但也因为点状分布的地缘结构而缺乏地缘上的通达性，难以维系持久的大一统格局。而发祥于封闭型大河流域的中华文明，则通过以中原为中心的各种文化的交流与互动，使得中国的历史进程和文化发展具有独一无二的连续性。两千多年来，各民族之间尽管经常互相攻伐，兵戎相见，但总的趋势是联系越来越密切。反映在政治上则是一种内向性运动，即各民族都以统一中原为政治上的最高诉求。在此过程中，国家的版图不断扩大，大一统的封建帝国成为最显著的政治形态，统一的多民族国家不断得以健全发展。

另外，中国固有的地理环境也具有制约国家统一的不利因素，尽管这仅占次要的地位。换言之，地理条件上局部的独立性容易造成若干个并立的经济、政治中心。在古代交通不便的历史条件下，这种形势正是各地封建势力分疆割据的客观条件，② 也为中央政权实现和维护"大一统"政权，实施行政管理造成了种种困难。如巴蜀之地，"土肥沃，无凶岁。山重复，四塞险固。王政微缺，跋扈先起"③，故有谚语称："天下未乱蜀先乱，天下已治蜀未治。"在中国历史上，统一固然是主导的趋势，但是不可否认，也曾不止一次出现过分裂割据的状态，秦汉时期的楚汉战争，吴楚七国之乱，公孙述割据巴蜀，汉末群雄混战，等等，就是很典型的例子。这中间原因当然很多，不过地理环境条件无疑是非常重要的因素。地域的辽阔，使得地理条件上局部独立性必然存在，这一点是不以人们的主观愿望为转移的。

就中国地理条件整体的统一性而言，国家统一的历史进程乃是

① ［美］斯塔夫里阿诺斯著，董书慧等译：《全球通史：从史前史到21世纪》上册，北京大学出版社，2005年，第102页。
② 参见邓拓：《论中国历史的几个问题》，生活·读书·新知三联书店，1979年，第56页。
③ 《通典》卷一百七十六《州郡六·古梁州下·风俗》。

不可扭转的必然趋势；就中国地理条件局部的独立性而言，国家统一的历史进程又是坎坷曲折的艰难跋涉。而建立在这样基础之上的统一战略，自然不可能是程式化的理论模拟，而只能是形态各异、变化多端的智慧角逐。由此可见，秦汉时期统一战略多姿多彩、随时进取的局面，实与中国地理环境的特定要素不无内在的联系。

二、农耕文明是秦汉统一的深厚基础

中国幅员辽阔，因此其自然经济的表现形态亦多种多样，包括农耕经济、游牧经济、狩猎经济、渔捕经济等。但毫无疑义，农耕经济是中国历史上占主导地位的经济活动方式。这种经济模式对国家统一和社会稳定有着强烈的诉求，并以其较高的经济效益和文明层次支撑着"大一统"政权，因而促进了秦汉时期的国家统一，影响了这一时期统一战略的特征与命运。

首先，农耕文明有着实现国家统一的内在要求。在古代社会，农业生产虽然具有其他生产方式所不具备的优势，有着更高的生产效益，但毕竟受自然条件左右，"靠天吃饭"曾是中国历史上长期存在的现象。据史学家的研究统计，中国历史上自然灾害的频繁程度是非常惊人的，达到了三五年必有旱涝之灾的程度。比如，关于史前时代大禹治水的传说，所反映的正是先民们团结于一个共同领袖周围，齐心协力战胜自然灾难的努力。公元前651年，齐桓公召集列国诸侯主持"葵丘之会"时，就曾明确将"毋雍泉""无曲防"列入盟誓的内容，对各国"以邻国为壑"的做法加以限制。① 而事实上，像《战国策·东周策》中所说的"东周欲为稻，西周不下水，东周患之"② 的情况，也的确说明分裂对正常经济活动开展的阻碍甚至破坏乃是十分明显的。在秦汉时期，治水、治河仍是历代中央政府的重大事务。无怪乎国外某些汉学家将中国历史上很早形

---

① 范宁注，杨士勋疏：《春秋穀梁传注疏》卷八《僖公九年》，阮元校刻：《十三经注疏》，艺文印书馆，2001年。
② 《战国策笺证》卷一《东周》。

成而且长期保持大一统政治形态与大河流域的治理及农业灌溉联系起来。黄仁宇先生也称"光是治水一事,中国之中央集权,已无法避免"①。同时,地区经济文化发展的不平衡等所导致的分裂、分治,对农耕经济也是弊大于利。因为国家一旦陷于战乱,社会生产往往受到严重破坏,经济交流受到阻碍。民众不仅田园荒芜,流离失所,而且还不得不捐躯沙场。比如自东汉末年起的长期战乱,就使得黄河中下游地区人口锐减,以至于"白骨露于野,千里无鸡鸣"。从这一意义上来看,统一既是统治者的政治雄心,更是广大民众的迫切意愿。秦始皇制定和实施统一大略的理由就是"天下共苦战斗不休,以有侯王",所以他要上合天意,下附民情,"兴义兵,诛残贼,平定天下",实现"海内为郡县,法令由一统"的局面。②所以,只有统一的政府,才能将分散无助的广大小自耕农组织起来,抵御各种自然灾害,才有可能制止动乱。可见,渴望统一既反映了农耕文明的自然需要,也源自人们对国家统一与分裂之利弊得失的切身体会。

其次,统一是保护和推进农业经济,抵御周边游牧民族的战略需要。就主导方面而言,中国历史的发展,是在中原王朝与周边各游牧部族的互动过程中进行的。尽管这种互动有着各种各样的关系模式,但是,双方处于紧张对峙状态,很少有平等和绝对和平的交往则是不容置疑的事实。这正如汤因比所说,文明社会与游牧社会最重要的交往方式,不是贸易而是战争。③ 中国境内北方地区的高原和草原,恰恰是欧亚大陆游牧民族生存圈的重要组成部分,匈奴、鲜卑、突厥、回纥、蒙古、女真等几个在整个中国历史上有重大影响的少数民族,都在这里生活过,是少数民族活动最为活跃的地区。从公元前4世纪末开始,草原游牧部落中就不时会出现一些强大的

---

① 黄仁宇:《赫逊河畔谈中国历史》,第8页。

② 《史记》卷六《秦始皇本纪》。

③ 参见 [英] 阿诺德·汤因比著,刘北成等译:《历史研究》,上海人民出版社,2000年,第326页。

集团，"胡骑南下"，挺进和占据这一地区，并不时骚扰乃至大规模扑向中原，给中原王朝造成巨大的压力。因此，组织建构起大一统的国家政权，依靠统一的政权动员、组织整个国家的力量，防御游牧民族的袭扰，解除其对中原农业区的安全威胁，将其纳入"大一统"政治秩序中，遂成为秦汉时期中央王朝实现和维护"大一统"的主要任务。

　　秦汉时期以华夏族为代表的中原农耕文化与以匈奴为代表的草原游牧文化均为中华文明的有机组成部分。然而，它们又是表现形式、基本性质存在极大差异的两种文化形态。当这两大文明圈在空间上发生接触与重合之时，就不可避免地带来了激烈的文化碰撞、冲突，并在对峙之中渐渐趋于渗透与汇合。

　　两大文明圈的对峙与冲突，既有观念上的原因，更有实际利益冲突的因素。在观念上，中原农耕文化固然自认为是礼乐文明的集中体现，要远优于"寡廉耻""无礼义""禽兽行"的草原游牧文化，所以汲汲于"攘夷"，至少也是要"用夏变夷"，对草原游牧文化进行改造。而草原游牧民族又何尝不具有"唯我独尊"的文化心态，认为要压过中原文化一头，与中原朝廷针锋相对，毫不相让。如匈奴自称为"天单于""天之骄子"："匈奴谓天为'撑犁'，谓子为'孤涂'，单于者，广大之貌也，言其象天单于然也。""单于遣使遗汉书云：南有大汉，北有强胡。胡者，天之骄子也，不为小礼以自烦。"① 双方这种"唯我独尊""以己为大"的观念，必然在深层次上为文化之间的对立与冲突埋下伏笔。

　　当然，对实际利益的追逐是两大文明圈发生冲突的更直接因素。草原民族"逐水草而居"的生活方式与"苟利所在，不知礼义"②的价值取向，决定了其必然要对中原农耕区的财富、人口产生极大兴趣，想方设法加以占有："胡人衣食之业不著于地，其势易以扰乱

---

① 《汉书》卷九十四上《匈奴传上》。
② 《史记》卷一百十《匈奴列传》。

边竟。"① "其攻战，斩首虏赐一卮酒，而所得卤获因以予之，得人以为奴婢。故其战，人人自为趣利。"② 而中原王朝为了安定中原农耕区民众的生活，保证经济活动的正常进行，同时防范长期形成的礼乐文明体系发生动摇，势必运用各种手段抗击草原游牧民族的进攻。另外，中原王朝统治者对边疆地区奇珍异宝的贪婪心理，更使得这种文化对峙与冲突变得复杂化和长期化。③ 在这样的背景之下，中原农耕文化与草原游牧文化的碰撞与对立遂贯穿于整个秦汉历史。

这种文化对峙与冲突，在当时主要表现为战争。秦朝建立后，即对匈奴采取积极防御性质的反击作战，秦始皇三十二年（前215），秦始皇派遣大将蒙恬率军三十万出击匈奴，夺回河南地。次年，继续"斥逐匈奴"，"自榆中并河以东，属之阴山，以为（三）[四]十四县"，④ 建置了九原郡。汉朝建立后，仍与匈奴处于长期的交战状态。西汉前期，尽管汉室对匈奴采取"和亲""互市"之策，但战争依然是双方关系的主流。汉武帝登基后，一改父祖的消极防御方针，对匈奴实施大规模的战略反击，经过漠南、河西、漠北等五大战役，从根本上扭转了双方的战略态势，基本上消除了匈奴对中原农业地区的直接威胁，"匈奴远遁，而幕南无王庭"，从而使两大文明圈的对峙与冲突进入了新的阶段。

汉宣帝在位期间，已遭严重削弱的匈奴内部发生了五单于争位的斗争，呼韩邪单于归附汉室，匈奴分裂，势力日趋微弱，北方边患基本结束，出现了一个相对和平的局面："至孝宣之世，承武帝奋击之威，直匈奴百年之运，因其坏乱几亡之阨，权时施宜，覆以威德，然后单于稽首臣服，遣子入侍，（二）[三]世称藩，宾于汉

---

① 《汉书》卷四十九《爰盎晁错传》。
② 《史记》卷一百十《匈奴列传》。
③ 据《史记》《汉书》等史籍记载，汉武帝后期对匈奴的不少战事，是为了攫取汗血宝马等，与消除边患无甚直接联系。但是，这在客观上也多少起到了改良战马的品种、提升汉朝军队骑兵部队作战实力的一些作用。
④ 《史记》卷六《秦始皇本纪》。

庭。是时边城晏闭，牛马布野，三世无犬吠之警，黎庶亡干戈之役。"①

　　王莽当政期间，由于政策上的失误，两大文明圈的对峙与冲突又有所激化。东汉时期，这种对峙仍在继续，但随着匈奴分裂为南北二部，南匈奴称臣内附，金微山一战，东汉大军击破北匈奴主力，迫使北匈奴西迁，匈奴长达三百余年的威胁遂得以彻底解除。其后，东汉王朝虽然仍与西羌、鲜卑、乌桓等草原游牧部族兵戎相见，但是，在两大文明圈的对峙与冲突中，农耕文明逐渐占有优势，掌握主动的基本趋势乃是不可逆转的了。

　　农耕与游牧两大文化形态在秦汉时期通过战争的方式不断碰撞与冲突固然是事实，但这种冲突同时带来的更多是彼此的渗透与融合，从而有力地促进了不同类别的文化自身的调整与发展、吸收与更新。

　　首先，两大文明圈的并峙带来的是经济上的相互依赖，"夫山西饶材、竹、谷、纑、旄、玉石；山东多鱼、盐、漆、丝、声色；江南出楠、梓、姜、桂、金、锡、连、丹沙、犀、玳瑁、珠玑、齿革；龙门、碣石北多马、牛、羊、旃裘、筋角；铜、铁则千里往往山出棋置：此其大较也。皆中国人民所喜好，谣俗被服饮食奉生送死之具也"②。在双方不断征战的同时，边地的关市也得以开放，双方民众按照各自生活、生产乃至战争之所需进行物资交易，汉室从匈奴等少数民族那里购进皮毛、马匹、玉石等各类塞外物产；匈奴等族则从内地购进丝绸、粮食、茶叶、酒等生活用品以及金属工具。结果，两大文明圈的联系更为紧密，如匈奴用购得的铜铁制造兵器，而汉朝则用购得的良马来发展骑兵。显而易见，在经济交流的基础上伴随着文化的交流，草原游牧文化与中原农耕文化各随自身的需要而摄取对方的成分。文化交流是双向的，当时的情况正是如此。

　　其次，两大文明圈的并峙带来的是不同质文化之间的互相渗透

---

① 《汉书》卷九十四下《匈奴传下》。
② 《史记》卷一百二十九《货殖列传》。

和影响。无论是征战还是"和亲""互市",它们都使得农耕文化不断给游牧文化以影响,同时,游牧文化也不断给农耕文化以影响。这种双向的文化碰撞与交流,不断地构造着新质文化,为中华文明不断输入新鲜血液,对中华文明的健康发展起着重要的推动作用。这一点在两大文明交汇地区的文化形态上有最显著的反映。据《史记》和《汉书》记载,"天水、陇西""安定、北地、上郡、西河"(今陕西北部、内蒙古南部、宁夏与甘肃一部),"西有羌中之利,北有戎翟之畜","高上气力,以射猎为先","故此数郡,民俗质木"。而河西走廊地区,由于其为匈奴昆邪王、休屠王之故地,因此深受匈奴游牧文化的影响,"习俗颇殊"。种、代、定襄、云中、五原(今山西北部与内蒙古北部)等地,"人民矜懻忮,好气,任侠为奸,不事农商","其民鄙朴,少礼文,好射猎"。至于中山、蓟、燕(今河北北部与辽东地区),则是"其俗愚悍少虑""民俗懁急""俗与赵、代相类"。①

司马迁与班固不愧为富有时代意识的卓越史学家,他们都注意到了处于两大文明圈交汇地区的民俗文化具有中原农耕文明与草原游牧文明的双重特点,具有正统封建观念与粗犷豪放性格的双重色彩。这表明游牧文化与农耕文化的双向交流激荡的确造就了具有新的独特风貌的文化形态,这正是中华文明日益丰富、异彩纷呈、生生不息的重要原因。②

再次,农耕文明本身又是推进国家走向大一统的巨大力量。从先秦时期开始,黄河中下游地区居民的生产生活方式就逐渐分化,其中的华夏族,也就是汉族的前身,由于其居住地区的土质与气候比较适合原始农业的发展,开拓较为便利,所以最早由狩猎和采集文化演变、过渡到农耕文化,挤压攘却以游牧渔猎为主要经济方式

① 参见《史记》卷一百二十九《货殖列传》,《汉书》卷二十八下《地理志下》。
② 参见张碧波、董国尧主编:《中国古代北方民族文化史》,黑龙江人民出版社,2001年,第15页。

的部落。在两种经济类型之中，农耕文化因为具有更强的适应能力而相对居于主动，以畜牧为主业的部族遂不断向周边地区如西北和北方退却。古代中国的农业区正是从狭义的"中原"——黄河中下游地区，缓缓而自然地向四周扩散。不仅华北平原及其北部，长江中下游、四川盆地也逐次得到开发，然后是珠江流域和东北平原。从另一个方面讲，游牧民族之入主中原，到了适合于农耕的环境，也往往迫于人口压力而不得不放弃原来游牧的经济方式，转而采用具有更高生产效率的农耕经济方式，久而久之就自然而然地融入了中华民族大家庭，成为"大一统"政治秩序中的有机组成部分。南匈奴的内迁以及汉化历程就是这一文明演变趋势的一个缩影。

最后，农耕经济自身的局限也不可避免地影响和制约着"大一统"的历史进程。如果说农耕文明在主导方面促进"大一统"的代代延续，成为不可逆转的历史趋势的话，那么我们也应该看到它本身的局限性也在一定程度上制约着这种历史趋势的迅速发展。这种局限性主要表现为农耕经济方式所能提供的剩余产品相对有限，往往不能支持长时期的大规模战争活动。具体地说，战争与农耕经济之间的巨大费效比，往往是国家政权与普通民众很难长期承受的，这一点早在《孙子兵法》《墨子》等典籍里即已指出："凡兴师十万，出征千里，百姓之费，公家之奉，日费千金；内外骚动，怠于道路，不得操事者，七十万家。"[1] "春则废民耕稼树艺，秋则废民获敛。今唯毋废一时，则百姓饥寒冻馁而死者，不可胜数。"[2] 可见，秦汉中央王朝以农业经济立国，实力积聚的困难往往导致行政控制力的有限，也决定了战争（当然也包括统一战争）势必受到严重的掣肘。"甲士死于军旅，中士罢于转漕"，"中国困于徭赋，边民苦于戍御"[3]。这一具体条件使得天下"大一统"的理想实现起来并不是一蹴而就的。由于这个原因，秦汉国家统一大势的形成与推

---

① 《孙子兵法新注·用间篇》。
② 《墨子间诂》卷五《非攻中》。
③ 《盐铁论校注》卷七《击之》、卷三《轻重》。

进注定是一个长期而艰巨的过程，统一战略的制定与实施也必须考虑到种种复杂的情况，要求以现实的态度、灵活的方式、合理的运作来有条不紊地达到既定的目标。

综上所述，"大一统"的政治理念为统一战略的制定与实施规范了正确的方向；"用中适时"等思维方法为统一战略的制定与实施提供了智力的资源；地理条件与农耕经济方式为统一战略的制定与实施创造了可能，并予以一定的制约。这一切综合构成了秦汉时期统一战略的深厚历史文化资源。换言之，秦汉时期的统一战略就是在这样的历史文化大背景下逐次展开的，从而为当时历史的发展不断注入强大的活力、旺盛的生机。

第三节　秦汉时期统一战争的战略指挥

战略指挥，按现代军事学术的概念来解释，是指统帅部及其派出机构对战略行动的组织领导活动。它是军队指挥的组成部分，也是指挥活动的最高层次。其主要任务，除了分析判断战略形势和特点，确定战略方针，以及军事行动的具体方针、原则之外，重点是制定战略及战略性战役方案，确定各军兵种部队的作战编成、任务和部署，组织战役之间、战区之间的协同和保障，掌握和运用战略预备队，指挥重要战役等。更加概括地说，战略指挥活动的核心是定下决心和实现决心。这包括：进行战略判断，定下战略决心，拟制战略计划，下达战略任务，组织战略协同，实施监督检查。目的是正确运用国家和军队力量，战胜敌人或使敌人屈服，实现战争的政治、军事目的。战略指挥正确与否，直接影响战争的进程与结局。

作为军事指挥上的最高层次，战略指挥的基本要求，除了遵循军队指挥的一般原则外，尤为强调的：一是从实际情况出发，使战略决策、措施符合变化的客观情况；二是照顾好战争的方方面面，抓住对战争全局有决定意义的关节，推动战争全局的发展；三是做到坚定性与灵活性的统一，既有实现战略目的的坚强意志，又有高度的创造精神，善于审时度势，灵活使用兵力，恰当地运用和变换作战形式与作战方法；四是坚持高度的集中统一指挥，既能使各种力量、各种斗争、各种作战形式协调一致地行动，又善于群策群力，集思广益，集中各方面的智慧，鼓励各级指挥员积极机断行事，正确解决战略上的集权和战役战斗的分权问题；五是"致人而不致于人"，力争主动，力避被动；六是尊重一般作战规律，但不把具体军事原则教条化，所谓"不以法为守，而以法为用"。①

统一战争是具有全局意义的重大战略行动，战略指挥的正确与否直接关系着统一战争的进程与命运。尽管秦汉历史上的统一战争的战略指挥表现形态与现代意义上的战略指挥有着很大的不同，但是其基本性质与一般规律则是一致的，至于战略指挥在战争中所发挥的作用、所具有的地位，更是没有区别。秦汉历史上任何一次统一大业的顺利实现，都建立在其战略指挥高明正确的基础之上。换言之，实施积极有效的战略指挥，是统一大业指导者实现其战略意图，乘时而起，造就天下一统的主要手段。从这个意义上说，今天我们要全面总结秦汉历史上统一战争的基本经验和现实启迪，就不能不深入考察统一战争战略指挥的主要表现及其重要特点。

一、战略的明确性与战术的突然性

秦汉历史上统一战争战略指挥上的成功经验之一，是统一大略指导者善于正确处理树立战略目标明确性与实施战役战术指挥突然性的辩证关系，在明确自己战略上的根本意图的同时，力求在实施具体的作战行动过程中做到突然、猛烈，出敌不意，大创聚歼。②

（一）战略目标的明确性、公开性

---

① 参见军事百科全书编审委员会编：《中国军事百科全书·军事学术分册》，军事科学出版社，1997年，第341—342页。

② 参见黄朴民：《刀剑书写的永恒——中国传统军事文化散论》，国防大学出版社，2002年，第21页。

《周易·革》有云："汤武革命，顺乎天而应乎人。"统一战争是正义而高尚的事业，它合乎历史的潮流，顺应民众的意愿，反映了中华民族的根本利益。因此，作为这一正义伟大事业的承荷者，战争指导者完全有理由、有信心把自己致力实现国家统一、天下太平的战略意图、战略目标，理直气壮、光明磊落地宣示于天下，牢牢树立起自己"吊民伐罪"的正面形象，表达自己"混一天下"的坚定决心，从而先声夺人，震撼威慑那些分裂割据势力，赢得普天下民众的衷心拥护，争取社会舆论的广泛支持。从这个意义上说，秦汉历史上任何一次统一战争就战略目标而言，均是清晰公开的、明确无误的。尤其是统一大势业已形成、统一战争的发动势在必行的情况下，公开树起平定群雄、再造一统的旗帜，对于澄清人们的模糊认识，争取观望摇摆者，凝聚和振奋军心士气，鼓舞斗志，显得十分必要。而一旦这么做了，则往往可以达到单纯军事打击所不能达到的目的，因此，它为秦汉时期统一大业指导者所普遍运用，成为统一战争战略指挥上一种带有共性特征的基本现象。

如楚汉战争中，刘邦采纳董公及张良、韩信之策，明确向天下昭告，将为义帝复仇，东向与项羽角逐天下。汉高祖二年（前205）三月，刘邦在还定三秦，占有关中后，统率大军越渡平阴津（今河南孟津东北）到达洛阳，准备对项羽发动进攻。这时洛阳新城的三老董公向刘邦建议说："臣闻'顺德者昌，逆德者亡'，'兵出无名，事故不成'。故曰：'明其为贼，敌乃可服。'项羽为无道，放杀其主，天下之贼也。夫仁不以勇，义不以力，三军之众为之素服，以告之诸侯，为此东伐，四海之内莫不仰德。此三王之举也。"① 刘邦采纳了这一建议，立即对项羽发动一次大规模的政治和外交攻势，向天下各路诸侯与广大民众展示了其统一国家的战略目标。他亲自为义帝发丧，"袒而大哭，哀临三日"，同时派遣使者遍告各地诸侯："天下共立义帝，北面事之。今项羽放杀义帝江南，大逆无道。寡人亲为发丧，兵皆缟素。悉发关中兵，收三河（指河南、河东、河内）

---

① 《汉书》卷一上《高帝纪上》。

士，南浮江汉以下，愿从诸侯王击楚之杀义帝者。"① 这一做法收到了明显的效果，诸侯王虽大多没有直接发兵助汉，但普遍对项羽进一步离心离德，采取了中立和袖手旁观的态度。特别是项羽最亲近的得力助手九江王英布，从此之后竟没有给项羽以实在的帮助。至于陈余更是积极响应，派出一部分兵力直接参与了刘邦主持的联合攻楚的行动。这样，刘邦既完全达到了从政治上和外交上孤立项羽的目的，也充分展示了自己欲与项羽一决雌雄，追求国家统一的战略决心。②

（二）战役行动的突然性、灵活性

在具体的战役指挥与战术运用上，统一战争与一般战争相同，也强调"兵不厌诈"，主张遵循"兵之情主速，乘人之不及，由不虞之道，攻其所不戒也"③ "攻其无备，出其不意"④ 的作战原则，致力于示形动敌，声东击西，奇正相生，避实击虚，欺敌误敌，以出其不意的方式发动突击猛攻，"夫霸王之兵，伐大国，则其众不得聚；威加于敌，则其交不得合"，"后如脱兔，敌不及拒"⑤。打得敌人惊恐失措，措手不及，形成迅雷不及掩耳之势，"故其疾如风，其徐如林，侵掠如火，不动如山，难知如阴，动如雷震"⑥。

"先其所爱""兵贵胜，不贵久"，强调先发制人，推崇作战行动的突然性、主动性、进攻性、运动性，这可谓是中国古代兵家关于制胜之道基本规律的深刻揭示。

在日常生活中，常可以听到这样的口头禅："先下手为强，后动手遭殃"，"一步晚，步步晚"。在军事上，"先发制人"也是一个非常重要的命题。早在"古司马兵法"系统的兵书《军志》中便有"先人有夺人之心"的提法，《左传》里也有"宁我薄人，无人薄

---

① 《汉书》卷一上《高帝纪上》。

② 参见陈梧桐等：《西汉军事史》，第35页。

③ 《孙子兵法新注·九地篇》。

④ 《孙子兵法新注·计篇》。

⑤ 《孙子兵法新注·九地篇》。

⑥ 《孙子兵法新注·军争篇》。

我"的见解，其实质含义即主动进攻，实施突然袭击，以争取作战上的先机之利。

"先发制人"的重要性自然不言而喻，那么剩下的问题，便是如何实施高明的作战指导，来贯彻"先发制人"的原则了。古代兵家认为，要"先发制人"，必须做到两点。一是应该创造和把握正确的时机。具体地说，就是要通过"示形"惑敌等方法，诱使敌人放松戒备，暴露破绽，然后以迅雷不及掩耳之势，主动进攻，乘虚而入，一举克敌，高奏凯歌："敌人开阖，必亟入之……践墨随敌，以决战事"①；"故智者从之而不释，巧者一决而不犹豫，是以疾雷不及掩耳，迅电不及瞑目，赴之若惊，用之若狂，当之者破，近之者亡，孰能御之"②。二是应该在己方处于完全主动地位的情况下运用，其进攻的方向应当选择敌人最薄弱且又是最要害的环节，从而触一发而牵动全身，以收事半功倍之效，确保"先发制人"的战略意图得以顺利实现。具体地说，就是要做到"先夺其所爱，则听矣""先其所爱，微与之期"③。

为了圆满实现"先发制人"这一战略意图，古代兵家主张在采取军事行动之时，一是要做到突然性，使敌人处于猝不及防的被动状态："兵之情主速，乘人之不及，由不虞之道，攻其所不戒也"④；"进而不可御者，冲其虚也；退而不可追者，速而不可及也"⑤。二是要做到运动性，即提倡野外机动作战，调动敌人，以期在野战中予以歼灭性的打击："顺详敌之意，并敌一向，千里杀将。"⑥ 要"悬权而动"，使自己始终保持主动的地位。三是要做到隐蔽性，使敌人无从窥知我方的真实作战意图，如同聋子和瞎子一样，从而确保我方军事行动的突然性能够达成，运动性可以实现："易其事，革

---

① 《孙子兵法新注·九地篇》。
② 《六韬》卷三《龙韬·军势》。
③ 《孙子兵法新注·九地篇》。
④ 《孙子兵法新注·九地篇》。
⑤ 《孙子兵法新注·虚实篇》。
⑥ 《孙子兵法新注·九地篇》。

其谋，使人无识；易其居，迂其途，使人不得虑"①；"因形而错胜于众，众不能知；人皆知我所以胜之形，而莫知吾所以制胜之形"②。用《管子·兵法》的话说，便是"善者之为兵也，使敌若据虚，若搏景。无设无形焉，无不可以成也；无形无为焉，无不可以化也"。使得敌人在与我方作战时，如蹈虚空之地，同变化不定的影子搏斗一样，有劲使不上，处处被动，而我方却能够随机制宜，置敌于死地。古代兵家认为，只要在军事行动中真正做到了隐蔽、突然、机动，那么就能够先发制人，稳操胜券。

在隐蔽、突然、机动这三者之中，隐蔽是基础，是达成突然性、实施机动性的前提条件。而是否能做到这一点，取决于是否"示形动敌"，创造主动条件。因为，战场上两军对阵，敌我双方在主观上都毫无例外要致力于造势任势，以争取主动的地位。而能否成功，关键之一，就在于能否广施权变，示形动敌，出奇制胜。

所谓"示形"，就是隐真示假，诱使敌人中计上当，被自己牵着鼻子走，最后陷入失败的境地。用古代兵家的话说，就是"善动敌者，形之，敌必从之；予之，敌必取之。以利动之，以卒待之"③。他们指出，战场上示形动敌、克敌制胜的最上乘境界，乃是"形人而我无形""形兵之极，至于无形；无形，则深间不能窥，智者不能谋"④。他们认为，一旦达到这种境界，那么进行防御，即可"藏于九地之下"，坚如磐石，牢不可摧；实施进攻，即可"动于九天之上"，主动灵活，置敌于死地。一句话，我军处处主动，而敌军则处处被动。

统一战争是关系着敌对双方的生死命运的军事行动，一着不慎，则全盘皆输，所以，统一大业的指导者在从事战略进攻的时候，特别重视作战指挥的稳妥得体，不战则已，战则必胜。为了尽可能削弱来自敌方的顽抗，尽可能增加取胜的可能，他们总是在战役指挥

---

① 《孙子兵法新注·九地篇》。
② 《孙子兵法新注·虚实篇》。
③ 《孙子兵法新注·势篇》。
④ 《孙子兵法新注·虚实篇》。

和战术运用上做到具有隐蔽性，达成突然性，先发制人，把握主动，从而尽快地撕开敌人防御战线，摧毁敌人的抵抗意志，消灭敌人的战争力量，实现自己的战略目的。

这种战役指挥隐蔽性、突然性的特征，在秦统一六国战争过程中，在王翦、王贲的战略指挥与作战部署中有着鲜明的体现。

（三）知迂直之计，杂利害之虑

任何事物都具有两重性，都是矛盾的对立体，既相互对立，又相互转化。中国古代哲人早已认识到了这一点，老子曾说"祸兮福之所倚，福兮祸之所伏"①，就清晰地揭示了事物包括双重性的特质。高明的统一大业指导者，在从事统一战争的战略指挥时，自然应该明白这一层道理，从而趋利避害，掌握主动。

中国古代兵家强调要以辩证的观点对待争夺先机之利的问题，"军争为利，军争为危"②，既看到其有利的一面，又充分估计到其困难甚至不利的一面，见利思害，见害思利，从而防患于未然，制敌于先机，"是故智者之虑，必杂于利害。杂于利而务可信也，杂于害而患可解也"③。这对于统一大业指导者来说，无疑是一种哲学智慧与思维方式，即，当其实施统一战争的战略指挥时，一定要克服认识上的片面性，因为如果见利而忘害，不利的因素就可能恶性发展，最终影响整个战争的结局；见害而忘利，则有可能使自己丧失必胜的信心与斗志，不再去通过自己不懈的努力而达到统一天下的目标。

统一战争的全局性、长期性、复杂性、艰巨性等各种属性的制约，使其实施者在从事战略指挥时经常面临着巨大的困难，对其战略指挥能力也总是提出更高的要求。在这种背景下，统一大业指导者的成功，往往表现为善于审时度势，透过纷纭复杂的表象，把握住事物的核心，从而做出正确的抉择。这时除了运用"先发制人"、

---

① 《老子道德经注校释》下篇《五十八章》。

② 《孙子兵法新注·军争篇》。

③ 《孙子兵法新注·九变篇》。

速战速决的常见方法与手段外，也免不了走迂回的道路，即所谓
"以迂为直，以患为利"①。表面上是多付出，多耗费，实际上"后
人发，先人至"，始终处于主动有利的地位。② 像楚汉战争中韩信率
汉军开辟北方战场，从项羽的侧后实施战略迂回和包围；刘秀在东
汉开国战争中率先经营河北，待时机成熟后再下洛阳，取长安，据
有中原核心地带，均是秦汉统一战争战略指挥中有关"以迂为直"
原则的具体体现。

二、历代统一战争战略指挥的相关原则

关于战法（亦称作作战指导）的论述，可以说是中国古典兵法中
内容最丰富、价值最重大、特色最显著的部分，它所揭示的许多规
律性原则，至今依然是战争、战役、战斗指挥上所必须遵守的。流
传至今的许多兵学范畴，业已成为脍炙人口的军事格言。

有关中国古代的一般战法原则，其荦荦大端，概括起来大致有
以下诸条：奇正相生、避实击虚、尽敌为上、兵不厌诈、众寡分合、
造势任势、因敌制胜、进攻速胜、致人而不致于人、攻守平衡、兵
机贵密、积极防御、将权贵一，等等。这些内容与现代战略、战役、
战术所运用的一些基本原则，如"知彼知己，因势制敌""集中兵
力，各个歼敌"、主动灵活、突然迅速、协同策应等等，不仅基本精
神是一致的，而且在语言上也有着明显的渊源关系。这说明，中国
古典兵法中反映一般军事规律的论述，是指导任何战争时都应当遵

---

① 《孙子兵法新注·军争篇》。
② 应该指出，"以迂为直，以患为利"的"军争"之法，包含着极其深刻的
哲理，人们从中可以体悟出间接手段与直接手段的内在统一辩证关系。英
国战略学家李德·哈特在其名著《战略论》中就申明自己因受这一原则的
启示，提出了间接路线的战略。强调在战略上，表面上最漫长的迂回道路
常常是达到战略目的的最短途径，间接路线往往比直接路线更为近捷，更
为有效。他的看法正好从一个侧面印证了"以迂为直"理论的强大生命力，
而他本人也不愧为古代东方兵学思想家的千古知音。（参见李德·哈特著，
钮先钟译：《战略论》，第 5—6、117—134 页）

守的基本原则。作为中国古代战争典型形态之一，统一战争自然也没有例外。换言之，历史上的统一战争战略指挥体现着古典兵法的一般作战指导规律，它运用兵法基本原则越是娴熟，战略指挥上的成功就越是显著，统一大业的实现也就越是顺利。

毫无疑问，统一战争战略指挥上运用兵法基本原则以争取胜利的做法是全方位的，但是若细加考察，我们也能发现，它的重点似乎落实在以下几个方面：注意妥善解决集中兵力与分兵钳制的辩证关系，贯彻落实速战速决与持久作战的相关原则，正确处理政治招抚与军事打击的相辅相成，把歼灭敌人有生力量作为作战行动的中心环节。

（一）众寡分合，协同策应

"众寡分合"，是战术运用上的一条基本原则，即众寡之用与分合为变。这里，众寡之用是兵力的使用问题，分合为变是作战的部署问题。这两方面的问题，核心是集中兵力与协同配合的有机统一，一分为二，在全局或局部造成优势，各个击破敌人；而统一这两者的基础，又在于真正理解与把握"奇正"的蕴意，做到"奇正之变""奇正相生"。

"奇正"是古典兵学的一个重要范畴，古人认为它是"用兵之钤键，制胜之枢机"①。一般地说，常法为正，变法为奇。在兵力使用上，守备、钳制的为正兵，机动、突击的为奇兵；在作战方式上，正面攻、明攻为正兵，迂回、侧击、暗袭为奇兵；在作战方法上，按一般原则作战为正兵，采取特殊战法为奇兵；在战略上，堂堂正正进兵为正兵，突然袭击为奇兵。可见，所谓"奇正"，首先是兵力的配置与使用，"以正合，以奇胜"②；其次，也是更重要的，是战术的选择和运用，"奇正相生""奇正之变"。③

"众寡之用"与"分合为变"，实际上就是对"奇正"基本原理

---

① 《十一家注孙子校理》卷中《势篇》王皙注。
② 《孙子兵法新注·势篇》。
③ 参见黄朴民：《孙子评传》，广西教育出版社，1994年，第139—140页。

的运用与发挥。就众寡之用而言，是指在主攻方向上必须集中兵力，而在助攻方向上则只配备必要的兵力，起策应协同的作用，所谓"若五倍于敌，则三术为正，二术为奇"①。就分合为变而言，就是要注意重点设防，重点守备，重点投入，所谓"用兵之道，无所不备则有所必分，知所必守则不必皆备"②。

关于众寡分合的一般原则，古代兵家多有论述，如《司马法·用众》指出："凡战之道，用寡固，用众治；寡利烦，众利正；用众进止，用寡进退。"《兵录》作者认为："兵之胜负，不在众寡，而在分合。夫有分则有条理，有合则有联络，然分常患其疏，而合常防其混。故合而不分，分而不合，非善也；合而有分，分而有合，非善之善也；即分为合，即合为分，乃善之善也。"③可见，在"众寡之用"问题上，他们既肯定集中兵力的意义，提倡"我专敌分""以十击一"，又强调"分合为变"，灵活指挥，协同策应，做到"能分人之兵，疑人之心，则锱铢有余"④。掌握"众寡分合"的不同规律，有利于在各种复杂情况下做到当合则合，当分则分，"合兵以壮威，分兵以制胜"⑤，克敌制胜，达成既定的战略目标。

统一战争是事关全局的决定性战争，因此，在战略指挥上全面贯彻"众寡之用"与"分合为变"的基本原则乃是其必有之义。在秦汉历史上，绝大多数的统一战略实施者，都高度重视用兵指挥上的"众寡分合"问题，既积极主张善于"众寡之用"，又充分强调"分合为变"，以求在指导统一战争时做到集中兵力与分兵钳制的辩

---

① 《百战奇法·分战》，《中国兵书集成》编委会：《中国兵书集成》第五册，解放军出版社、辽沈书社，1988 年。
② 辛启泰辑，邓广铭校补：《稼轩诗文钞存·美芹十论·守淮第五》，商务印书馆，1947 年。
③ 何汝宾：《兵录》卷九《攻战·战略》，《四库禁毁书丛刊》编纂委员会编：《四库禁毁书丛刊·子部》第九册，北京出版社，1998 年。
④ 《淮南鸿烈集解》卷十五《兵略训》。
⑤ 揭暄：《兵法百言·法篇·分》，《中国兵书集成》编委会：《中国兵书集成》第四十一册，解放军出版社、辽沈书社，1995 年。

证统一。一方面"我专敌分",集中优势兵力击敌之要害;另一方面灵活指挥,分兵策应主力的行动,使得敌人首尾不得相顾。基于这样的认识,刘邦破项羽,在兵力使用和战役指挥上都采取了多路出击、主力挺进、重点突破的方法,从各个战场同时发起进攻;以主力歼敌主力,直捣腹心,以偏师策应主力,钳制分割敌军。主次配合,奇正协同,东西呼应,彻底打乱敌人的战略部署,使其完全陷入首尾脱节、顾此失彼的被动挨打处境,最终走向失败的深渊。

楚汉战争全面爆发后,刘邦集团根据当时双方的军事实力与战略态势,制定了持久防御的基本战略,企冀通过战略相持,逐渐转变楚汉双方的战略优劣态势,在拥有战略主动的基础上,再进行反击,消灭项羽势力,完成国家的统一。基于这样的战略指导,汉军方面重新调整了战略部署,改善了战略指挥,按照"众寡之用"与"分合为变"的基本原则,正兵与奇兵交替使用,互为协同,巧妙策应,形成了集中兵力与分兵钳制的有机统一。其具体措施是:刘邦亲率汉军主力坚守成皋、荥阳一线,阻遏项羽主力的攻势,在正面战场转攻为守,消耗敌军,挫败项羽速战速决的战略企图,同时分别开辟北方战场与南方战场,在翼侧牵制敌军,逐渐完成对项羽的战略包围;在北方战场,命大将韩信率领一部兵力,先后灭魏、平代、破赵、下燕、定齐,逐个歼灭黄河以北的割据势力,向楚军侧背发展,策应成皋、荥阳汉军主力的行动;在南方,策反九江王英布,新辟南方战场,由英布攻击楚军翼侧,给项羽造成牵制;同时,发动敌后袭扰战,由彭越在梁地开辟敌后战场,配合正面进攻,调动和疲困楚军,保障两翼的军事出击顺利进行。

刘邦集团在战略指挥上坚定贯彻上述正面坚持、南北两翼牵制、敌后袭扰的作战部署,结果是使得楚军顾此失彼,陷于多面作战的困境,从而导致楚汉双方战略优劣态势的逐渐转换,其实力对比发生了根本的改变,项羽的失败遂成为不可逆转的趋势。于是刘邦把握时机,于汉高帝五年(前202)趁项羽引兵东撤之际,实施战略追击。之后,在垓下合围并聚歼楚军,项羽突围后自刎于乌江。同年,刘邦登基称帝,建立汉朝,中国再次实现统一,历史揭开了新的一幕。而刘邦之所以能转弱为强，战胜项羽，再造一统，就战略指挥而言，在于善于做到"众寡之用""分合为变"，以主力抗衡敌之主力，以偏师打开战场局面，主次策应配合无懈可击。

（二）速战速决与持久作战的统一

从战争费效比来说，速战速决是最为理想的选择。道理很简单，从战争与经济关系这一角度观察问题，进攻速胜是至关重要的，因为战争所损耗的人力、财力、物力，数量大得惊人，对国计民生来说，不啻极其沉重的负担。战争时间一久，各种严重的后果便会纷至沓来，使国家和民众陷于战争泥潭，不可自拔，所谓"久则钝兵挫锐，攻城则力屈，久暴师则国用不足"①。此外，从复杂战略格局考察，速战速决也应该是战争指导者所要追求的目标。因为，如果某一国长期征战，就会给第三方带来可乘之机，最终使自己陷于两线作战的被动局面，出现所谓"螳螂捕蝉，黄雀在后""鹬蚌相争，渔翁得利"的情况，用兵圣孙武的话说，就是"夫钝兵挫锐、屈力殚货，则诸侯乘其弊而起，虽有智者，不能善其后矣"②。为了避免上述不利情况，战争指导者在开展军事行动时，也自然要坚决贯彻进攻速胜的原则了。

基于这样的认识，中国古代兵家普遍主张进攻作战要做到速战速决，迅速地夺取胜利，反对使战争旷日持久，疲师耗财，"兵闻拙速，未睹巧之久也。夫兵久而国利者，未之有也"③；强调"用兵上神，战贵其速"④，"速则乘机，迟则生变"⑤，把"兵贵神速"的基本原则贯彻落实到作战行动的全过程，"足我粮饷，张我声势。巧于

---

① 《孙子兵法新注·作战篇》。
② 《孙子兵法新注·作战篇》。
③ 《孙子兵法新注·作战篇》。
④ 汪宗沂辑：《李卫公兵法辑本》卷上《将务兵谋》，《中国兵书集成》编委会：《中国兵书集成》第二册，解放军出版社、辽沈书社，1988年。
⑤ 《陆宣公奏议》卷一《论两河及淮西利害状》。

误敌，俾敌不知所备；速于攻取，俾我锋不留行。电扫星飞，深戒淹缓"①。

统一战争是具有战略全局意义的进攻作战行动，统一战争的实施者在军事力量上占有相当大的优势，作为战略进攻的一方，在一般条件下要求做到行动迅捷，速战速决，"凡兵者，欲急捷，所以一决取胜，不可久而用之矣"②，强调"疾雷暇掩耳乎？掣电暇瞬目乎？时不再来，机不可失"③，"知彼有可破之理，则出兵以攻之，无有不胜"④，主张对敌人"速攻之，速围之，速逐之，速捣之"⑤。

这一基本原则从秦汉历史上历次统一战争的进程考察，可以看得非常清楚，统一大业的指导者，在实施统一战争的战略指挥之时，总是把迅猛神速、速战速决，看成是克敌制胜、实现统一的一大关键，努力避免出现进攻行动上的旷日持久，钝兵挫锐，所谓"急疾捷先，此所以决义兵之胜也，而不可久处"⑥。因此，一旦"势已成，机已至，人已集"⑦，他们就毫不犹豫地展开行动，以强大的优势兵力为依托，运用高明的作战指导，对敌人发起摧毁性的打击，力求在最短的时间里，摧毁敌人的抵抗意志，粉碎敌人的防御体系，攻占敌人的核心中枢，赢得统一战争的迅速胜利。

秦汉历史上成功的统一战争，大多是速战速决战略指导运用得当的典范，如秦国扫荡关东六国之战，前后不过十余年时间。

这里，我们就以秦统一六国之战为例，说明统一大业指导者在统一战争过程中是如何贯彻速战速决原则，并最终取得胜利的。秦统一六国的战争，既是战国末期最后一场诸侯兼并战争，又是中国

① 《草庐经略》卷六《客兵》，《中国兵书集成》编委会：《中国兵书集成》第二十六册，解放军出版社、辽沈书社，1994年。

② 《李卫公兵法辑本》卷上《将务兵谋》。

③ 《兵垒·迅》，《中国兵书集成》编委会：《中国兵书集成》第三十七册，解放军出版社、辽沈书社，1994年。

④ 《百战奇法·攻战》。

⑤ 《兵垒·迅》。

⑥ 《吕氏春秋集释》卷八《论威》。

⑦ 《兵法百言·法篇·速》。

历史上最早的一场封建统一战争。从公元前 236 年至公元前 221 年，秦国按照速战速决的战略方针，仅用十余年的时间，相继灭掉了北方的燕、赵，中原的韩、魏，东方的齐和南方的楚六个诸侯国，结束了春秋以来长达五百余年的诸侯割据纷争的战乱局面。至此，我国历史上第一次实现了空前的大统一。"秦以区区之地，致万乘之势，序八州而朝同列"，"吞二周而亡诸侯，履至尊而制六合，执敲朴而鞭笞天下，威振四海"①。而这个局面的形成，在战略指挥上，不能不归功于其统一战略决策者始终坚持和贯彻"速战速决，大创聚歼"的方针，不间断地对山东六国进行打击和征服，不给对手以任何喘息的机会，摧枯拉朽，势不可挡，终于在短短的十余年时间里一统六合，开创中国历史的新局面，"六王毕，四海一"②。

当然，在充分肯定速战速决的基本前提下，统一战争的实施者也不排斥在一定条件下的持久作战。这一般有两种情况，一是当其实力尚不够强大，甚至是处于劣势的时候，面对强大的对手，致力于用空间换取时间，达到强弱易势，夺取最后胜利的目的。为此，有些统一战争实施者通过持久防御来迟滞、消耗、削弱敌人，随着战争时间的持久和空间的扩大，敌人战线日长、兵力日分、锐气日挫、困难日多，逐渐地由强变弱。同时，"盈吾阴节"，发展壮大自己的力量，在挫败敌人速胜的企图的基础上，使自己的战略后方得到掩护，兵力得以集结，民众得到动员，战争潜力得以发挥，外交斗争得以展开，奇谋妙策得以施展，从而越战越强。此外还要做到守中有攻，久中有速，把战略上的防御持久同战役战斗上的进攻速决有机结合起来，灵活机动地打击敌人，如"塞其险阻以遏之，清其原野以待之，绝其粮道以饥之，劫其营垒以挠之，捣其巢穴以牵

---

①　《新书校注》卷一《过秦上》。

②　杜牧：《阿房宫赋》，杜牧著，陈允吉校点：《杜牧全集》卷一，上海古籍出版社，1997 年。

之。伺其既归，然后出以袭之"① 等等，做到"既以守而待攻，复以战而乘敝"②。可见，统一战争指导者在一定条件下实施持久战略方针，最终目的是要由守转攻，由久转速，实现战略反攻的胜利。持久作战本身并不是目的，而是转化敌我双方强弱态势的战略步骤。古人说："知己有未可胜之理，则我且固守；待敌有可胜之理，则出兵以攻之。"③ 这就是说，一旦强弱易势，就要果断实施战略反击，彻底消灭敌人，实现国家统一的根本目的。

楚汉战争中刘邦战胜项羽，就是通过防御持久、后发制人的手段实现敌我双方强弱态势转换，最后实现统一大业的典型事例。在楚强汉弱的形势下，刘邦采取持久防御的战略，利用成皋一带的有利地形，实施顽强的正面防御，前后达两年又四个月之久。通过这一途径，刘邦获得了巨大的战略利益，包括：战争潜力得到充分发挥，机动作战得以全面展开，外交策略和间谍攻心得以广泛实施，终于取得对项羽的全面优势，并适时转入战略反攻，一举全歼楚军，完成了西汉的统一大业。

统一战争实施者选择持久作战的另一种情况，是占有战略优势地位条件下的权宜机变，这就是在胜券在握、大势已定的情况下，为减少双方军民的无谓伤亡而适当地延缓军事攻击的进度或力度，为迫降敌人创造必要的条件。这种战略选择与速战速决的做法在统一战争中所起的作用是相辅相成、异曲同工的。

（三）"尽敌为上"与统一战争的胜利

所谓"尽敌为上"，其实质就是打歼灭战的战略指挥原则。歼灭战是战争活动中的主要手段，因为，战争的进程和结局，归根结底要取决于敌对双方有生力量的消长。所以，不论战略、战役或战斗，歼灭战都是从根本上解决问题的有效途径。近代普鲁士著名军事理论家克劳塞维茨曾在其名著《战争论》中对这一问题做过精辟的阐

---

① 西湖逸士：《投笔肤谈》上卷《持衡》，《中国兵书集成》编委会：《中国兵书集成》第二十六册，解放军出版社、辽沈书社，1994 年。
② 《草庐经略》卷九《击强》。
③ 《百战奇法·守战》。

述，他指出："战斗是战争中惟一有效的活动。在战斗中，消灭同我们对峙的敌人是达到目的的手段，即使战斗实际上没有进行也是这样，因为在任何情况下，结局都是以消灭敌人军队已毫无疑问为前提的。因此消灭敌人军队是一切军事行动的基础，是一切行动最基本的支柱，一切行动建立在消灭敌人军队这个基础上，就好像拱门建立在石柱上一样。……在战争所能追求的目的中，消灭敌人军队永远是最高的目的。……不过在这里我们不能不指出，用流血方式解决危机，即消灭敌人军队，这一企图是战争的长子。"① 所以，无论战争在具体情况下是多么多种多样，我们只要从战争这一概念出发，仍可以肯定以下几点：（1）消灭敌人军队是战争的主要原则，对采取积极行动的一方来说，这是达到目标的主要途径；（2）消灭敌人的军队主要是在战斗中实现的；（3）具有一般目的的大的战斗才能产生大的结果……根据上述几点可以得出一个双重法则，它包含相辅相成的两个方面：消灭敌人军队主要是通过大会战及其结果实现的，大会战必须以消灭敌人军队为主要目的。因此，应该把主力会战看作战争的集中表现，是整个战争或战局的重心。如同太阳光在凹镜的焦点上聚成太阳的完整的像并产生极高的热度一样，战争的各种力量和条件也都集中在主力会战中，产生高度集中的效果。②

中国古代兵家对主力会战、打歼灭战问题同样予以了高度的重视，早在先秦时期，就有人提出了打歼灭战、不打击溃战的基本认识，认为这是克敌制胜的最好战果："夫战，尽敌为上"③；"若车不得车，骑不得骑，徒不得徒，虽破军皆无易"④。《孙膑兵法·月战》更是毫不含糊地将作战目标定为消灭敌人的军队，明确地树立了歼

---

① ［德］克劳塞维茨著，中国人民解放军军事科学院译：《战争论》，第43—48页。

② ［德］克劳塞维茨著，中国人民解放军军事科学院译：《战争论》，第285—286页。

③ 《国语集解·周语中》。

④ 《吴子》卷下《励士》。

灭战的战略指挥原则，认为只有"复军杀将"，使敌人"虽欲生不可得也"，才算是真正掌握了"战之道"，即作战的基本规律。① 自秦汉以降，历代兵家对打歼灭战的指导原则也有充分的阐述，如西汉时期名将赵充国就强调："击虏以殄灭为期，小利不足贪。"②

"尽敌为上"的主力会战、全线歼敌作战指导思想，同样适用于秦汉历史上的统一战争的战略指挥。因为在统一大业实施者看来，无论是速战速决还是相对持久，夺取统一战争胜利的关键，都在于积极创造有利的战机，歼灭敌人的主力。只要摧毁了敌方的有生力量，那么，敌人再企冀负隅顽抗也丧失了任何资本。在这种情况之下，速战速决也好，相对持久亦罢，其间的区别便仅仅是时间问题了，绝不会对胜利的最后归属产生任何实质性的影响。所以，秦汉时期统一战争的实施者都高度重视"尽敌为上"的意义，将它尊奉为实施战略指挥的一个重要原则，总是把寻机进行主力会战、歼敌主力作为作战的关键环节来慎重、积极加以处理。

历史事实也正是如此。伊阙之战中，白起所率秦军大破韩、魏联军，斩首二十四万余，韩、魏两国实际上就失去了抵抗秦国战略进攻的能力，其亡国也只是时间上的问题了。公元前260年，秦赵双方在长平（今山西高平西北）地区进行战略决战，秦将白起"正合奇胜"，善察战机，诱敌出击，然后分割包围，聚歼赵括所率赵军主力四十五万人，从根本上削弱了当时关东六国中最为强劲的对手，实际上使得秦统一六国、混同天下的道路变得畅通无阻了。项燕所率的楚军主力数十万人，在秦国大将王翦指挥的六十万雄师劲旅的凌厉打击之下，一败涂地，悉数就歼后，楚国便再也无法实施有效的抵抗，秦国平定楚地便瓜熟蒂落，水到渠成，一帆风顺，指日可待了。

应该说，秦统一六国、统一天下战略目标的最终实现，是来之不易的，归根结底，乃是通过歼灭关东六国主力与精锐的途径，"尽

---

① 银雀山汉墓竹简整理小组：《银雀山汉墓竹简》（壹），第59页。
② 《汉书》卷六十九《赵充国辛庆忌传》。

敌为上"，剥夺了对手的抵抗能力之后，才如愿以偿的。由此可见，消灭敌人的军队，贯彻"消灭敌人，保全自己"的战争原则，始终是一种比其他一切手段更为优越、更为有效的手段。① 这一点，在从事统一战争并取得最后胜利问题上，亦无任何例外。

---

① 参见［德］克劳塞维茨著，中国人民解放军军事科学院译：《战争论》，第43—44 页。

第十章　秦汉重大战役中所反映的兵学成就

第一节　秦统一六国战争的战略指导

　　唐代伟大诗人李白《古风》之三中有言："秦皇扫六合，虎视何雄哉！挥剑决浮云，诸侯尽西来。明断自天启，大略驾群才。收兵铸金人，函谷正东开。铭功会稽岭，骋望琅邪台。"① 这里所讴歌的，就是战国末年秦国运用战争这一手段，完成兼并六国，实现统一大业的重大历史事件。

　　公元前 356 年，秦孝公任用商鞅实行变法，国力逐步强盛。从秦孝公到秦王嬴政的一百余年的时间中，秦国的发展日新月异，令人瞩目。在军事制度方面，它实行按郡县征兵，完善军队组织，"尚首功"，重训练，严军纪，大大提高了军队的战斗力，故荀子说："齐之技击不可以遇魏氏之武卒，魏氏之武卒不可以遇秦之锐士。"② 在军事战略上，它改变了劳师远征而收利甚微的做法，采纳范雎远交近攻的策略，逐渐蚕食并巩固其占领地区，相继吞并巴蜀，灭掉西周、东周，攻占韩国的黄河以东和以南地区，设置太原、上党、三川三郡，其疆域包括今陕西大部、山西中南部、河南西部、湖北西部、四川东北部及甘肃部分地区等广大地域。史书记载"秦四塞

---

① 李白：《古风》之三，《李太白集》卷二。
② 《荀子集解》卷十《议兵篇》。

之国，被山带渭，东有关河，西有汉中，南有巴蜀，北有代马，此天府也"①，在战略地理上处于进可以攻、退可以守的有利形势。"战车千乘，骑万匹，奋击百万"，秦的军事综合实力远胜于关东六国。这种优越的战略形势为秦统一六国奠定了坚实的基础。

公元前 238 年，秦王政铲除了丞相吕不韦和长信侯嫪毐集团，开始亲政，周密部署统一六国的战争。李斯、尉缭等人协助秦王制定了统一六国的战略策略。秦灭六国的战略有两个内容，一是乘六国混战之际，秦国"灭诸侯，成帝业，为天下一统"②，这实际上是战略目标的确定问题。二是战略步骤的筹划问题，即继承远交近攻之策，确定了先弱后强、先近后远的具体战略步骤。李斯建议秦王政先攻韩、赵，"赵举则韩亡，韩亡则荆、魏不能独立，荆、魏不能独立则是一举而坏韩、蠹魏、拔荆，东以弱齐、燕"③，主张"先取韩以恐他国"④。这一战略步骤可以概括为三步，即笼络燕、齐，稳住楚、魏，消灭韩、赵，然后各个击破，统一全国。在这一战略方针指导下，一场统一战争开始了。

公元前 236 年，秦王嬴政乘赵攻燕，国内空虚之际，分兵两路大举攻赵，拉开了统一战争的帷幕。秦国经过数年连续攻赵，极大地削弱了赵国的实力⑤，但一时尚无力灭赵国。于是秦国转攻韩国，公元前 231 年，攻下韩国南阳，次年，秦内史腾率军北上，攻占韩国都城阳翟（今河南禹州），俘虏韩王安，灭了韩国。

公元前 229 年，秦大举攻赵，名将王翦率军由上党（治今山西长治北）出井陉（今河北井陉），杨端和由河内进攻赵都邯郸。双方相持一年后，赵军主将李牧为秦之反间计所除，赵军士气受挫，无力再战。王翦遂于公元前 228 年向赵国发起总攻，秦军很快攻占了邯郸，俘虏赵王迁，残部败逃，赵国灭亡。

---

① 《史记》卷六十九《苏秦列传》。
② 《史记》卷八十七《李斯列传》。
③ 《韩非子集解》卷一《初见秦》。
④ 《史记》卷六《秦始皇本纪》。
⑤ 《战国策·齐策一》载："（秦赵）四战之后，赵亡卒数十万，邯郸仅存。"

秦国在攻赵的同时，兵临燕境。燕国无力抵抗，太子丹企图以刺杀秦王的办法挽回败局。公元前227年，太子丹派荆轲以进献燕国督亢地图为名，谋刺秦王政，结果以失败告终。秦王政以此为借口，派王翦率兵攻打燕国，秦军于易水（今河北易县境内）大败燕军。次年十月，王翦攻陷燕国都蓟城（今北京），燕王喜率领残部逃窜到辽东（今辽宁辽阳一带），苟延残喘，燕国名存实亡。

至此，地处中原四战之地的魏国已完全孤立无援。公元前225年，秦将王贲率军出关中，东进攻魏，迅速包围了魏都大梁（今河南开封）。秦军引黄河之水灌城，攻陷大梁，魏王假投降，魏国灭亡。

秦军早在攻取燕都时，已将进攻的目标转向楚国。公元前226年，秦王政即召诸将商议攻楚之事。在公元前225年首次攻楚受挫后，秦王政没有动摇灭楚的决心，于公元前224年派王翦统率六十万大军再次伐楚。秦、楚双方主力在陈（治今河南淮阳）遭遇，王翦沉着待机，以逸待劳，楚军屡次挑战，秦军不与交锋。楚军主帅项燕只好率兵东归。王翦乘楚军退兵之机，挥师追击，在蕲（治今安徽宿州东南蕲县集）大败楚军，阵斩项燕。次年，秦军乘胜进兵，俘虏楚王负刍，攻占楚都郢（今湖北荆州市荆州区西北），灭掉了楚国。

五国灭亡后，只剩下东方的齐国和燕、赵残余势力。公元前222年，秦将王贲率军歼灭了辽东燕军，俘虏燕王喜，回师途中，又回攻代（今河北蔚县东北），俘获赵国余部代王嘉，然后由燕地乘虚直逼齐国。齐王建慌忙在西线集结军队，准备负隅顽抗，做困兽之斗。公元前221年，秦军避开西线齐军主力，从北面直插齐国都城临淄（今山东淄博）。在秦国大兵压境，以破投卵的形势面前，齐王建放弃抵抗，向秦军缴械投降，齐国也彻底灭亡了。

至此，秦统一六国的战争宣告胜利结束，我国历史上第一次实现空前的大统一，"秦以区区之地，致万乘之势，序八州而朝同列"，

"吞二周而亡诸侯，履至尊而制六合，执敲扑而鞭笞天下，威振四海"①。

秦国能在短短的十余年时间里，摧枯拉朽，一统六合，开创中国历史的新局面，"六王毕，四海一"②，是由于其统一战争战略指导正确，作战指挥高明。第一，利用关东六国的矛盾，执行由近及远、先弱后强、各个击破的正确方针，首先灭掉毗邻的韩、赵，然后趁热打铁，突破中央，攻燕灭魏，占领整个中原腹心地区；最后再接再厉，消灭两翼的强敌齐、楚。这一战争指导的运用是符合实际情况的，也是卓有成效的。而其中战略突破口的正确选择（首先攻赵），更起到了纲举目张的关键作用。关东六国的战略地位各不相同，这中间占主导地位的为赵、楚两国，赵为关东之屏障，乃秦之强敌；楚为关东之后盾，乃秦之大敌。只有首先破赵，在全局上才能顺利展开，故秦的各个击破方针指向的第一个目标便是赵国，找到了战略上的正确突破口。

第二，在具体的战役指挥中，善于做到因情料势、量敌用兵，既观照全局，又保证重点。如在灭韩、破赵的战争中，根据具体情况，做到灵活机动，赵有机可乘则先行攻赵，韩呈败象则坚决灭韩。又如在灭楚之战中，能够虚心汲取动员不足、择将不慎等原因而造成首战失利的教训，及时调整作战部署，倾全国之力打击对手，集中优势兵力插入楚国战略纵深之处，但又不同楚军正面硬拼，而是乘其反击失利全线后撤之际，发起攻击，予以聚歼。再如在攻齐之役中，避实就虚，以迂为直，出奇制胜，政治诱降与军事攻击双管齐下，一举而定。

第三，提倡和坚持速战速决的基本原则，同时巧妙使用间谍，密切配合军事上的进攻。秦军在作战指导上，始终坚持和贯彻"速战速决，大创聚歼"的方针，马不停蹄，士不解甲，不间断地对关东六国进行迅雷不及掩耳式的打击和征服，不给对手以任何喘息、

---

① 《新书校注》卷一《过秦上》。
② 《阿房宫赋》，《杜牧全集》卷一。

反扑的机会，犁庭扫穴，席卷天下。而秦国君臣的间谍外交攻势也始终不曾间断，它破坏了关东六国的合纵联盟，分化和离间了关东六国的君臣关系，借刀杀人，除去六国中少数主张抗秦的名将、大臣，这样便给了军事进攻以直接有力的配合。

第二节　巨鹿之战的作战指挥艺术

巨鹿之战，发生于秦二世三年（前208）十二月，它是秦末农民大起义中起义军与秦军主力章邯、王离诸部在巨鹿地区（治今河北平乡西南）的一场战略决战。在作战中，农民军在其统帅项羽的指挥下，以无比英勇顽强的气概，遵循正确适宜的作战指导，一举歼灭秦军主力，扭转了整个农民战争的战局，对于推翻秦王朝反动腐朽的统治，具有决定性的意义。

秦王朝建立后，对农民实施残酷的剥削与压迫，导致各种矛盾尖锐激化，终于在秦二世元年（前209）爆发了陈胜、吴广农民大起义，各地反秦势力也乘机而起，出现了天下反秦的大势，并逐渐形成了以项梁为领袖，包括项羽、刘邦等人在内的反秦武装中心。

秦朝统治者垂死挣扎，调动军队，镇压起义，其中最凶悍的一支，就是少府章邯所统率的部队。它先后攻灭陈胜、吴广、田儋、魏王咎诸部，又在定陶之战中大破起义军主力，击杀项梁，使起义陷入低谷之中。

此时秦军产生骄傲情绪，以为"楚地兵不足忧"，遂移兵北上，攻打赵国。赵军退守巨鹿，为秦军重重包围。在万般紧急的形势之下，赵王歇等人遣使向各路反秦武装求援。楚怀王接到求援文书后，召集义军诸将商议，为防止义军为秦兵各个击破，同时利用关中空虚的机遇，楚军统帅部遂果断做出战略决策：宋义、项羽等率主力5万人北上救赵，伺机歼灭秦军主力；刘邦率部分兵力乘虚经函谷关进入关中，伺机攻打咸阳。这一战略部署的着眼点在于两支部队互相配合,双管齐下,使秦军陷入两线作战、顾此失彼的被动局面。

但北上主力部队的主帅宋义对和秦军进行决战存有胆怯畏惧的心理,故抵达安阳(今山东曹县东)后,即停止进军,观望形势,一连驻扎了46天。项羽不满宋义的做法,刺杀宋义,夺取军队领导权,统率大军北上救赵。其于秦二世三年(前208)十二月进抵漳水南岸后,即委派英布等人率2万人为前锋,渡过漳水,切断秦军运粮的通道,分割王离与章邯军之间的联系,使王离军陷入缺粮的困境。接着,项羽本人亲率楚军主力渡河跟进,并下令全军破釜沉舟,规定每位将士只带3日干粮,以显示全军上下一往无前、义无反顾,与秦军决一死战的决心。

接着项羽率楚军进至巨鹿城下,将第一线的王离军团团包围,以雷霆万钧的气势,迅雷不及掩耳的行动,向敌人猛扑过去,"楚战士无不一以当十,楚兵呼声动天"①,将王离麾下的秦军杀得溃不成军。章邯率部援救,也被楚军杀退。项羽指挥楚军连续作战,不给秦军任何喘息的机会,九战九捷,大破秦军,秦将王离被俘虏,秦军副将苏角身首异处,另一名副将涉间走投无路,被迫自焚而死。楚军取得辉煌的胜利,巨鹿之围遂解。

项羽在巨鹿之战中表现出的杰出指挥才能和一往无前的英勇气概,使各路诸侯无不为之震慑和敬重。这时他们便一致拥戴项羽为诸侯上将军,统一指挥所有集结在赵地的军队。项羽受命后,即率军对败退中的章邯余部实施战略追击。在一系列军事打击后,章邯完全陷入山穷水尽的绝境,不得已率20万秦军在洹水南岸的殷墟(今河南安阳西北)向项羽无条件投降,给巨鹿之战画上了一个句号。

巨鹿之战,是秦末农民大起义走向最后胜利的关键性一战。它一举全歼了秦军的主力,为刘邦乘虚入关,彻底埋葬秦王朝的统治创造了极为有利的条件,从根本上决定了整个秦末农民大起义的历史命运,影响极其深远。

---

① 《史记》卷七《项羽本纪》。

项羽在此役中表现出卓越的战役指挥才华，集中反映了"雷动风举""离合背乡""以轻疾制敌"① 的"兵形势家"天才特色。第一，坚决排除了宋义的错误战略方针的干扰，确保北上救赵的战略决策得以实施，从而避免了反秦武装为秦军各个击破的危险。第二，抱有破釜沉舟的大无畏胆略和决心，敢于以弱击强，以寡敌众，在精神上、气势上完全压倒了敌人。第三，善于分割、孤立敌人，使敌章邯部与王离部之间失去联系，无法互相救援，造成楚军在局部上的优势，为全歼王离军创造了十分有利的条件。第四，在聚歼王离军的过程中，发扬连续作战的作风，不予敌以任何喘息的机会，始终牢牢地掌握住战场上的主动权。第五，在顺利化解巨鹿之围，歼灭敌王离重兵集团之后，能够及时实施远距离战略追击，将残余的秦军主力章邯部逼迫到无路可走的绝境，促使其无条件投降，扩大了战果，使得秦王朝赖以镇压起义的军事机器全面崩溃。所有这些，都表明巨鹿之战是一次非常辉煌的战略决战，其中所反映的起义军及其领袖项羽的优秀作战指导艺术，乃是中国军事学术宝库的瑰宝之一。

第三节　汉军在楚汉战争中的战略方针

秦末农民大起义推翻秦王朝反动统治后，政治形势发生了重大而急剧的变化，这就是起义军首领项羽和刘邦为争夺全国统治权而展开长期的战争，中国历史由此而进入了楚汉相争的时期。

楚汉战争前后近四年时间。战争初期，刘邦处于劣势地位。但是刘邦富有政治远见，注意争取民心，招揽军政人才，因而在政治上据有主动地位。在军事活动方面，刘邦虚心采纳韩信《汉中对》的献计，善于运用谋略，巧妙利用矛盾，做到示形隐真，乘项羽东

① 《汉书》卷三十《艺文志》。

进镇压田荣反楚之际，明修栈道，暗度陈仓，占领战略要地关中地区。而后又以替楚怀王（义帝）报仇为旗号，联络诸侯军 56 万人袭占彭城，端了项羽的老窝，成为项羽的强劲对手。

然而在袭占彭城之后，刘邦满足于表面的胜利，置酒作乐，疏于戒备，被项羽的反击杀得丢盔弃甲，一败涂地，不得已实施战略退却，撤退到荥阳、成皋一线，与楚军相对峙。楚汉战争由此而进入战略相持阶段。

在战略相持阶段中，刘邦按照张良、韩信等人制定的战略，据关中为根本，实施以荥阳、成皋一线正面战场坚持为主，敌后袭扰和南北两翼牵制为辅的对楚作战方针，以政治配合军事，以进攻辅助防御。游说英布倒戈，从南线牵制项羽；派遣韩信开辟北方战场，翦除项羽的羽翼，对楚军进行战略迂回；联络彭越，袭扰楚军后方，迟滞楚军的进攻。同时由萧何治理关中、巴蜀，巩固后方战略基地，转运粮食兵员，支援前线作战。还采纳陈平的计谋，派遣间谍进行活动，分化瓦解楚军。

汉军的战略指导之本质是积极防御，在战略相持阶段曾成为汉军转弱为强的制胜法宝。在正面战场上，尽管楚军攻势猛烈，荥阳、成皋几经易手，形势经常不利于汉军一方，但是在关中根据地的人员物力源源不断的补充下，在敌后战场与北方战场的积极策应配合之下，刘邦在十分困难的条件下，最后还是牢牢控制住了荥阳、成皋等战略枢纽，使项羽处于进退失据、钝兵挫锐的被动处境，白白消耗力量，一筹莫展。

在北方战场上，韩信以杰出的指挥才能，为汉军的最终胜利打开了道路。他以木罂渡河平定魏地，保障了正面战场翼侧的安全；挺进太行山脉，在井陉之战中背水布阵，大破赵军 20 万人，阵斩陈余，擒获赵王歇，灭赵国，实现断楚之右臂的战略目标；遣使传檄，以强大的兵威慑服燕国，不战而下燕地；壅塞潍水，大败齐军，并一举歼灭龙且所率的楚方援军，平定三齐。韩信的指挥，使楚的东方、北方之地完全落入汉军之手，汉军遂完成了对楚的战略包围，战场的主动权至此已转移到汉军一方，楚汉战争的战略格局与态势已面临全面的改变。

与此同时，南方战场的英布与敌后战场的彭越在军事上的进展也相当明显，尤其是彭越活跃在楚军后方的游军，不断扰乱楚军侧后，使项羽腹背受敌，首尾不能兼顾，对楚军造成极大的威胁。项羽计无所出，被动挨打，渐渐滑向失败的边缘。

当刘邦在正面战场全歼曹咎守卫成皋的部队，再夺成皋，将战线推进到广武（今荥阳市东北广武山上）一线，韩信大破楚将龙且部 20 万人于潍水，彭越多次截断楚军粮道，攻下昌邑（今山东巨野南）等多座城池，楚汉战争遂进入了汉军的战略反击阶段。此时项羽见大势已去，不得不与刘邦议和，以鸿沟为界，中分天下，而后引兵东归。

由于汉军已对楚拥有了巨大的优势，刘邦遂把握时机，采纳张良等人的建议，撕毁墨迹未干的和约，于汉高帝五年（前 202）乘项羽引兵东撤之际，指挥汉军对楚军实施战略追击。随后在垓下合围楚军，在会战中，韩信布设"五军阵"，与项羽的部队激烈交锋。韩信的高明指挥，使楚军全线崩溃，一败涂地。绝望中，项羽拼死突围而出，在乌江为汉军追及，展开了最壮烈的厮杀，而后自刎乌江。公元前 202 年，刘邦称帝，建立汉朝，楚汉战争至此降下帷幕。

刘邦以弱小的力量，在楚汉战争中战胜强大的楚军，除了政治上注重争取人心和团结内部外，军事上的胜利主要在于对战略全局处置的适当合宜和作战指挥的高明正确。这具体表现为：第一，重视战备后方基地的建设，使汉军在人力物力上得到源源不断的补充，能够坚持长期的战争；第二，彭城之战失利后，鉴于汉弱楚强的实际情况，适时改变战略方针，转攻为守，持久防御，挫败项羽的速战速决企图；第三，制定出正面坚守，南北两翼牵制与进攻，敌后袭扰的作战部署，并坚决付诸实施，按"众寡之用"与"分合为变"的原则，正兵与奇兵交替使用，互为协同，巧妙策应，形成集中兵力与分兵钳制的有机统一，以主力抗衡敌之主力，以偏师打开战场局面，主次策应配合无懈可击，使楚军陷入多面作战的困境，顾此而失彼；第四，实施灵活机动的作战指导，致人而不致于人，千方百计调动对手，使之疲于奔命，并积极争取外线，逐步完成对楚军的战略包围；第五，巧妙离间，分化瓦解敌军，善于争取诸侯，最大限度地在政治、军事、外交上孤立项羽本人；第六，根据战略态势的变化，及时调整、改变原有的战略方针，变积极防御、战略相持为战略反击，在时机成熟之时与楚军展开最后的会战，全歼楚军，赢得楚汉战争的最终胜利。

项羽的败北，乃是与他政治上、军事上的重大失策密切相关的。他分封诸侯，违背了历史发展的趋势；他嗜杀好战，激起了民众的反对；他不重视争取同盟，导致了自己的孤立；他不善于起用人才，团结内部，导致了众叛亲离；他不注意战略基地建设，以至于无法长期支持战争；他缺乏战略头脑，只知道一味死打硬拼，没有主要的进攻方向，决定了他虽然能赢得不少战役、战斗的胜利，却不能扭转战略上的被动，最终导致了战争的彻底失败。项羽战场指挥的成功和战略指导的失策之间的巨大矛盾、反差，以及由此而导致的结局，给后世军事家留下了极其深刻的历史教训。

第四节　背水阵与韩信的用兵方略

有一句老话大家也许耳熟能详："时来天地皆同力，运去英雄不自由。"人在风头上，什么好事都跟着来，挡也挡不住，真是"春风得意马蹄疾，一朝看尽长安花"；可是人一旦背时失势，那么倒霉的事儿全能让你给碰上，甚至连喝口凉水也会碜牙。用兵打仗的道理也是一样，靠的就是一股"气势"、一种"威势"。有了"势"，那是顾盼自雄，不可一世，守必固，攻必克，战必胜，排山倒海，势如破竹，像股票市场上的强力股，一个劲儿地飙升；一旦失了"势"，那手脚就被捆住，攻也不是，守也不是，窝囊落魄，一筹莫展，连那八公山上的草木也来欺负你，"草木皆兵，风声鹤唳"。

　　韩非子说："势者，胜众之资也。"① 这个资本太重要了，"尧为匹夫不能治三人，而桀为天子能乱天下"②。既然是"时势造英雄"，那么兵学家同样要对"势"情有独钟，挖空心思琢磨"造势"，处心积虑以求"任势"，把"势"这个好东西牢牢掌控在自己的手中。

　　人们必须重视军事实力，可光有军事实力还不够，关键在于如何把军事实力淋漓尽致运用起来，发挥出来，即使静态的"力"转化为动态的"势"。所谓"势"，就是"兵势"，它作为中国古典兵学的一个重要范畴，主要是指军事力量的合理组合、积聚和运用，充分发挥其威力，表现为有利的态势和强大的冲击力。换句话说，"势"是战争指导者根据一定的作战意图，匠心独运，灵活地部署兵力和正确地变换战术所形成的有利作战态势。为此，孙子曾用十分形象的比喻来说明"势"的特征："势"就是转动大石头，从万丈高山顶上推滚下来，或者是像湍急的流水以飞快的速度奔泻，以至把河床上的石头冲得漂浮起来。在这样强大的"势"的冲击面前，任何敌人都无法抵挡，遇之者毁，触之者折，抗之者灭："故智者从之而不释，巧者一决而不犹豫。是以疾雷不及掩耳，迅电不及瞑目，赴之若惊，用之若狂，当之者破，近之者亡，孰能御之！"③

　　一般认为，合理的编组、有效的指挥、灵活的战法、虚实的运用，这四者是"造势"和"任势"的客观基础；而快速突然和近距离接敌，造成险峻可怖的态势，把握恰到好处的战机，采取猛烈而短促的行动节奏，则是"造势""任势"的必有之义和最佳表现，即所谓"善战者，其势险，其节短。势如彍弩，节如发机"④。

　　要做到这一步，首要的任务是妥善解决战术变换和兵力使用上的"奇正"问题。"用兵之钤键，制胜之枢机"，这是古人对"奇正"地位与价值最富有诗意，也是最到位的总结。"奇正"的概念

①　《韩非子集解》卷十八《八经》。

②　《韩非子集解》卷十七《难势》。

③　《六韬》卷三《龙韬·军势》。

④　《孙子兵法新注·势篇》。

最早见于《道德经》一书，老子说过："以正治国，以奇用兵，以无事取天下。"① 不过真正把它引入军事领域并系统阐发的，孙子当之无愧是第一人。中国古代的理论范畴一般都很模糊，追求的是一种只可意会不可言传的混沌境界，"奇正"的情况也一样，含义之蕴藉丰富，表述之隐晦曲折，令人回味深长。一般地说，常法为正，变法为奇；在兵力的使用上，用于守备、相持、钳制的为正兵，用于机动、预备、突击的为奇兵；在作战方式上，正面进攻、明攻为正兵，迂回、侧击、暗袭的为奇兵；在作战方法上，循规蹈矩，按一般原则进行作战的为正兵，"偷鸡摸狗"，采取特殊战法破敌的为奇兵；在战略态势上，堂堂正正下战书，然后进兵交锋为正，突然袭击，出其不意，诡诈奇谲，比如日本人在珍珠港玩的那手为奇。

孙子第一次用精练又生动的文字描绘了"奇正"的要旨：凡是展开军事行动，无论是进攻还是防御，在兵力的使用上，一般要用正兵去当敌，用奇兵去制胜："凡战者，以正合，以奇胜。"而在战术变换上，则要做到奇正相生，奇正相变，虚虚实实，真真假假，变化无端，出神入化："战势不过奇正，奇正之变，不可胜穷也。奇正相生，如循环之无端，孰能穷之？"② 在孙子看来，一名将帅如果能根据战场情势的变化来灵活理解和巧妙运用"奇正"战术，做到战术运用上正面交锋与翼侧攻击浑然结合，兵力使用上正兵当敌与奇兵制胜相辅相成，作战指挥上遵循"常法"与新创"变法"互为弥补，那么不管怎样强大的敌人，收拾起来也是轻松愉快，这就算是真正领会了用兵打仗的奥妙精髓，也为"造势"和"任势"创造了必要的条件。总而言之，一切都应该从实际情况出发，当正则正，当奇则奇，因敌变化，攻守自如，从而进入驾驭战争规律的自由王国。

理解和运用"奇正"的重要性固不待言，而要在这方面有所作为，独领风骚，关键在于"造势"和"任势"，即积极发挥将帅的

---

① 《老子道德经注校释》下篇《五十七章》。
② 《孙子兵法新注·势篇》。

主观能动性，使自己方面的军事潜能得到最佳的凝聚和施展，十八般武艺都拿出来，掌握作战的主动权，形成强大无比、摧枯拉朽的战斗力："善战者，求之于势，不责于人，故能择人而任势。"① 在此基础上把对手打得落花流水。这方面，韩信"背水阵"破赵一役堪称典范。

楚汉战争初期，项羽的兵力远远胜过刘邦，拥有战略上的优势，因此，在几次重大的战役中，刘邦曾多次败于项羽。但是项羽由于政治上的失策和军事战略上的错误，并未能有力地扼制刘邦势力的继续发展。相反，刘邦方面注意政治上争取民心，孤立和打击项羽，军事战略上有一套正确的指导思想，所以得以牢牢掌握着楚汉战争的主动权，一步步消耗项羽的实力，蚕食项羽的势力范围，由战略上的劣势地位转化为优势地位，赢得了这场战争的最后胜利。韩信卓越的指挥艺术和取得的重大战果，对这一转折的完成，是有着重要贡献的。

公元前205年，项羽在彭城大败刘邦，歼灭了汉军主力。这使得诸侯纷纷背汉归楚，刘邦的处境十分困难。这时，张良向刘邦提出建议，主张争取英布，重用韩信和彭越，从各方面形成反楚的强大势力。刘邦采纳了这一建议，制定了规模宏大的作战部署。具体内容是在正面战场坚守荥阳、成皋地区，阻遏项羽的攻势，并令彭越在梁地开辟敌后战场，配合正面，调动和疲困楚军。在北方战场，命令大将韩信率领一部分兵力，逐个歼灭黄河以北的割据势力，向楚军的侧背发展。在南方战场，策反九江王英布，让其进攻楚军侧背，牵制项羽。韩信平定赵地，就是这一战略计划的具体实施环节之一。

公元前205年，韩信率军击灭魏王豹，平定了魏地。当时，黄河北岸尚有代（今山西北部）、赵（今河北南部）、燕（今河北北部）三个割据势力。它们都投靠项羽，成为楚的羽翼。要灭楚，就必须翦除这些诸侯国。韩信针对这些割据势力只图据地自保、互不

---

① 《孙子兵法新注·势篇》。

相援的弱点，向刘邦提出进一步开辟北方战场，逐个消灭代、赵、燕，东击田齐，南断楚军粮道，然后同汉王合师于荥阳的作战计划。刘邦非常赞许这个作战计划，给韩信增调步兵三万，并派遣熟悉代、赵等国情况的张耳去辅佐韩信。

公元前 205 年闰九月，韩信率军击破了代国，活捉代国的相国夏说。战斗一结束，刘邦就把韩信的精兵调往荥阳一带去正面抗击项羽的进攻。次年十月，韩信率领数万名刚召募来的士兵，翻越巍巍太行，向东挺进，前去进攻赵国。

要前往河北平原，必须通过今河北石家庄鹿泉区的井陉山。井陉山以四面高平、中间低凹如井而得名。山势从西南向东北，层峦叠嶂，参差环列，方圆百里，车不能并行，骑不能成列，根本不利于大部队行动。

井陉口是太行山有名的八大隘口之一，就是现在河北鹿泉西十里的土门关。在它以西，有一条长约百里的狭窄驿道，易守难攻，不利于大部队的行动。当时，赵王歇和赵军主帅陈余集中了号称二十万的兵力于井陉口，凭险据守，准备与韩信决战。

赵军的谋士李左车认真地分析了敌情和地形。他向陈余献计：韩信越过黄河，俘虏了魏王豹、夏说，乘胜进攻赵国，士气正旺，"其锋不可当"，所以我们必须避开汉军的锋芒。但是汉军方面也并非无间隙可乘，这表现为，汉军的军粮必须从千里以外运送，补给困难。井陉口道路狭窄，车马不能并行，它的军粮一定在后面，请您让我带领奇兵三万人马从小道出击，去夺取汉军的辎重，切断韩信的粮道，您自己带领赵军主力，深沟高垒，坚决不出战。这样一来，必能使得韩信求战不能，后退无路，不出十天，就可以打垮汉军，把韩信和张耳的首级拿回来。不然的话，我们是一定会被汉军打败的。然而，刚愎自用的陈余认为韩信兵少且疲，不应避而不击，拒绝采纳李左车的正确作战方案。

韩信探知李左车的计策没有被采纳，赵军主帅陈余有轻敌情绪和希图速决的情况后，非常高兴，立即指挥部队开进到距井陉口三十里的地方驻扎下来。当天夜里，韩信传令部队向前推进。同时，挑选两千名骑兵，让他们每人手持一面汉军的红色旗帜，从偏僻小路迂回到赵军大营侧翼的抱犊寨山（今河北井陉县北）隐藏起来，等待赵军离营追击汉军之时，乘机抢占赵军营寨，把汉军的红旗竖立起来，从侧后断敌归路。接着，韩信又派遣一万多人到绵蔓水（今河北井陉县境内）东岸，背靠河水摆成阵势，以迷惑调动赵军，增长其轻敌情绪。赵军望见汉军背水列阵，无路可以退兵，都窃笑韩信不懂兵法，对汉军更加轻视。

次日清晨，韩信亲自率领汉军，打着大将的旗帜，携大将的仪仗鼓号，向井陉口开进。赵军见状，果然离营出战。双方大战良久，汉军假装战败，扔掉旗鼓仪仗，向绵蔓水方向后撤，与事先背水列阵的部队迅速会合。赵王歇与陈余误以为汉军真的打了败仗，于是挥师追击。汉军士兵看到前有赵兵，后有大河，无处可退，只好拼死抵抗。这时，埋伏在赵军营垒翼侧的汉军骑兵乘势抢占了敌军营寨，迅速拔下赵军旗帜，换上汉军红旗。赵军久战不胜，陈余只得下令收兵。这时，赵军猛然发现自己大营已全部插上汉军旗帜，大惊失色，纷纷逃散。占据赵营的汉军轻骑见赵军溃乱，乘机出击，从侧后切断了赵军的归路，而韩信也指挥部队全线发起反攻。赵军向泜水（今槐河）败退，被汉军追上，结果全部被歼灭，陈余被杀，赵王歇被俘。

韩信的背水一役，堪称中国战争史上巧妙运用"奇正"原理而取胜的典范之一。在作战部署上，他夜半派出两千轻骑，令其各持汉军赤旗一面，潜伏于赵军大营附近的山中，待机攻占赵营，同时沿绵蔓水布列阵势，诱敌相攻。这正是兵分奇正的高明之举，与"奇非正，则无所恃；正非奇，则不能取胜"①的作战原则相合。在作战程序上，他建大将旗鼓，与赵军会战，后又依托背水阵抗击赵军猛攻，是谓"以正合"；而潜伏之两千轻骑偷袭赵营，一举成功，扰乱赵军军心，导致其溃败，己方则乘机反攻，大获全胜，斩杀陈余，追擒赵王歇，是谓"以奇胜"，充分体现了"兵不奇则不胜。

---

① 《武经总要》前集卷四《奇兵》。

凡阵者，所以为兵出入之计；而制胜者，常在奇也"① 的兵法要旨。就背水阵本身而言，韩信也使得它具有了奇正皆备的双重性质：背水列阵，并非常规之战法，是为"奇"；但是当把赵军诱引到阵前进攻时，汉军"三军一人"，全力抵抗赵军的强攻，则背水阵乃由"奇"转变为"正"了。此真可谓"奇正合宜，应变弗失，百战百胜之道也"②。

《唐太宗李卫公问对》卷上有言："凡将，正而无奇，则守将也；奇而无正，则斗将也；奇正皆得，国之辅也。"③ 可见，韩信的背水阵破赵之役，成功的关键之一，在于真正做到了"奇正皆得"，这包括兵力使用上的奇正并用与战术运用上的奇正相生，彻底扰乱了赵军的军心和整个作战部署，使其无法分清战场形势，自乱阵脚，在汉军的前后夹击之下，一溃而泻千里，陷于灭顶之灾。

井陉之战获胜后，汉军的一些将领向韩信请教胜利的原因，韩信回答说："背水阵在兵法上也是有的，即所谓'陷之死地而后生，置之亡地而后存'。我军大多是刚刚招募来的新兵，没有经过严格正规的训练，如同集市上的人群去冲锋陷阵一样。因此，必须把他们置于后退无路的'死地'，他们才会拼死战斗，否则就会导致失败。"由此可见，韩信能够背水列阵而破敌，正是他活学兵法、超常用兵的结果。

《唐太宗李卫公问对》继承和发展了孙子"奇正相生"思想，提出"吾之正，使敌视以为奇；吾之奇，使敌视以为正""以奇为正，以正为奇，变化莫测""善用兵者，无不正，无不奇，使敌莫测，故正亦胜，奇亦胜"的新的阐释。④ 该书认为，把这规定为正，把那规定为奇，只是在教阅时才那样做，到了战场上，就无所不正，无所不奇，一切要依据具体的作战态势和敌情变化而定；如果死守

---

① 《武经总要》前集卷四《奇兵》。
② "中央研究院"历史语言研究所编：《明实录附录·明太祖宝训》卷五《谕将士》，"中央研究院"历史语言研究所，1967 年。
③ 《唐太宗李卫公问对》卷上。
④ 《唐太宗李卫公问对》卷上。

预先规定好的奇正，而不知变化，就会正也不是正，奇也未必奇，因为这本身就违背了奇正原则。《唐太宗李卫公问对》的这一阐释，揭示了孙子"奇正"理论的精义所在。

第五节　西汉平定"吴楚七国之乱"的战略决策与实践

汉高祖刘邦战胜项羽，夺取天下，建立西汉政权后，错误地总结历史教训，认为秦朝的二世速亡在于没有分封宗室子弟为王，结果当天下纷纷起兵反秦时，就没有人为朝廷卖命，皇室"茕茕孑立，形影相吊"，孤立无援。所以，西汉建立后，刘邦即在全国实行郡国并行制，除了分封异姓功臣为诸侯王以外，还分封刘氏宗室子弟为同姓诸侯王。但是，事与愿违的是，虽然刘邦和吕后处心积虑、不择手段铲除了韩信、彭越、英布等异姓王，可刘邦一死，仍是祸起萧墙，变生肘腋。先有吕后长达十五年的专权与诸吕谋乱，后有各诸侯王的违法乱政，对抗中央，统治集团内部的矛盾并未因裂土分封和血缘上的同宗共祖而稍有减缓。

文帝在位时，由于地区的不平衡和区域经济的发展，各诸侯王的羽翼已趋丰满，足以与朝廷分庭抗礼，中央与地方诸侯王关系遂进入高度紧张的阶段，双方的矛盾冲突处于一触即发的状态。故贾谊上《治安策》，忧心忡忡地指出，同姓诸侯的不遵纪守法，野心勃勃，对抗朝廷，阴谋叛乱，是天下"可为痛哭"的危险，因而建议"欲天下之治安，莫若众建诸侯而少其力"，以便"令海内之势如身之使臂，臂之使指，莫不制从"。① 汉文帝部分地采纳了贾谊和太子家令晁错的建议，一方面把诸王的一部分封地收归朝廷直接管辖，一方面在诸侯的封地内再分封几个小诸侯国，以分散、削弱诸王的

---

① 《汉书》卷四十八《贾谊传》。

权力。同时还将自己的少子刘武封为梁王，控制中原要地，以为朝廷屏障。但汉文帝宅心仁厚，未能采取进一步果断的行动。

汉景帝即位后，以皇帝为代表的中央政权与诸侯王为代表的地方割据势力之间的矛盾更趋于激化，所以晁错提出"宜削诸侯事"，主张"削藩"，他曾敏锐地指出"今削之亦反，不削亦反。削之，其反亟，祸小；不削之，其反迟，祸大"①。景帝感到事态严重，为了汉朝的长治久安，听从了晁错的建议，开始削藩。朝廷的这一政策，立即激起了各诸侯王的强烈不满，吴王刘濞纠合了胶西王、胶东王、菑川王、济南王、赵王、楚王等诸侯，并约请闽越、东越等出兵相助，以"请诛晁错，以清君侧"为借口，策划叛乱。景帝屈服于压力，杀死晁错，以求与诸侯王相妥协，但叛乱并未因之而平息。景帝前元三年（前 154），吴王刘濞公开举起反叛旗帜，起兵三十万，从广陵出发渡淮河，向西汉统治中心进发，计划渡淮河后，与楚军会师，夺取梁地，解除西进时的后顾之忧，西向攻取荥阳，然后与北路的赵国叛军和南路的南越叛军会师于洛阳，而后合力西取长安。当时出兵者共有吴、楚、胶西、胶东、菑川、济南、赵七国，故史称"七国之乱"。局势的发展表明，中央再无退缩妥协的余地，只有从军事上彻底击败叛军，才能战胜地方割据势力，维护中央的权威，再造全国一统的局面。为此，汉景帝任命太尉周亚夫为汉军总指挥，统领三十六名将军率汉军主力东攻吴楚，另派郦寄击赵，栾布攻齐，并以窦婴屯驻于荥阳，居中策应，决心以武力粉碎这场来势汹汹的武装叛乱。

周亚夫临危受命之后，即认真制定了平叛战争的总战略。这个平叛的战略与策略方针，对于迅速平定叛乱起到了决定性的作用。其在战略谋略与作战指导上有以下几个层次与特点：

其一，战略指导上的避敌锐气。避敌锐气是为了制造战略反攻的有利时机，变被动为主动。吴国地处海滨，境内有渔盐矿藏之利，国富民殷，经济实力在各诸侯国中最为雄厚，而吴王刘濞处心积虑

---

① 《汉书》卷三十五《荆燕吴传》。

苦心经营三十年后反叛中央，又动员并联合了六个诸侯国一起行动，急于与汉军决一死战，汉军则是被动迎敌。在这种情况下，对付吴、楚叛军，必须慎重从事。周亚夫认识到了战略态势上的这种客观情况，所以一领受平叛重任，立即将自己的平叛方略面奏汉景帝，认为"楚兵剽轻，难与争锋"，在战略上，汉军不能立即与叛军拼，必须避其锋芒，所以他请求汉景帝"愿以梁委之"，① 即不能计较一城一地得失，而是宁舍弃部分土地，以空间换取时间，牵制和迟滞叛军的行动，待敌人疲惫，再相机破敌。这一总体战略原则的确立，对汉军取得平叛战争的最后胜利是至为关键的。

其二，在战略主攻方向上以吴王刘濞所率吴、楚联军为重点。"七国之乱"虽有七个诸侯国参加，但核心是吴国。从当时形势看，吴王刘濞所率的吴、楚联军是叛军中对西汉威胁最大，也是各路叛军中实力最强的。因为，山东的胶西、胶东、菑川、济南四国虽也起兵反叛中央，却将主要兵力用于围攻齐国的临淄，一直未敢向汉朝统治的腹心地带进攻。河北的赵王实力有限，在观望中向中原进兵，汉廷派偏师即可予以遏止。同时，吴王刘濞虽计划三路进兵，分进合击，但由于策应的其他两路均未按计划行动，实际上只有以吴王刘濞率领的吴、楚联军一路突出，孤军作战。这样，如果将吴、楚联军击败，其他叛乱势力就不足为虑，可轻易化解。比如，汉景帝派去钳制赵、齐叛军的是汉朝的二流将军郦寄和栾布，并只予其部分兵力。所以，汉朝中央在制定战略决策时，就认为吴王刘濞是叛乱的主谋和核心人物，其统率的吴、楚联军为叛军的主力，因而自然是汉军主要的打击对象。周亚夫被任命为汉军主力的统帅后，十分明白自己肩负的重任，视"制"东方的吴、楚为自己最重要的使命，所以在战略部署上以东出洛阳、荥阳为击败叛军的要着。

其三，实现战略决策过程中运用了高明的战略指导，即避短用长，抢占战略要地。周亚夫作为平叛的主帅，不仅有卓越的军事指挥能力，而且善于听从谋士们的高明建议。首先，他接受了赵涉的

---

① 《汉书》卷四十《张陈王周传》。

建议，改变行军路线，平叛大军避开潼关、崤渑和函谷关的险道，改行长安东南，出蓝田、武关，迂回至洛阳，顺利抢占洛阳的武库，以迅雷不及掩耳之势，夺取荥阳要地。洛、荥是叛军进入关中的唯一通道，也是叛军战略计划中西进关中的必经之地。占据洛、荥，就使汉军处于可攻可守的地位，不利时可以在此与叛军相持，拒敌于无险可守的黄淮平原；形势有利时则可以利用车兵的优势，东出歼敌于平原旷野。事实上，吴王叛乱之初，吴国的将领桓将军即向吴王刘濞献策："吴多步兵，步兵利险；汉多车骑，车骑利平地。"[①]建议挥师快速西进，沿途不要将精力用于攻城夺地，最好是以最快速度抢占洛阳的武库，据有荥、洛之间的山地和黄河渡口，这样，即使不能西入关中，仍可以号令天下，"虽毋入关，天下固已定矣"[②]。只是吴王并未听从这一高明的建议。而周亚夫则认识到荥、洛的战略地位，捷足先登，让叛军以为汉军从天而降，已无时间去争夺这一天下之中枢，从而在战略上站稳了脚跟，陷敌于被动。夺取荥、洛后，周亚夫曾说："七国反，吾乘传至此，不自意全。今吾据荥阳，荥阳以东，无足忧者。"[③] 其次，在吴楚叛军急攻梁地的情况下，周亚夫按照预先设计的战略，不急于率兵奔赴东南去救援正被吴、楚军进攻的梁国，而是听从了邓都尉的建议，避吴军之锐气，进据昌邑，与梁国睢阳的守军形成掎角之势，这样，既可威胁吴、楚联军的侧背，又可防止吴军绕过梁地西进荥阳。进据昌邑后，又深沟高垒，对叛军守而不战。结果，吴军尽锐以攻梁，尽管梁王求救，景帝也亲自下令周亚夫率军援梁，周亚夫仍不为所动，而是按既定战略，待吴军久攻梁地不下，力疲志殆，陷于无法脱身的地步后，才派弓高侯等率轻骑兵径出淮泗口，迂回到叛军的后方，切断叛军粮道，使叛军陷于粮尽兵疲的境地。等到叛军粮食断绝，又久攻梁地不下，急于寻找汉军主力决战时，周亚夫在下邑（治今安

---

① 《史记》卷一百六《吴王濞列传》。
② 《史记》卷一百六《吴王濞列传》。
③ 《资治通鉴》卷十六《汉纪八》，景帝前元三年。

徽砀山）仍坚壁不出，进一步疲敌。最后，吴军只得无功而撤，这时周亚夫认为决战时机已到，立即率精兵追击，结果以逸待劳，变被动为主动，一举消灭了吴、楚疲惫之师，彻底平定了"吴楚七国之乱"。

西汉平定七国叛乱的战争，是一场反对割据、维护国家统一和安定的战争。在这次战争中，汉军抢占关东战略要地荥阳，控制南北要道，争得了战略上的主动，造成了东阻吴楚、北拒齐赵、屏蔽关中的有利态势。然后以一部钳制齐、赵，而把吴、楚作为主要打击目标，并根据楚军剽轻、吴军精锐的客观情况，采取了"以梁委之"，吸引和消耗吴、楚联军，乘敌疲敝而后击的正确作战方针，最终各个击破，迅速平定了七国之乱。反观吴、楚等七国，为了维护诸侯割据而发动战争，破坏国家统一和社会安定，违背了历史发展的潮流。七国内部钩心斗角，矛盾重重，各怀鬼胎，步调不一，缺乏统一的计划和指挥。叛乱初期所提出的分进合击，从南、北、东三个方向包围关中，先取荥、洛，会师长安的构想，由于各诸侯国或临时背约，或轻易改变，或屯兵观望而化作泡影。吴王既不听田禄伯、桓将军的进军计划，又忽视了对粮道的设防，孤军一路，全力攻梁，结果顿兵坚城，丧失主动，最终的失败不可避免。

第六节　汉匈战争及其战略指挥

在战国七雄逐鹿中原之际，北方崛起了一个强悍的民族——匈奴。匈奴政权的建立大约在公元前209年，它的极盛时期是在公元前209—前128年，大致相当于从秦朝末年到汉武帝元朔元年这一阶段。公元前4世纪，匈奴王庭位于漠南阴山以北的头曼城，距黄河河套已经不远。公元前4世纪末，赵武灵王将长城筑到阴山南麓，但匈奴势力不久就突破了长城，占领了河套以南的地方。秦统一六国后，于公元前215年派遣蒙恬统军30万北击匈奴，全部收复了

"河南"地区。① 但是十多年后，当秦朝崩溃，楚汉战争打得不可开交之际，匈奴势力再度深入"河南"，并且多次攻掠了燕郡（河北北部）和代郡（山西北部）。

公元前 200 年左右，汉王朝建立之初，匈奴军队突然包围了并州北部的马匹交易地马邑，紧接着又南侵太原，迫使刘邦亲率 32 万大军北上反击，一直攻到平城（治今山西大同东北）。但是习惯于中原作战的汉军步兵完全不适应机动性极强的骑战，一夜之间竟被 30 多万匈奴骑兵反包围于平城以东十七里的白登山，最后只好以和亲为条件，订下了屈辱的城下之盟。此为汉廷与匈奴之间的第一次大战。此后汉朝因建立初始，干戈方息，实力不逮，百废待兴，不得不在军事上采取守势，消极防御，力求以和亲与财物供奉的方式维持边境的和平。但是和亲和防御并不能真正遏制匈奴的进攻，汉朝的边患始终很严重。

在以后的时间里，汉朝历经惠帝、吕后与文、景两帝，一方面休养生息，发展生产；一方面开始调整军队的兵种结构，大力建设骑兵部队。如汉文帝时，"令民有车骑马一匹者，复卒三人"②，规定每一农户要养马一匹，以资军需。匈奴方面则占领了河西走廊，又征服了西域，从正北和西北两个方向对中原形成包围之势。公元前 180 年至前 146 年间，匈奴骑兵频繁地对陇西到辽东的长城以南地区进行掳掠袭扰，边境冲突持续不断，汉军也进行了坚决的反击，有力地遏制了匈奴向中原的推进之势，使战线基本上稳定在西北边境线上。这一时期也可以称为相持阶段。

汉武帝登基后，即积极从事反击匈奴的战争准备。军事上进一步加强骑兵部队的建设，修筑军事要道；政治上加强中央集权，如"举贤良文学"以扩大统治基础，举行封禅礼以提升皇帝权威，实行"推恩法"以削弱地方势力，等等；经济上实行盐铁官营以增加战争物资储备，从而全面造就了战略反击匈奴的条件。在此基础上，汉

---

① 《史记》卷八十八《蒙恬列传》、卷六《秦始皇本纪》。
② 《汉书》卷二十四上《食货志上》。

武帝于元光六年（前129）起，展开了大规模反击匈奴的战争行动，深入匈奴境内，对匈奴贵族势力实施严厉的打击。

经过漠南、河西两大战役，汉军收复了"河南"地区，消除了匈奴对京师长安的直接威胁；攻占了河西走廊地区，打通了汉通西域的道路，断绝了匈奴与西羌的联系，并将匈奴两部切断，实现"断匈奴右臂"的战略目标。至此，汉军已完全占有了整个战争的主动权。汉武帝为了彻底歼灭匈奴主力，从根本上解决边患问题，遂决定对匈奴采取更大规模的军事行动，集中兵力，深入漠北，寻歼匈奴主力。这样，就发起了漠北之战。

在这场战役中，武帝集中了精锐骑兵10万人，组成两个大的战略集团，分别由大将军卫青、骠骑将军霍去病统率。另以步兵数十万、驮马十余万匹配合骑兵主力的行动。卫青、霍去病接受任务后，于元狩四年（前119）春各率精骑5万，步兵后勤和支援部队数十万，分别出定襄和代郡，沿东、西两路北进，决心在漠北与匈奴进行会战。

匈奴单于得悉汉军将至，在转移辎重、部众、牲畜的同时，"以精兵待于幕北"①，企图待汉军疲惫后再歼之。卫青出塞后，得知单于的战略意图和王庭所在地，当机立断，率主力直扑单于大营，迅捷北进数百公里，横度大沙漠后，两军主力遂相遇。卫青下令用武刚车环绕为营，以防匈奴骑兵袭击，同时指挥数千精骑向单于军发起猛攻，单于当即派遣万骑应战。双方激烈厮杀，直至黄昏。这时大风骤起，飞沙扑面，两军难辨彼此，形成一场混战。卫青乘势分轻骑从左右迂回包抄，单于见战况不利，就率数百骑突围，向西北方向逃遁。卫青立即派遣轻骑连夜追击，自己则率主力随后跟进，一直进至寘颜山（今蒙古国杭爱山南麓）的赵信城，放火焚毁其城以及匈奴的积粟，然后胜利班师。是役共歼匈奴军近两万人。

在另一个主攻方向上，霍去病率军出代郡和右北平，北进一千余公里，穿过大漠，与匈奴左贤王部接战，尽歼其精锐部队，俘获

① 《汉书》卷九十四上《匈奴传上》。

和斩杀匈奴屯头王以下 7 万余人。左贤王弃军逃逸，仅以身免。霍去病乘胜追杀，直抵狼居胥山（今蒙古国乌兰巴托东），兵锋逼至贝加尔湖畔，然后凯旋。

漠北之役是汉、匈之间规模最大、战场距离中原最远，也是最艰巨的一次战役。在这场交锋中，汉军共歼匈奴军 9 万余人，严重地削弱了匈奴的势力，使匈奴从此无力再大举南下，形成了"是后匈奴远遁，而幕南无王庭"① 的局面，汉武帝反击匈奴之战至此取得了决定性的胜利。

漠北之战也是汉军实施的规模最大的超远距离骑兵集团作战，充分表现了汉军骑兵的独立作战水平和后勤支援能力。此战虽然迫使匈奴放弃漠南，向西北方远遁，但汉军也付出了惨重的代价。据汉史资料所记，当时卫青、霍去病两军出塞时，塞上登记的过境马匹共 14 万匹，而战后入塞时则不足 3 万匹；步卒的死亡人数也多达数万名。故此战之后，汉军由于缺少战马，已无力实施追击了；而匈奴伤亡殆尽，自然也不敢再来入边。直到公元前 114 年，汉将公孙贺率 15000 骑从九原再次出塞，军行 2000 余里，竟然看不见一个匈奴人；朝廷又派赵破奴从令居出塞，直至匈奴河水（今蒙古国杭爱山南麓），也看不到一个匈奴人。

十年以后，太初元年（前 104），汉军再次攻击匈奴右部，匈奴北退，大军西征，爆发了楼兰之战。此后近三十年，汉匈之间又展开了对西域的争夺战。直至汉宣帝五凤四年（前 54），匈奴国分裂，南匈奴降汉回归漠南，北匈奴应康居（在咸海与巴尔克什湖之间）国王之邀西迁至都赖水（今塔拉斯河）上游。至此，匈奴势力才不再对中原地区构成威胁。事实上，直到东汉和帝永元二年（90）的金微山（今阿尔泰山）之战后，北匈奴的势力才最后退出中亚地区。他们先是西迁至康居，之后又离开康居，绕过咸海，一直向西走到伏尔加河流域定居下来，成为公元 4 世纪时伏尔加河流域匈人的祖先。

---

① 《汉书》卷九十四上《匈奴传上》。

　　以漠南、河西、漠北三大战役为中心的反击匈奴之战，在战略指导与战术运用上有颇多可称道之处。第一，进行充分的战争准备，做到了"胜兵先胜而后求战"①，即根据对匈奴作战的需要，建设骑兵，选用青年将领；军事与外交密切配合，以孤立匈奴；实施战时经济体制，保障对匈奴作战的后勤供应。第二，高明运用骑兵战术，采取积极进攻的方针。汉军在几次重大战役中都充分发挥了骑兵快速机动的特点，实施远距离迂回、包抄、奔袭，连续进攻，不给敌手以喘息的机会，既能出其不意，又能威加于敌，给匈奴军以大创聚歼，取得了巨大的战果。第三，采取各个击破的方针。汉军在打击敌手时，先弱后强，循序推进，切断匈奴各部之间的联系，分而制之，始终掌握着战争主动权。同时，还能注意主力与偏师之间的配合，以偏师牵制对手，以主力重创对手，收到了很好的效果。

　　尤其值得注意的是汉匈战争的重大军事学术意义，即它改变了传统的中原作战方式。原来只是作为军之"耳目"的骑兵部队现在成为作战的主力，而步兵的作战对象已不是敌方的步兵，所以必须具备抗击敌之骑兵密集攻击的能力，于是弓弩兵的配置受到重视，如武帝时的名将李陵任骑都尉时，曾受命在酒泉、张掖训练5000名步兵弓箭手，他在以步兵抗击敌优势骑兵的进攻时，便是令步兵利用地形以弓弩给敌骑兵以重大杀伤的。战车则更多的是用来防御，而不是攻击，如漠北决战中，汉军与匈奴主力遭遇后，便将武刚车环绕为营，以防敌骑突袭。由于匈奴骑兵出没无常，汉军塞外行军也采取疏散的队形，而且把侦察部队派出很远，以便及时报警。总之，正是这样长期的作战环境，迫使汉朝军队摆脱了楚汉战争时期以步兵为主的作战方式，而开始全面进入骑兵时代。

---

① 《孙子兵法新注·形篇》。

第七节　昆阳之战与刘秀的作战指挥艺术

昆阳之战爆发于更始元年（23），它是绿林起义军推翻王莽政权的一次战略性决战，也是我国历史上以少胜多的一个典型战例。在这次决战中，刘秀等人领导的农民起义军，以大无畏的勇敢精神和灵活机动的战法，一举全歼王莽军的主力，撞响了新莽王朝彻底覆灭的丧钟，在历史上具有一定的进步意义。同时它也有力地印证了吴起所说的"贤将"在战争进程中的特殊作用。

西汉末年，政治腐败，经济凋敝，民不聊生，危机四伏。外戚王莽利用这一形势，玩弄权术，夺取政权，建立新朝。但王莽上台后"托古改制"的做法，不仅没有使情况有起色，反而导致阶级矛盾更趋激化。广大民众在忍无可忍的情况下，纷纷揭竿而起，以武力反抗新莽的统治。一时间起义的熊熊大火燃遍黄河南北和江汉地区，新莽王朝完全处于众叛亲离、风雨飘摇的困境。

在当时众多的农民起义军队伍中，尤以绿林、赤眉两支声势最为浩大。他们在军事上不断打击新莽势力，逐渐向王莽统治腹心地区推进。新莽王朝不甘心退出历史舞台，拼凑力量作垂死的挣扎，农民起义于是进入了最后进攻阶段。昆阳之战正是这一历史背景下的产物。

新莽地皇四年（23）初，绿林军各部乘王莽主力东攻赤眉，中原空虚之机，挥师北上，在沘水（今河南泌阳境）击破王莽荆州兵甄阜、梁丘赐部。接着又在清阳（今河南新野东北）击败严尤、陈茂部，兵力扩充到十余万人。在胜利进军的形势下，农民军萌发了建立政权的要求，遂于二月间推举汉室后裔刘玄为帝，恢复汉制，年号更始。更始政权的建立，标志着农民起义进入了新的发展阶段。

更始政权建立后，即以主力北上围攻战略要地宛城（今河南南阳）。为了阻止王莽军的南下，保障主力展开行动，更始政权另派王凤、王常和刘秀等人统率部分兵力，乘敌严尤和陈茂军滞留于颍川郡一带之际，迅速攻下昆阳（今河南叶县）、定陵（治今河南舞阳东北）、郾县（今河南郾城南）等地，与围攻宛城的主力形成掎角之势。这为下一步进击洛阳，与赤眉军会师，以及经武关西入长安消灭王莽政权创造了有利的条件。

王莽政权对农民军的战略动向十分不安，于是慌忙调整军事部署，将主力由对付赤眉转向对付更始军。三月间，王莽派遣大司空王邑和司徒王寻奔赴洛阳，在那里征发各郡精兵 42 万，号称百万，南下进攻更始军，企图以优势兵力与更始军进行决战，一举而胜，以保宛城，安定荆州，保障长安、洛阳的安全。

五月间，王邑、王寻率军西出洛阳，南下颍川，在那里与严尤、陈茂部会合，并迫使先期进抵阳关（今河南禹州西北）的更始军刘秀部撤回昆阳，而后，继续推进，迫近昆阳。

当 42 万新莽军逼近昆阳之时，昆阳城中的更始军仅有八九千人。如何对付来势汹汹的强敌，更始农民军开始时意见并不统一。有的将领认为敌我兵力众寡悬殊，不易取胜，因而主张避免决战，化整为零，先回根据地，再图后举。刘秀则反对这种消极做法，主张集中兵力，坚守昆阳，迟滞、消耗王邑军的兵力，掩护主力攻取宛城，然后伺机破敌。此时王邑的先头部队已逼近昆阳城北，在这紧要关头，诸将同意了刘秀的建议，决定由王凤、王常等率众坚守城邑，另派刘秀、李轶等率十三骑乘夜出城，赶赴郾县、定陵一带调集援兵。

王邑、王寻等人统率新莽军蜂拥抵至昆阳城下，将其团团围困。这时曾与绿林军交过手、深知其厉害的严尤向王邑建议说：昆阳城易守难攻，而且更始军主力悉在宛城一带，我军应当绕过昆阳，迅速赶往宛城，先击败更始军的主力，届时昆阳城即可不战而下。然而王邑等人自恃兵多势众，根本听不进这一适宜的意见，坚持先攻下昆阳，再进击更始农民军主力。于是动用全部兵力列营百余座，猛攻昆阳不已，并傲慢地扬言："百万之师，所过当灭，今屠此城，喋血而进，前歌后舞，顾不快邪！"

王邑军轮番向昆阳城发起进攻，并挖掘地道，制造云车，企图以强攻取胜。昆阳守军别无退路，遂依靠城内民众的支持，殊死抵抗，坚守危城，多次击退王邑军的进攻，予敌人以很大的消耗。

严尤眼见昆阳城屡攻不下，己军日趋被动，遂再次向王邑建议：围城必须"网开一面"，使城中守军逃出一部分到宛阳城下，去散布恐怖情绪，以动摇敌人的军心，瓦解敌军的士气。可是刚愎自用的王邑依然未采纳。

刘秀等人驰抵定陵、郾县之后，说服不愿出兵的诸营守将，于六月初一率领步骑万余人增援昆阳。此时王邑军久战疲惫，锐气早已丧失殆尽，这就为更始军击破它提供了机遇。

刘秀亲率千余援军步骑为前锋，在距王邑军四五里处列成阵势，准备接战。王邑、王寻等人自恃兵力雄厚，骄妄轻敌，只派出数千人迎战。刘秀率众奋勇进攻，反复猛冲，当场斩杀王邑军不少人马，取得了初步的胜利，大大振奋了士气。

这时候，更始起义军主力已攻占宛城三日，但捷报还未传到昆阳。刘秀为了鼓舞全军士气，动摇敌人军心，便制造了攻克宛城的战报，用箭射入昆阳城中；又故意将战报遗失，让王邑军拾去传播。这一消息一经散布，昆阳城中的守军士气更为高涨，守城更为坚决；而王邑军则由于顿兵昆阳坚城，久攻不下，且闻宛城失陷，士气更为低落。于是，胜利的天平开始向起义军这一边倾斜了。

刘秀在取得初战胜利后，又善于捕捉战机，针对敌人士气低落和主帅狂妄轻敌的弱点，精选勇士3000人，出敌不意地迂回到敌军的侧后，悄悄地涉过昆水（今河南叶县辉河），对王邑大本营发起极其猛烈的攻击。此时的王邑等人依旧轻视汉军，未把刘秀的攻击放在眼里，同时又担心州郡兵失去控制，遂下令各营勒卒自持，不准擅自出兵，而由自己和王寻率领万余人马迎战刘秀的冲杀。王邑的这一做法造成严重的恶果：在刘秀所部精兵的猛烈进攻之下，王邑手下的万余人马很快陷入被动挨打的困境，阵势大乱。可诸将因王邑有令在先，谁也未敢出营救援，致使王邑军溃败，王寻也做了汉军的刀下之鬼。昆阳城内的守军见敌军主帅已脱离部队，敌军阵已乱，也乘势及时出击，内外夹攻，杀声震天动地，打得王邑全军一败涂地。王邑军的将士们见大势已去，便纷纷逃命，互相践踏，以致积尸遍野。这时又恰遇大风飞瓦，暴雨如注，滍水剧涨。王邑军涉水逃跑而被淹死的不计其数，使得滍水为之不流，只有王邑、严尤等少数人狼狈逃脱，窜入洛阳。至此，昆阳之战就在更始起义军歼灭王莽军主力，并尽获其装备和辎重的辉煌胜利中结束了。

昆阳之战，是绿林、赤眉起义中的决定性一战。它基本聚歼了王莽赖以维持其暴虐统治的军队主力，为起义军胜利进军洛阳、长安，最终推翻新莽的统治奠定了基础。

在昆阳之战中，王莽军的兵力达 42 万人之多，而更始起义军守城和外援的总兵力加在一起也不过 2 万人左右。然而在兵力对比如此悬殊的情况下，起义军竟能取得聚歼敌人的辉煌胜利，这绝不是偶然的。归结其要旨，大约有这么几条。政治上反抗王莽暴政统治，符合广大民众的愿望和要求，因而得到民众的拥护和支持，这是昆阳之战中起义军取胜的深厚政治基础。所谓"威、德、仁、勇，必足以率下安众，怖敌决疑"[1]。军事上，刘秀领导的起义军实施了坚守昆阳，牵制敌人，调集兵力，积极反攻的正确方针，严重迟滞了王邑军的行动，消耗了它的实力，牢牢地掌握了战场攻守的主动权，做到了"因形用权，则不劳而功举"。在作战指导的具体运用方面，起义军敢于拼杀，士气高昂，英勇顽强，一往无前，"将之所麾，莫不从移；将之所指，莫不前死"，"有死之荣，无生之辱"；又"先占其将而察其才"[2]，善于利用敌军的弱点，攻心打击和军事进攻双管齐下，摧毁敌人的战斗意志，积小胜为大胜；能够把握战机，选择敌军指挥部为首要进攻目标，将其一举捣毁，使得敌军陷于群龙无首的境地，最终难以逃脱失败的命运。这充分显示了起义军主将优秀杰出的指挥才能，表明其不愧为"总文武""兼刚柔"的旷世名将。

---

① 《吴子》卷下《论将》。
② 《吴子》卷下《论将》。

第八节　东汉王朝统一之战的战略与战术

　　东汉王朝的统一之战，是指东汉光武帝刘秀利用新莽政权被推翻后群雄并起、中原无主的有利时机，以武力进攻为主，以政治诱降为辅，先后兼并群雄，抚降赤眉农民军的一场战争。战争的结果，是刘秀重新建立起封建统治秩序，开创所谓"光武中兴"的新局面。这场战争历时多年，先后经历了占据河北、平定关东、攻占关中、并陇灭蜀等几个主要阶段，堪称我国古代封建统一战争中的一个范例。

　　占据河北。在反抗新莽统治的绿林、赤眉大起义爆发后，刘秀即和他的兄长刘缤一起，起兵响应，并统率义军在决定起义最终成败的关键一役——昆阳大战——中大破王莽军主力，为推翻王莽统治做出决定性的贡献。绿林军内部发生内讧后，刘秀忍辱负重，取得更始帝刘玄等人的信任，前赴河北独当一面。刘秀利用这一机会，采纳邓禹"延揽英雄，务悦民心，立高祖之业，救万民之命"[①] 的战略建言，收编当地铜马等部农民军，打着复兴汉室的旗号，不断壮大自身的实力，以河北为根据地，开始了自己逐鹿中原，并吞天下的大业。羽翼丰满后，刘秀遂公开与更始政权决裂，于更始三年（25）六月，在鄗南（今河北柏乡）即皇帝位，沿用汉的国号，并以这一年为建武元年。不久，定都洛阳，史称东汉。至此，刘秀统一全国的战争完成了第一个阶段的战略目标。

　　平定关东。刘秀称帝后，虽然初步控制了中原（今河南、河北大部和山西南部）要地，但是仍处于各种武装势力的包围之中，东有青州的张步、东海的董宪、睢阳的刘永、庐江的李宪，南有南郡的秦丰、夷陵的田戎，西有成都的公孙述、天水的隗嚣、河西的窦

---

① 《后汉书》卷十六《邓寇列传》。

融、九原的卢芳，北有渔阳的彭宠。此外尚有绿林、赤眉等农民军活动于河水（黄河）南北，据有关中。刘秀根据形势，听从来歙所献的《平陇蜀策》，分析战局，权衡利害，制定先关东，后陇蜀，先东后西，由近及远，集中兵力，各个击破的战略方案，决定先集中力量消灭对中原威胁最大的关东武装势力，再挥师西向，求得进一步的发展。

在平定关东的具体步骤上，刘秀先将打击的目标指向南方的刘永、邓奉、董沂、秦丰、田戎等割据势力，经过一年多时间的激烈战斗，汉军逐一消灭了刘永、田戎、秦丰等集团，既解除了对京师洛阳的重大军事威胁，又为日后西进赢得了重要的战略基地。

在南方地区基本平定的情况下，刘秀进而采取了"北守东攻"的战略方针，先后消灭盘踞燕蓟地区（今北京一带）的彭宠集团、占有今山东一带的董宪与张步势力，以及割据今安徽一带的李宪集团。至建武六年（30），汉军在前后四年的时间里，将关东地区各个割据势力全部铲除。

关东地区的统一，有力地巩固了东汉政权，为刘秀稳定中原与关中大局，日后击灭隗嚣、公孙述，夺占陇、蜀，赢得统一战争的最后胜利，奠定了坚实的基础。

占领关中。在平定关东的同时，刘秀也展开了对关中地区的军事行动。自古以来，关中之地便号为"金城千里"，为兵家所必争，"被山带河，四塞以为固"①，对于争夺全国统治权具有重大的战略意义，故清人顾祖禹有言："陕西据天下之上游，制天下之命者也。"② 刘秀同样深谙这层道理，所以称帝后即委派邓禹、冯异、耿弇、侯进等将领率兵经营关中，与取代更始政权、占据长安等地的赤眉起义军争夺这一战略要地。经过崤底之役和宜阳之役，汉军战胜赤眉军，牢牢控制了以长安为中心的大部分关中地区，在实现全

---

① 《资治通鉴》卷十一《汉纪三》，高帝五年。
② 顾祖禹：《读史方舆纪要》卷五十二《陕西方舆纪要序》，中华书局，2005年。

国的统一路上又迈出了战略上的重要一步。

扫荡陇蜀。刘秀实现统一全国的战略目标，最后阶段是扫荡陇、蜀。在收降赤眉军，削平关东群雄之后，西平陇、蜀，统一全国就提到议事日程之上了。当时，窦融据有河西，隗嚣占据陇西，公孙述割据巴蜀。刘秀根据形势，制定了以近及远，先弱后强，稳定和争取窦融，先陇后蜀，各个击破的战略方针，先后发起了攻打陇西与平定巴蜀之战。

建武六年（30）四月，刘秀正式发动伐陇之战，经过历时四年的艰苦征战，终于在建武十年（34）十月，攻陷隗氏集团在陇西的最后据点落门（今甘肃武山县东洛门镇），彻底平定陇西地区。在此期间，刘秀还争取到窦融的归附，不战而下河西地区。

陇西平定后，公孙述割据的巴蜀便成刘秀统一大业的最后一个障碍。刘秀再接再厉，决定对公孙述用兵。他针对公孙述东依三峡，北靠巴山，据险自守的军事部署，制定了水陆并进、南北夹击、钳攻成都的作战方略，派大将岑彭、大司马吴汉率荆州诸军由长江溯江西进，命大将来歙率陇西诸军出天水，指向河池（治今甘肃徽县西北），相机南进。

公孙述拥有较强的实力，对刘秀的进攻进行了殊死的顽抗。因此，汉军于建武十一年（35）春发动的灭蜀之战打得非常艰苦，南北两路的主帅（来歙、岑彭）先后为公孙述派遣的刺客暗杀。尽管如此，但汉军在战略上已占有巨大的优势，一步步攻城略地，逐渐推进到公孙述的老巢成都城下。

建武十二年（36）十一月，由吴汉所率的汉军主力在成都近郊与公孙述军队进行最后决战，大破蜀军，公孙述负重伤身亡，成都城守将延岑举城投降。至此，刘秀顺利占有巴蜀地区，取得了统一战争的最后胜利。

作为东汉王朝统一之战的最高决策者，刘秀在这场战争中表现出卓越的战略应变能力和杰出的作战指导才华。他高明地制定全局性的战略方案和阶段性的策略方针，争取政治上的主动，经营和据有河北，作为战略根据地，为日后的发展奠定基础；善于观察形势，把握战机；注重占取地利，稳固后方；重视集中兵力，由近及远，分清主次缓急，各个击破，避免出现多面树敌、多个方向同时作战的被动；善于运用军事打击与政治攻心双管齐下的手段，争取盟友，分化敌对势力；高度重视利用人和，发现和拔擢将领，放手使用，不多掣肘，使他们得以充分发挥军事才能；能够适时总结经验，不断改进战法；善于避实击虚，奇正并用，围城打援，运动歼敌；强调连续进击，穷追猛打，不给敌人以喘息和反扑的可能。这一切均表明刘秀的统一战争战略指导是完全成功的。

第九节　"八州并起"：黄巾起义战争的战略指挥得失

东汉晚期，宦官与外戚两大集团交替专政，政治腐败，社会动荡，各种矛盾日益激化，黄巾农民起义就在这种背景下逐渐酝酿成熟。

黄巾起义的领袖是冀州巨鹿人张角，他自称"大贤良师"，创立太平道，以画符诵咒行医治病，在民众中宣传原始道教的平等思想，鼓动民众反抗东汉暴政。在宣传发动群众的同时，张角还利用宗教从事起义的组织准备，十余年内，张角已拥有徒众数十万，遍布于青、徐、幽、冀、荆、扬、兖、豫等八州。在此基础上，张角又将信徒按地域组织分为三十六方，大方万余人，小方六七千人，各设"渠帅"，统一节制。另外，张角根据斗争需要，及时用谶语的形式提出了"苍天已死，黄天当立，岁在甲子，天下大吉"的战斗口号与起义计划。一场宗教形式掩护下的农民起义至此已是呼之欲出了。

张角原计划在中平元年（184）三月五日于洛阳及各州同时起义，但就在起义即将发动的关键时刻，太平道内部出了叛徒，起义计划泄露。东汉王朝闻报后，即行严厉镇压。张角等人当机立断，决定提前举行起义，星夜派人通告各方同时行动，并规定起义军以黄巾缠头为标志。黄巾起义正式爆发。

黄巾起义爆发后，声势浩大，史称"旬日之间，天下响应，京师震动"①。黄巾军主力分布在三个地区：一是以张角、张宝、张梁为首的义军主力活跃于冀州地区，是为北方中心；二是以张曼成为首的义军战斗在南阳地区，是为南方中心；三是以波才、彭脱为首的义军转战于颍川、汝南、陈国一带，是为东方中心。可是在战略部署上，张角等义军领袖采取了"内外俱起"②，八州并发，同时出击的计划，即在京师洛阳内外同时起事，在地方各州一起暴动。在作战行动方面，各路义军虽缺乏周密的协同配合，但从其活动形势看，起义军显然是以洛阳为主要进攻目标的，自东、北、南三个方面包围威胁洛阳。所有这些，均反映了黄巾起义战争领导者一定的战略决策能力和作战指挥艺术。

八州并起的黄巾起义极大地震撼了东汉朝廷，统治者在惊恐之余，急忙调集军队，向起义军进行反扑。当时，活动于颍川的波才军对洛阳构成直接威胁，所以汉廷派遣中郎将皇甫嵩、右中郎将朱儁统率汉军主力投入这一战场。对于起义中心地区的河北一带，则任北中郎将卢植率北军五校尉和当地郡国兵前往镇压；而对于南阳地区的张曼成军，则是加强防御，暂取守势。东汉统治者实施这种先防后剿、攻守皆备、重点进攻、逐个击破的战略方针，表明他们具有老练的统治经验与军事素质。

该年四月，黄巾军与朝廷军队的战略决战首先在颍川一带展开。义军先期取得胜利，大破朱儁部汉军的进攻，并围困皇甫嵩部汉军于长社（治今河南长葛东），但是终因缺乏战斗经验而为官军反击所破，颍川、汝南、陈国等地义军逐一被镇压，招致失败。而东方黄巾军的失败，则使东汉朝廷摆脱京师之危，基本稳住局面。至此，双方的战略地位发生了重大变化，东汉朝廷业已占据了主动和优势。

接着，南阳一带成为双方第二个战略会战的场所。南阳黄巾军

---

① 《后汉书》卷七十一《皇甫嵩朱儁列传》。
② 《后汉书》卷七十一《皇甫嵩朱儁列传》。

与东汉官军的斗争是围绕战略要地宛城的争夺而展开的，前后经历了近8个月时间，义军曾以百余日的战斗，最终攻克宛城，并在守城的数个月里多次击败朱儁等部汉军的进攻，一直坚持到同年十一月才撤出宛城。朱儁率汉军追击厮杀，终于消灭了南阳黄巾军。黄巾军的南方起义中心宣告失陷。

此后，战争的中心转移到河北地区。河北是起义军的大本营，张角兄弟三人在那里直接指挥义军主力，曾先后攻克广宗（治今河北威县东）、下曲阳（今河北晋州西），并击败汉军卢植、董卓部的进攻。该年八月，皇甫嵩接任官军统帅，率主力扑向河北战场。义军英勇抵抗，数次挫败官军的进攻，迫使皇甫嵩"闭营休士，以观其变"①。但是此时其他地区的黄巾军已被镇压，河北黄巾军的战局日趋不利，加上战术有误，广宗、下曲阳先后被攻破，大批黄巾军将士牺牲，河北黄巾军也遭失败。

汉军于十一月攻陷下曲阳，这标志着张角等人所领导的黄巾军主力悲壮失败。然而农民起义的火焰并没有就此而熄灭，分散在各地的黄巾余部仍在坚持斗争，前后延续了20余年之久，给黄巾大起义添上了一个可歌可泣的尾声。

黄巾农民大起义，是我国历史上著名的农民革命战争，它虽然最终失败了，却为后人留下了丰富的农民战争遗产。其中既有成功的经验，更有失败的教训，值得认真加以总结。

黄巾起义的成功经验，主要表现在：第一，它提出了明确的战斗目标，即消灭东汉政权，建立自己的统治，这对号召和鼓动民众参加起义起到了重要的作用；第二，利用宗教形式进行起义的宣传和组织工作，麻痹了官府，积蓄了力量，为举行起义做好了较充分的准备；第三，起义的计划制订得比较周密、具体，所谓"内外俱起，八州并发"就反映了这一特点，尽管后来由于叛徒告密，使计划实施遇到困难，但经张角果断处理，它基本上还是得到了落实，从而给东汉王朝以沉重的打击；第四，斗志坚决，宁死不屈，敢于

---

① 《后汉书》卷七十一《皇甫嵩朱儁列传》。

攻坚，勇于牺牲，以此向天下昭示起义将士的斗争精神与高尚气节。

　　黄巾农民战争失败的教训同样非常深刻。它没有远大的战略眼光，因此提不出更具体的策略方针；它没有建立起后方基地和有组织的战斗部队，因此部队保障受到限制，战斗行动受到掣肘；它缺乏统一的指挥和互相配合，各自为战，因此造成战区上的孤立、分割态势，以致为敌占优势的主力军各个击破；它不懂得在敌强我弱形势下采取运动战、游击战等机动作战样式的重要性，热衷于城池的攻守，将起义军的主力胶着于一地，同敌人打硬仗，拼消耗，直至耗尽自己的战斗力而被击败。所有这些，都是起义军在战略上和作战指导方面的严重失策，也是这场轰轰烈烈农民战争不幸失败的直接原因所在。

主要参考文献

一、古籍

孙武，撰；曹操，等注. 十一家注孙子校理 ［M］. 杨丙安，校理. 北京：中华书局，1999.

徐元诰. 国语集解 ［M］. 王树民，沈长云，点校. 北京：中华书局，2002.

许维遹. 吕氏春秋集释 ［M］. 梁运华，整理. 北京：中华书局，2016.

王利器. 新语校注 ［M］. 北京：中华书局，1986.

贾谊. 新书校注 ［M］. 阎振益，钟夏，校注. 北京：中华书局，2000.

司马迁. 史记 ［M］. 北京：中华书局，1982.

刘文典. 淮南鸿烈集解 ［M］. 冯逸，乔华，点校. 北京：中华书局，1989.

苏舆. 春秋繁露义证 ［M］. 钟哲，点校. 北京：中华书局，1992.

王利器，校注. 盐铁论校注 ［M］. 北京：中华书局，1992.

刘向，集录. 战国策笺证 ［M］. 范祥雍，笺证；范邦瑾，协校. 上海：上海古籍出版社，2006.

班固，撰；颜师古，注. 汉书 ［M］. 北京：中华书局，1962.

陈立. 白虎通疏证 ［M］. 吴则虞，点校. 北京：中华书局，1994.

王符，著；汪继培，笺. 潜夫论笺校正 ［M］. 彭铎，校正. 北京：中华书局，1985.

王弼. 老子道德经注校释［M］. 楼宇烈，校释. 北京：中华书局，2008.

范晔，撰；李贤，等注. 后汉书［M］. 北京：中华书局，1965.

房玄龄，等. 晋书［M］. 北京：中华书局，1974.

杜佑. 通典［M］. 王文锦，王永兴，刘俊文，等点校. 北京：中华书局，1988.

司马光，编著；胡三省，音注. 资治通鉴［M］. 北京：中华书局，1956.

顾炎武，著；黄汝成，集释. 日知录集释（全校本）［M］. 栾保群，吕宗力，校点. 上海：上海古籍出版社，2006.

赵翼. 廿二史劄记校证［M］. 王树民，校证. 北京：中华书局，1984.

王夫之. 读通鉴论［M］. 北京：中华书局，1975.

永瑢，等. 四库全书总目［M］. 北京：中华书局，1965.

阮元，校勘. 十三经注疏［M］. 台北：艺文印书馆，2001.

严可均，校辑. 全上古三代秦汉三国六朝文［M］. 北京：中华书局，1958.

杨伯峻. 春秋左传注［M］. 北京：中华书局，2018.

《中国兵书集成》编委会. 中国兵书集成［M］. 北京：解放军出版社，沈阳：辽沈书社，1987—1998.

二、出土文献

马王堆汉墓帛书整理小组. 马王堆汉墓帛书：经法［M］. 北京：文物出版社，1976.

银雀山汉墓竹简整理小组. 银雀山汉墓竹简［M］. 北京：文物出版社，1985.

中国社会科学院考古研究所. 居延汉简甲乙编［M］. 北京：中华书局，1980.

三、专著

白寿彝. 中国通史 ［M］. 上海：上海人民出版社，2004.

陈登原. 国史旧闻 ［M］. 北京：中华书局，2000.

陈力恒. 军事预测学 ［M］. 北京：军事科学出版社，1993.

陈学凯. 正统论与革命观——中国传统政治文化的调节机制 ［M］. 西安：陕西人民出版社，1998.

程广中. 地缘战略论 ［M］. 北京：国防大学出版社，1999.

高锐. 中国军事史略 ［M］. 北京：军事科学出版社，1992.

葛剑雄. 统一与分裂——中国历史的启示 ［M］. 北京：生活·读书·新知三联书店，1994.

葛志毅，张惟明. 先秦两汉的制度与文化 ［M］. 哈尔滨：黑龙江教育出版社，1998.

宫玉振. 中国战略文化解析 ［M］. 北京：军事科学出版社，2002.

顾颉刚. 秦汉的方士与儒生 ［M］. 上海：上海人民出版社，1957.

郭树枋. 话说战略 ［M］. 北京：军事科学出版社，1987.

洪兵. 中国战略原理解析 ［M］. 北京：军事科学出版社，2002.

侯外庐，赵纪彬，杜国庠. 中国思想通史 ［M］. 北京：人民出版社，1957.

黄朴民. 孙子评传 ［M］. 南宁：广西教育出版社，1994.

黄朴民. 何休评传 ［M］. 南京：南京大学出版社，1998.

军事科学院. 中国军事通史 ［M］. 北京：军事科学出版社，1998.

黄朴民，孙建民. 中华统一大略 ［M］. 北京：解放军出版社，2002.

黄朴民. 刀剑书写的永恒：中国传统军事文化散论 ［M］. 北京：国防大学出版社，2002.

黄朴民．先秦两汉兵学文化研究［M］．北京：中国人民大学出版社，2010．

黄朴民．天人合一——董仲舒与两汉儒学思潮研究［M］．长沙：岳麓书社，2013．

黄朴民．王者无外——中国古代国家统一战略研究［M］．长沙：岳麓书社，2013．

黄朴民．文致太平——何休与公羊学发微［M］．长沙：岳麓书社，2013．

纪宝成．中国古代治国要论［M］．北京：中国人民大学出版社，2004．

黄仁宇．赫逊河畔谈中国历史［M］．北京：九州出版社，2015．

蒋伯潜．十三经概论［M］．上海：上海古籍出版社，1983．

蒋庆．公羊学引论——儒家的政治智慧与历史信仰［M］．沈阳：辽宁教育出版社，1995．

姜春良．军事地理学［M］．北京：军事科学出版社，1995．

军事科学院战略研究部．战略学［M］．北京：军事科学出版社，2001．

雷海宗．中国文化与中国的兵［M］．北京：商务印书馆，2014．

李际均．军事战略思维［M］．北京：军事科学出版社，1998．

刘修明．从崩溃到中兴——两汉的历史转折［M］．上海：上海古籍出版社，1989．

刘泽华．士人与社会［M］．天津：天津人民出版社，1992．

刘泽华．中国政治思想史［M］．杭州：浙江人民出版社，1996．

吕思勉．吕思勉读史札记［M］．上海：上海古籍出版社，2005．

吕思勉．秦汉史［M］．上海：上海古籍出版社，2005．

马勇．汉代春秋学研究［M］．成都：四川人民出版社，1992．

毛泽东. 毛泽东选集［M］. 北京：人民出版社，1991.

彭卫. 历史的心镜——心态史学［M］. 郑州：河南人民出版社，1992.

彭卫. 穿越历史的丛林：史学论［M］. 北京：生活·读书·新知三联书店，1997.

钱穆. 国史大纲［M］. 北京：商务印书馆，1996.

饶胜文. 布局天下：中国古代军事地理大势［M］. 北京：解放军出版社，2002.

饶宗颐. 中国史学上之正统论［M］. 上海：上海远东出版社，1996.

任继愈. 中国哲学发展史（秦汉）［M］. 北京：人民出版社，1985.

史美珩. 古典兵略［M］. 沈阳：辽宁教育出版社，1993.

史念海. 河山集［M］. 北京：生活·读书·新知三联书店，1963.

宋杰. 先秦战略地理研究［M］. 北京：首都师范大学出版社，1999.

孙家洲. 两汉政治文化窥要［M］. 济南：泰山出版社，2001.

谭其骧. 长水集［M］. 北京：人民出版社，1987.

田昌五. 中国历史体系新论［M］. 济南：山东大学出版社，1995.

王生荣. 金黄与蔚蓝的支点：中国地缘战略论［M］. 北京：国防大学出版社，2001.

许保林. 中国兵书通览［M］. 北京：解放军出版社，2002.

杨宽. 战国史［M］. 上海：上海人民出版社，1980.

杨向奎. 中国古代社会与古代思想研究［M］. 上海：上海人民出版社，1964.

杨向奎. 绎史斋学术文集［M］. 上海：上海人民出版社，1983.

杨向奎. 大一统与儒家思想［M］. 北京：北京出版社，2016.

杨向奎. 宗周社会与礼乐文明（修订本）［M］. 北京：人民出版社，1997.

余嘉锡. 四库提要辨证［M］. 北京：中华书局，1980.

于汝波. 孙子学文献提要［M］. 北京：军事科学出版社，1994.

于汝波，刘庆. 中国历代战略思想教程［M］. 北京：军事科学出版社，2000.

于汝波，黄朴民. 中国历代军事思想教程［M］. 北京：军事科学出版社，2000.

于汝波，李兴斌. 中国经典兵书［M］. 济南：山东友谊出版社，2002.

于汝波. 大思维：解读中国古典战略［M］. 北京：军事科学出版社，2001.

余英时. 士与中国文化［M］. 上海：上海人民出版社，2013.

袁品荣. 享誉世界的十大军事名著［M］. 北京：海潮出版社，1998.

赵国华. 中国兵学史［M］. 福州：福建人民出版社，2004.

赵海军. 孙子学通论［M］. 北京：国防大学出版社，2000.

张岱年，程宜山. 中国文化与文化论争［M］. 北京：中国人民大学出版社，1990.

《中国军事史》编写组. 中国军事史（第二卷）：兵略［M］. 北京：解放军出版社，1986.

马克思，恩格斯. 马克思恩格斯全集［M］. 中共中央马克思恩格斯列宁斯大林著作编译局，编译. 北京：人民出版社，1971.

黑格尔. 哲学史讲演录（第二卷）［M］. 贺麟，王太庆，译. 北京：商务印书馆，1959.

克劳塞维茨. 战争论［M］. 中国人民解放军军事科学院，译. 北京：解放军出版社，2004.

A. H. 若米尼. 战争艺术概论［M］. 刘聪，袁坚，译. 北京：解放军出版社，1986.

富勒. 战争指导［M］. 绽旭, 译; 周驰, 校. 北京: 解放军出版社, 2006.

安德烈·博福尔. 战略入门［M］. 军事科学院外国军事研究部, 译. 北京: 军事科学出版社, 1989.

富勒. 装甲战［M］. 周德, 等译. 北京: 解放军出版社, 2006.

韦格蒂乌斯·雷纳图斯. 兵法简述［M］. 袁坚, 译. 北京: 解放军出版社, 1998.

杰弗里·帕克. 剑桥战争史［M］. 傅景川, 译. 长春: 吉林人民出版社, 1999.

麦尼尔. 竞逐富强: 西方军事的现代化历程［M］. 倪大昕, 杨润殷, 译. 上海: 学林出版社, 1996.

伊藤宪一. 国家与战略［M］. 军事科学院外国军事研究部, 译. 北京: 军事科学出版社, 1989.

贝奈戴托·克罗齐. 历史学的理论和实际［M］. 道格拉斯·安斯利, 英译; 傅任敢, 译. 北京: 商务印书馆, 1982.

E. H. 卡尔. 历史是什么?［M］. 陈恒, 译. 北京: 商务印书馆, 2007.

哈·麦金德. 历史的地理枢纽［M］. 林尔蔚, 陈江, 译. 北京: 商务印书馆, 1985.

崔瑞德, 鲁惟一. 剑桥中国秦汉史［M］. 杨品泉, 译. 北京: 中国社会科学出版社, 1992.

四、论文及其他

陈其泰. 春秋公羊学说体系的形成及其特征［J］. 山东大学学报 (哲学社会科学版), 2002 (6).

黄朴民, 孙建民. 试论中华民族的统一文化［J］. 中国军事科学, 2002 (5).

裴汝诚, 许沛藻. 评宋初君臣"取天下"之志及"一天下"之策——兼及历史人物评价问题［J］. 上海师范大学学报 (哲学社会科学版），1980（3）．

杨渭生．论赵宋之统一与整治［J］．杭州大学学报（哲学社会科学版），1994（1）．

于汝波．儒家大一统思想简议［J］．齐鲁学刊，1995（1）．

黄朴民．论中华文化与国家统一［N］．光明日报，2003-05-27．